D0284796

10
18

12, AVENUE D'ITALIE. PARIS XIIIe

Sur l'auteur

Kem Nunn est né en 1948 à Pomona, Californie. Après *La Reine de Pomona* (Gallimard, La Noire, 1993), *Surf City* (Gallimard, Série Noire, 1995) et *Le Sabot du diable* (Gallimard, La Noire, 2004), il publie chez Sonatine *Tijuana Straits* (2011) qui remporte le prix *LiRE*, puis *Chance* (2016).

KEM NUNN

CHANCE

Traduit de l'anglais (États-Unis)
par Clément Baude

10/18

SONATINE ÉDITIONS

Titre original :
Chance
Éditeur original : Scribner

Celui-là est pour Ulrike, ma seule Uli.

CHANCE : II. Tour favorable ou défavorable, mais de soi imprévisible et livré au hasard, que peut prendre ou que prend effectivement une situation ou un événement ; issue heureuse ou malheureuse d'une situation donnée.

CHANCE ET L'ÉTÉ DE L'AMOUR

Au début, avant même qu'il soit évident que le divorce allait être coûteux, pénible et franchement mesquin, Chance avait pensé déménager vers le Presidio, ou pas loin, peut-être dans une petite maison avec vue sur la mer, près des séquoias et des cèdres. Mais le rêve n'avait pas duré. Les beaux emplacements étaient chers et difficiles à trouver, même si plus rien dans cette ville n'était bon marché. L'autre Été de l'Amour n'était qu'un lointain souvenir.

Il avait fini par jeter son dévolu sur un modeste appartement en lisière du quartier de Sunset, un deux pièces avec un garage partagé ; par les fenêtres de la façade principale, il pouvait, parfois, apercevoir la mer. Dans ce nouveau quartier, les rues, même si elles descendaient toutes en pente douce vers le Pacifique, étaient monotones et dépourvues d'arbres, bordées de longues successions de maisons en bois et crépi coloré. Quand il faisait beau, Chance voyait ces rues baignées d'une lumière qu'il associait désormais aux déserts du sud-ouest, si forte que les tons pastel chauds en perdaient tout caractère distinctif, comme blanchis. Par temps de brouillard aussi, les couleurs étaient affaiblies, se confondant presque avec celles des trottoirs mouillés, du macadam ou du ciel

11

d'ardoise gris pâle. Établir des comparaisons avec sa propre vie avait quelque chose d'assommant, même pour lui.

Ce qu'il considérait comme un déclin général avait coïncidé avec un cas particulièrement troublant. Un cas qui n'avait rien de compliqué. Aucune énigme juridique ou médicale à élucider. Il n'y avait que les faits, qu'il avait résumés comme suit :

Lorsque j'ai examiné Mariella Franko, elle avait eu, trente-quatre mois plus tôt, un violent accident de voiture au cours duquel son père, âgé de soixante-huit ans, avait trouvé la mort dans des circonstances terribles. (Voulant éviter une imprévisible vache laitière égarée sur sa voie, son père avait percuté un camion de livraison arrivant en sens inverse. Il s'était fait décapiter. Sa tête avait atterri sur la banquette arrière. Mariella était restée coincée à côté du corps de son père jusqu'à ce que ce dernier soit désincarcéré. Elle se rappelle avoir hurlé : « papa ! » de nombreuses fois pendant ce temps-là.)

D'après le service des urgences, l'échelle de Glasgow de Mariella indiquait un score de 15 au moment de leur arrivée. Elle répétait sans cesse : « Mon papa... je veux mon papa ! » Elle avait reçu du fentanyl en intraveineuse et avait été transférée en ambulance jusqu'à un hélicoptère CALSTAR qui l'avait lui-même transportée à Stanford. À son arrivée là-bas, elle pleurait et demandait à voir son père. On n'avait détecté chez elle ni fractures ni plaies internes. Elle était restée sous surveillance une nuit, puis avait été renvoyée chez elle avec demande de suivi par un médecin traitant. Un examen psychiatrique effectué un mois plus tard évoquait anxiété, dépression, réactions d'effarouchement, crises de tachycardie, de tachypnée et de transpiration, ainsi que des pensées intrusives liées à son père. Il était précisé que Mariella avait bénéficié d'un congé maladie de trois mois et qu'elle essayait de se distraire en regardant la télévision. Sa vie sociale était devenue extrêmement limitée, marquée par un repli sur soi et un isolement complets. Elle décrivait un désespoir et un manque de motivation permanents. On a diagnostiqué chez Mlle Franko une névrose traumatique chronique doublée d'une grave dépression. Des séances de psychothérapie associées à un traitement d'antidépresseurs ont été recommandées. Malheureusement, Mlle Franko n'a reçu ni psychothérapie ni pharmacothérapie. Au moment de mon examen, elle demeurait anxieuse, déprimée, et cherchait à éviter toute pensée, toute image mentale, tout sentiment qui lui ferait revivre la soirée de son accident. Je confirme que Mlle Franko souffre d'une névrose traumatique chronique. Elle a frôlé la mort, elle a cru sa dernière heure arrivée, a assisté à celle de son père et s'est retrouvée coincée en voiture avec lui dans des circonstances épouvantables. Les photos que j'ai pu voir parlent d'elles-mêmes. Il est regrettable qu'une deuxième consultation psychiatrique n'ait pu être obtenue que plus de deux ans après l'accident. Et si sa méfiance à l'égard des professionnels de la santé mentale est compréhensible, c'est précisément à cette méfiance que les professionnels de la santé auraient dû répondre...

Eldon J. Chance
Professeur adjoint de clinique
Département de psychiatrie
Faculté de médecine UCSF

Le rapport était plus long, mais l'essentiel se résumait en ces termes. Une compagnie d'assurances l'avait désigné pour évaluer la nature et la gravité du traumatisme psychologique subi par Mariella Franko. Chance, expert en neuropsychiatrie, passait le plus clair de son temps à expliquer des troubles neurologiques souvent complexes à des jurys, ou à des avocats sur le point de s'exprimer devant des jurys, dans des affaires qui allaient du préjudice corporel à l'abus d'autorité, en passant par les maltraitances sur personnes âgées. Tantôt d'autres médecins lui demandaient d'examiner leurs patients, tantôt des familles l'engageaient. Ce n'était pas le métier de ses rêves, mais enfin c'était son métier. Il voyait rarement quelqu'un plus d'une ou deux fois et s'en faisait rarement un patient.

Il en allait de même pour Mariella Franko. Il ne l'avait vue qu'une fois, au moment de l'examen. Il ne savait pas ce qu'elle était devenue, ni ce que son cas avait donné, ni si elle avait bénéficié des thérapies et traitements préconisés. Il va sans dire aussi qu'elle n'avait pas été sa seule patiente à l'époque. En effet, cet été-là, mille autres cas auraient pu occuper ses pensées.

J. C., 36 ans, blanche, droitière, a derrière elle un passé médical long et compliqué. Née prématurément d'une tentative d'avortement (à sept mois), elle souffre d'une forme légère de retard mental, conséquence du manque d'oxygène au moment de l'intervention bâclée et de sa naissance prématurée. La patiente confie avoir eu une longue relation incestueuse avec son père et, après sept fausses couches, avoir mis au monde un fils frappé d'une multitude de malformations congénitales…

M. J., 42 ans, noire, droitière, a fait de longues études universitaires. La patiente raconte qu'à l'âge de 36 ans, alors qu'elle rentrait à pied de la librairie où elle travaillait jusqu'à son domicile, dans le quartier de Mission, elle s'est fait agresser par un Latino mesurant plus de 1 m 80 et pesant plus de 100 kilos. Elle n'a qu'un souvenir partiel de l'incident, mais se rappelle que sa tête a heurté plusieurs fois une borne d'incendie après qu'elle a tenté de fuir. M. J. affirme que, pendant un an, elle était extrêmement déprimée et a passé douze mois à regarder la télévision et à boire comme un trou. Elle en a profité pour s'acheter un pistolet et, de frustration et de colère, se mettait parfois à tirer. Son meilleur ami était un rat domestique, qui, d'après elle, venait poser une patte sur sa main pour la consoler. M. J. vit actuellement seule dans un foyer pour sans-abri et handicapés mentaux à Los Angeles...

L. S., 46 ans, a grandi auprès d'une mère violente et alcoolique. Elle n'a jamais su qui était son père. L. S. se donne beaucoup de mal pour se présenter comme une personne souffrant de difficultés d'apprentissage. Elle prétend que, enfant, elle avait l'impression de tout apprendre « à l'envers ». Elle lisait non seulement les mots, mais des pages entières, à l'envers. Si elle se voit contrainte de lire un livre en commençant par le début, elle a le sentiment de ne pas bien comprendre l'intrigue jusqu'à ce qu'elle puisse le relire en partant de la fin. Bien qu'elle passe l'essentiel de son temps à s'occuper de ses cent quatre oiseaux exotiques, elle a pour autre grande passion les livres sur la maladie mentale et les difficultés d'apprentissage. La patiente affirme que, du plus loin qu'elle se souvienne, elle s'est toujours sentie déprimée, vide et incertaine quant à sa propre identité…

D. K., 30 ans, blanc, droitier, dernièrement graphiste à San Jose, a eu il y a quatre ans un accident au port d'Oakland. Percuté par un camion, il a été blessé à la tête. D'après le patient, s'il n'a pas conscience de changements dans sa personnalité, il a conscience que pour les autres, y compris sa femme, sa personnalité a changé du tout au tout. D'après sa femme, il croit pouvoir jouer un jour un rôle central dans un combat entre Satan, Yahvé et Jésus. Il y a six mois, alors qu'il estimait nécessaire de se nettoyer le corps en vue du conflit à venir, le patient a ingurgité plusieurs détergents domestiques, dont de l'Hexol et du Clorox…

Pourtant, ce fut bien Mariella Franko qui l'accompagna au cours des tristes premières journées de cet été inhabituellement chaud et précoce, pendant qu'il cherchait des appartements au bord de la baie, remplissait des papiers envoyés par les avocats adverses, examinait des patients, rédigeait des rapports, voyait son argent fondre comme neige au soleil – plus vite et en plus grosse quantité que jamais –, regardait la vie qu'il avait si méticuleusement construite pour lui, sa femme et sa fille, se briser sur les écueils d'une réalité jusque-là à peine imaginable.

Sa future ex-femme, photographe en herbe, ne gagnait pas sa vie. Les ventes de ses œuvres ne pouvaient même pas payer la location de son studio. Son amant, un coach privé dyslexique et plus jeune de dix ans, avec lequel elle venait de s'acoquiner, ne travaillait qu'à temps partiel dans une salle de sport à Sausalito, et on ne pouvait pas attendre un soutien financier de ce côté-là. L'avocat de sa femme avait déjà obtenu une décision d'un juge. Chance devrait payer les deux avocats, le sien *et* celui de sa femme. Leur maison serait mise sur le marché dans le pire des marchés. Enfin, l'école privée qu'aimait tant sa fille, avec ses pins de Monterey et sa vue sur la baie, devenait chaque jour de moins en moins envisageable. L'école publique la plus proche de leur domicile actuel était une catastrophe.

Quant à Mlle Franko, en cette période de sécheresse et de cendres – le ciel en était souvent rempli ces derniers temps, à cause des incendies dus à un accident dans la raffinerie de Richmond, à l'est de la baie, le tout aggravé par la météo anormale et les vents secs –, elle vivait avec sa grand-mère paternelle, âgée de quatre-vingt-neuf ans, dans un appartement à l'extrémité sud de Palo Alto. Pendant l'examen, il lui avait demandé comment cette dernière avait réagi à la mort de son fils unique. Mariella avait répondu que sa grand-mère était très triste. Elle prenait des médicaments tous les jours mais elle ne se souvenait plus de leurs noms. Elle ignorait si la vieille dame partageait ses cauchemars récurrents ou ses souvenirs intrusifs du drame qui avait tué son père, son fils.

Curieusement, c'était Chance qui avait connu un certain nombre de cauchemars récurrents, de souvenirs intrusifs et de flashes très précis concernant les photos qu'on lui avait demandé de regarder, associés à l'image de cette petite créature timide, seule pendant ces longues heures, parlant à l'effigie désormais muette posée à côté d'elle. Puis il l'imaginait dans son appartement de Palo Alto, esseulée au milieu d'un décor indubitablement banal à en mourir, tentant de « se distraire devant la télévision ». Que pouvait-elle bien regarder ? se demandait-il. Que pouvait-elle bien y trouver qui ne se termine par une énucléation en bonne et due forme ? Cette image lui fit penser au roi Lear et à l'homme au naturel, la créature même. Job, au moins, avait Dieu dans le tourbillon. Mariella, elle, n'avait que des drames policiers et des bains de sang – les journaux télévisés. Il se souvenait vaguement qu'elle travaillait à plein temps dans une usine d'emballage de chips Granny Goose à San Jose, qu'avant l'accident elle s'intéressait à la peinture, au dessin, et collectionnait les petites statues de grenouille.

Un soir, seul dans son nouvel appartement, à moitié couché, il en était même venu à imaginer le trajet en voiture de quarante-cinq minutes qu'il lui faudrait faire pour aller chez elle. Elle n'était pas moche. Dans son dossier, il l'avait décrite en ces termes :

> 39 ans, menue, d'origine italienne, avec des cheveux noirs retenus par un chignon, elle a des traits réguliers, presque classiques, et de grands yeux marron. Ses mains sont manucurées et elle n'a pas de vernis à ongles. Elle porte un manteau de cuir sur un tailleur à rayures brunes et des chaussures en cuir marron à hauts talons. Son attitude générale, quoique agréable, est caractérisée par une absence totale de spontanéité. L'entretien a consisté en une série de questions, suivies de réponses incomplètes.

Ce qu'il s'était dit mais n'avait pas noté, ce qui la distinguait de tant d'autres, c'était qu'elle avait quelque chose de l'oiseau en cage, d'une vie non vécue. Et c'était tout simplement ça, se disait-il, l'horreur de la vie non vécue, qui l'avait pris en défaut, empêtré dans son propre déclin, où chaque jour donnait l'impression de pouvoir être encore plus sombre que le précédent.

Il s'accrochait à l'idée, peut-être illusoire, qu'il est des périodes dans la vie d'un être, des moments, pour être exact, où un mot, un geste, un simple contact peut blesser ou guérir. C'était dans cette perspective-là qu'il avait envisagé le trajet en voiture. Rien à voir avec une quelconque envie sexuelle. Il aurait très bien pu obtenir l'aide de quelqu'un d'autre, si ce quelqu'un d'autre s'était présenté. Ce qu'il imaginait, c'était *le coup d'épée*, la délivrance du cœur emprisonné. Il se ravisa, naturellement. Il était lucide, il voyait très bien le geste donquichottesque un peu fou, plus joli en rêve qu'en réalité, car... Eh bien, c'était à ça que ressemblait la vie, en fin de compte. Une image obscure, au moyen d'un miroir. Tout n'était qu'à moitié vécu. Il n'y aurait ni trajet en voiture ni intervention. Le monde comme il tournait ne le permettrait pas. À la place, il opta pour un supplément de vin. « Mais mon Dieu, se dit-il quelques instants plus tard en se reservant un verre et en se représentant, pour la beauté du geste, son arrivée à l'improviste devant la porte de Mariella : que *penserait-elle* ? » Il entendit la nuit rendue effroyable par ses cris.

Il s'endormit avec les vers de William Blake : « Chaque soir, chaque matin / Tels naissent pour le chagrin. / Chaque matin, chaque soir / Tels pour délices d'espoir. / Tels naissent pour les délices / Tels pour nuit qui ne finisse. » Plus tard dans la nuit calme, il fut réveillé par le bruit des vagues sur Ocean Beach, à travers les murs de sa chambre. Une fois levé, il put voir, par une fenêtre de la salle de bains, une étrange lueur orange à l'est – preuve à ses yeux que, dans les collines surplombant la raffinerie pétrolière de Richmond, les incendies faisaient toujours rage.

LE MOBILIER PRINTZ

C'était un ensemble Art déco français de la fin des années 1930, l'œuvre d'un célèbre décorateur du nom d'Eugène Printz. Comprenant un bureau, une étagère et deux chaises, tous en bois de palmier et laiton oxydé, le meuble valait une petite fortune. Il aurait pu valoir davantage si une partie du laiton ne manquait pas à la bibliothèque et au bureau – plusieurs bandes qui auraient dû en recouvrir les bordures inférieures. Mais il l'avait acheté tel quel et avait payé en conséquence. Cela n'en demeurait pas moins un ensemble superbe, et il l'avait toujours trouvé parfaitement à sa place dans la grande maison qu'il partageait avec sa femme et sa fille. Aujourd'hui, coincé dans le petit appartement, cela donnait quelque chose de triste et de décalé, voire de totalement ridicule. L'un dans l'autre, il s'en était agacé et avait fini par envisager de le revendre. Il connaissait un marchand spécialisé dans ce genre d'objets, un vieux monsieur noir d'au moins soixante-dix ans, installé tout au bout de Market Street. Chance ne se souvenait plus de son nom, mais il se rappelait l'endroit, tout près de son cabinet ; il décida de s'y rendre le plus vite possible. L'occasion se présenta moins d'une semaine plus tard, lorsqu'un rendez-vous prévu juste avant le déjeuner fut annulé. Il alla à pied jusqu'au magasin de l'antiquaire.

D'une manière générale, il aimait marcher dans la ville. Ce jour-là, il ne put se départir du sentiment que c'était l'avenir qu'il voyait devant lui. Un avenir moins reluisant qu'on pouvait l'espérer. Les flammes s'étaient éteintes sur les collines d'East Bay, mais à peu près toute la région de la baie restait couverte de cendres. Les voitures donnaient l'impression d'être de la même couleur. Comme des monceaux de neige sale, les cendres se déposaient dans tous les recoins. Trois jeunes femmes asiatiques, qu'il prit pour des étudiantes, marchaient sur le trottoir portant des masques chirurgicaux. « Voilà à quoi ça ressemblera », se dit-il au moment de les croiser. Ça ressemblera à ça, et après ce sera pire.

Pendant l'évacuation des collines d'East Bay, aux rues étroites et encombrées de voitures, les pompiers avaient dû demander aux habitants effarés d'abandonner leurs véhicules et de s'enfuir à pied. Les incendies de Richmond s'étaient déplacés vers l'est et le sud à une vitesse inquiétante. Les collines de Berkeley s'étaient embrasées en un clin d'œil, une pluie de flammèches zébrait la nuit. Les habitants n'avaient pas obéi aux consignes, préférant se rentrer dedans les uns les autres à bord de leurs voitures en feu. Professeurs d'université, comptables, génies des *start-up* ou peu importe le nom qu'ils se donnaient, écrivains et artistes, chercheurs et médecins des collines de Berkeley… Tous ces gens s'étaient bousculés dans la fumée noire comme des insectes fous, comme des orvets à la con. Chance avait suivi tout cela aux journaux télévisés de la nuit, dans la relative sécurité de son appartement. Dans ces conditions, garder ou vendre ? Que valait son beau mobilier français quand déjà les oiseaux de proie se faisaient plus nombreux ?

C'est dans cet état de ferveur apocalyptique, le front en sueur et les poumons en flammes, qu'il arriva devant le bâtiment, un vieil entrepôt en brique d'avant-guerre situé dans une ruelle étroite et proprette qui donnait sur Market Street. Arrivé devant la porte, il entendit une voix d'homme, une voix de fausset animée par la colère. « Donc tu es sa petite salope ? C'est bien ça ? » La voix s'interrompit dès que retentit la sonnette de l'entrée. Chance repéra aussitôt le propriétaire et de la voix et de l'établissement, en grande conversation avec un jeune homme, apparemment d'origine *latino*, vêtu d'un tee-shirt noir moulant, d'un pantalon de cuir noir moulant et d'une paire de chaussures en cuir pointues qui lui remontaient au-dessus des chevilles. Le plus âgé des deux ressemblait au souvenir qu'en conservait Chance, plus d'un mètre quatre-vingts, extrêmement maigre et homo comme pas permis. Sa tenue même n'avait pas changé – bagues, fanfreluches, foulard et veste criarde. La seule différence, c'est qu'il était plus vieux que Chance ne le croyait, plus proche des quatre-vingts ans que des soixante-dix. « Un type de cette génération, se dit Chance, noir et homo ? » On pouvait imaginer qu'il en avait connu des vertes et des pas mûres.

L'homme s'arrêta brusquement dans son envolée. « Jeune homme », dit-il en s'adressant à Chance tout en se détournant de l'autre, comme s'il avait soudain cessé d'exister. Sa voix n'était plus aiguë ; elle montait agréablement jusqu'aux chevrons du toit. « Comment va le mobilier Printz ?

— Mon Dieu. Vous vous en souvenez.

— Bien sûr. Laissez-moi voir… Il y avait un bureau et une chaise. »

Un silence. « Et une armoire !

— Une bibliothèque et deux chaises. Mais bien vu quand même. C'était quand, déjà ? Il y a deux ou trois ans ? »

Les mains du vieil homme s'agitèrent dans la lumière sourde. « Qui s'intéresse à ces choses-là ? Mais il manquait quelque chose…

— Des bouts de laiton.

— Ah, oui. Quel dommage. »

Pendant que Chance et le vieil homme discutaient, le garçon tout de cuir vêtu s'éclipsa et disparut dans un recoin sombre de l'entrepôt. C'était précisément l'atmosphère humide et caverneuse du lieu qui avait attiré Chance la première fois. Il venait de s'installer dans le quartier ; il explorait les alentours. Devant ce magasin, il s'était dit qu'il devait y avoir là, à coup sûr, des trésors en train de prendre la poussière dans l'obscurité.

« Je suis certain que vous m'aviez donné votre nom, dit Chance en tendant la main.

— Carl. »

Ils se serrèrent la main. « Et vous… êtes médecin, si je me souviens bien.

— Neuropsychiatre. Eldon Chance, enchanté. »

Le vieil homme éclata de rire. « Bien sûr. Dr Chance. Comment oublier un nom pareil ? J'ai la mémoire des meubles, mais pas des noms. Que me vaut l'honneur ? » Sans même attendre la réponse, il continua : « J'ai récemment fait l'acquisition d'un cabinet qui irait très bien avec votre petit ensemble… »

Chance leva les mains. « Si seulement… Mais je pensais plutôt vendre. »

Carl leva les sourcils.

« Je suis en plein divorce », précisa Chance. Il avait encore du mal à le dire haut et fort. « La maison est en vente. Je vis dans un appartement.

— Je comprends. Je suis navré, navré d'entendre ça.

— Moi aussi. »

Chance avait pris des photos de son mobilier et les avait transférées sur son ordinateur portable, qu'il tenait présentement en bandoulière dans un sac de voyage en toile. Il le souleva. « Je peux vous le montrer », dit-il.

Carl l'accompagna jusqu'à une grande table où ils regardèrent les photos. Le marchand les étudia un long moment. « Magnifique, dit-il. Les dimensions de ce bureau le rendent très singulier. C'est un ouvrage merveilleux, comme les autres, d'ailleurs. Vous en espérez quel prix ?

— J'espérais surtout que vous me le diriez. »

Carl se pencha plus longuement sur les photos. « Sans les pièces en métal… Cinquante, soixante mille, peut-être.

— Et avec les pièces en métal ? Histoire que je m'en morde les doigts.

— Deux fois plus.

— Hein ? Pour un simple bout de laiton ?

— C'est toute la différence entre vendre à quelqu'un qui cherche à avoir un bel ensemble et vendre à un collectionneur sérieux. Savez-vous à quoi ressemblaient ces meubles à l'origine ?

— J'ai vu des photos, dans des livres.

— Dans ce cas, vous savez. Les bandes étaient imposantes, attaquées à l'acide. Très belles, vraiment. Il vous en reste un fragment ici, sur la bibliothèque. »

Il pointa le doigt vers une des photos.

Chance acquiesça. « Oui, je sais. D'un autre côté… Si les meubles avaient été intacts, je ne les aurais jamais eus pour le prix auquel je les ai eus. Mais quand même…

— Ça fait une grosse différence.

— Et les temps sont durs, je peux vous le dire. » Chance passait ses journées à écouter les malheurs des autres. Il était donc rare qu'il parle des siens, surtout depuis quelque temps, en l'absence de sa femme et de sa famille, voire, quand il y pensait, en l'absence d'un ami proche. « Si on m'avait dit que je finirais par les vendre », reprit-il, convaincu que Carl était justement le genre de bonhomme à qui on pouvait confier ses petites misères. « J'ai toujours caressé l'espoir qu'un jour j'entrerais dans un endroit comme le vôtre et que je tomberais dessus : une pile de plaques de laiton en train de prendre la poussière sur l'armoire de quelqu'un. » Il eut un sourire résigné. « Enfin. Comment fait-on ? Si je suis partant pour les soixante mille dollars ? »

Carl tira sur sa petite barbichette, presque toute blanche et soigneusement taillée. Un ange passa. « Venez, je vais vous montrer quelque chose », finit-il par dire.

Ils laissèrent l'ordinateur de Chance sur la table et gagnèrent l'arrière du magasin. Tout au fond, le mur était percé d'une ouverture qu'occupaient une fenêtre et un petit comptoir. De l'autre côté, ce qui ressemblait à un atelier. La fenêtre ne permettait pas de voir grand-chose. Ce que Carl voulait lui montrer, c'était le cabinet dont il lui avait parlé. Il était en effet somptueux, lui aussi en bois de palmier avec garnitures en laiton.

« Superbe », dit Chance.

Le vieil homme hocha la tête. « Le laiton n'est pas *exactement* le même que celui qui a dû figurer sur vos meubles, mais pas très éloigné non plus. *Et* comme le vôtre a disparu… » Il laissa sa phrase en suspens. « Disons que j'ai pensé à vous. C'est curieux que vous soyez passé à ce moment-là.

— Oui, c'est-à-dire que si j'avais voulu acheter plutôt que vendre… »

Ses yeux se fixèrent sur le cabinet. « De toute façon, je n'en aurais certainement pas eu les moyens.

— Oh, ce n'est pas l'original », l'interrompit Carl.

Chance le regarda sans comprendre.

« Le meuble était en très mauvais état quand je l'ai trouvé. Pas de laiton du tout. Il n'est même pas de Printz, ou en tout cas il n'a pas sa signature. Mais j'ai senti qu'il y avait du potentiel. »

Chance inspecta le métal de plus près. « Une fois, j'ai voulu faire remplacer le laiton. Mais aucun des échantillons qu'on m'a montrés ne correspondait à ce que j'avais vu sur les photos. Et encore moins à ça. » Il se tourna vers le vieil homme.

« À l'époque, tout était dans la technique, lui expliqua Carl. D'abord, ils se servaient d'éponges naturelles pour obtenir les motifs. Plus personne ne travaille comme ça. Il y avait encore d'autres produits, des acides, des teintures… Inutile de vous dire que tout ça a disparu. C'est ce qui en fait aussi la valeur. »

Chance regarda de nouveau le cabinet. « Et ça ? » Sa main effleura le métal. « Vous savez qui l'a fait ? »

Le vieil homme sourit. Il s'approcha de la petite fenêtre et appela quelqu'un, un certain D. S'agissait-il de Dee, comme le prénom, ou simplement de l'initiale d'un nom plus long ? Il ne le dit pas. Quelques secondes plus tard, un homme très massif, c'est-à-dire un homme bâti à peu près comme une armoire à glace, apparut de l'autre côté de la fenêtre. Il posa un bras énorme sur le petit comptoir et se pencha pour mieux voir. Cela permit à Chance de noter deux particularités concernant sa tête, qui était grosse et ronde, mais pas disproportionnée eu égard à la taille du bras sur le comptoir. En premier lieu, il était totalement glabre, le visage comme le crâne. Un vrai galet. Chance en déduisit qu'il souffrait d'alopécie universelle, une affection extrêmement rare qui fait perdre tous les poils du corps et dont les causes sont mal connues. S'il arrivait, chose exceptionnelle, que le poil finisse par repousser, aussi vite et mystérieusement qu'il avait disparu, le plus souvent le phénomène était irréversible. La deuxième chose que l'on remarquait, et qu'on ne pouvait pas ne pas remarquer, c'était l'araignée noire, plus grosse qu'une pièce de monnaie, tatouée au centre de l'immense étendue de peau, vierge en tout point, qui couvrait son crâne.

Sans un mot, le colosse fixa de ses yeux noirs impassibles d'abord Chance, puis Carl, et de nouveau Chance. Vu les dimensions du bonhomme comparées à celles de la fenêtre, on avait l'impression de croiser le regard d'une bête en cage.

« Viens voir un peu », lui lança Carl, soucieux, pensa Chance, de s'adresser à lui sur un ton ouvertement sympathique. Une porte s'ouvrit, et D apparut. Chance, à vue d'œil, lui attribua plus de cent quarante kilos ; cependant, il n'était pas beaucoup plus grand que lui, un mètre soixante-dix-neuf et maigre comme un clou. Il portait une veste militaire kaki, un pantalon de treillis maculé de taches de peinture diverses, enfin des rangers noires tout aussi sales, usées, remarqua Chance, sans lacets. Sa veste était ouverte sur un tee-shirt noir où figurait une inscription en lettres rouges que Chance eut de la peine à déchiffrer. Sur la manche gauche de la veste était cousue une pièce Army Rangers. Étant donné sa corpulence et sa figure toute lisse, il était difficile de lui donner un âge précis. Chance aurait parié sur une petite trentaine d'années. L'homme avait une allure singulière, pour dire le moins, mais il n'était ni difforme ni laid. Il avait même les traits du visage presque fins, droits, bien ordonnés, au-dessus d'une mâchoire puissante et d'un cou épais. Passé les premières observations relatives à sa taille et à son absence de pilosité, on ne pouvait plus vraiment imaginer, ni même lui souhaiter, sauf peut-être le fâcheux tatouage, une autre dégaine que la sienne, celle d'un Monsieur Propre poids lourd tout en noir et marron.

Carl fit les présentations. D sourit un peu en entendant le nom de Chance. « Dr Chance, insista ce dernier.

— C'est ce que je lui ai dit. »

D regarda le vieil homme. « Les grands esprits se rencontrent, c'est ça ? »

Il y eut un silence.

« Le docteur a apporté des photos », dit Carl.

Les trois hommes regagnèrent la table et retrouvèrent les clichés de Chance. Carl montra la partie en laiton sur la bibliothèque. « Ça te rappelle quelque chose ? »

D acquiesça.

« Qu'est-ce que tu en penses ?

Pas de problème. S'il n'est pas trop pressé. »

D regarda encore Chance, se retourna et s'en alla.

« Un homme de peu de paroles, dit Carl.

— Qu'est-ce que vous êtes en train de m'expliquer, au juste ? D peut faire en sorte que ça ressemble à l'original ? »

Il désigna les photos.

« Il est fort, répondit Carl. Comme vous avez pu le constater.

— Je vous le concède. Mais après ? Vous le vendriez comme un original ? »

Carl le regarda sans rien dire.

« Il n'y aurait aucun moyen... de vérifier... »

Carl haussa les épaules.

Debout dans la lumière sourde de la grande salle, Chance essayait de formuler sa prochaine question. « Quel est le risque ? finit-il par demander.

— Ces meubles sont signés, si je me souviens bien. »

Chance fit oui de la tête.

« En général, ça suffit. Vous les avez achetés à un marchand ou à un particulier ?

— À un particulier.

— Il est toujours en vie ?

— C'était une vente de succession. Un type qui vendait des objets ayant appartenu à sa mère. J'ai oublié son nom.

— Tant mieux. Si ça avait été un marchand, si vos meubles ressortaient quelque part et que le type tombait dessus, les reconnaissait et ainsi de suite... Vous voyez ce que je veux dire. Mais à un particulier, c'est bien.

— Quand même... »

Le vieil homme acquiesça. « Oui, il y a toujours un risque. Le manque de chance. »

Les deux hommes se regardèrent.

« Pas mal, celle-là, non ? » fit Carl.

Chance ressortit comme il était entré, par la porte donnant sur Market Street, la tête pleine de questions. Après l'obscurité du magasin, il trouva le soleil aveuglant. En se dirigeant vers le nord pour rejoindre son cabinet, il remarqua la présence du jeune homme tout en noir sur le trottoir d'en face. Il avait l'air de fumer quelque chose dans une pipe à eau, avec deux camarades habillés comme lui. Chance pensa à du crack, ou alors à une forme de méth. Le jeune regarda dans sa direction avant de se pencher vers ses amis avec un air qui ne pouvait paraître qu'inquiétant, si bien qu'en remontant Market Street Chance sentit leurs yeux posés sur lui et évita de les croiser. Au moment de tourner au premier croisement, il eut tout de même le temps de jeter un ultime coup d'œil vers le garçon ; il traversait la rue entre les voitures et rentrait dans le magasin du vieil homme.

JACLYN

Jaclyn Blackstone, 36 ans, ambidextre, vit à Berkeley. Elle a fait des études à l'université et a un diplôme d'enseignante. Elle travaille comme institutrice remplaçante dans une école primaire d'Oakland où elle donne également des cours du soir, d'algèbre et de géométrie.

L'examen a été demandé par la clinique de neurologie de Stanford après que la patiente s'est plainte de pertes de mémoire par intermittences et de périodes de troubles de la concentration. Mme Blackstone dit avoir été « somnambule » pendant son enfance et sa jeunesse, se réveillant souvent dans des endroits curieux, sans se rappeler ni savoir comment. Elle décrit ses récents épisodes de pertes de mémoire comme étant « du même genre », faisant référence à son somnambulisme antérieur. Une batterie complète d'examens en laboratoire (dont bilan métabolique complet, hémato complet avec différentiel et tests de la fonction thyroïdienne, niveaux de vitamine B-12, détection de métaux lourds et céruloplasmine) n'a absolument rien révélé d'anormal. L'IRM du cerveau était normale. L'examen neurologique était satisfaisant, et aucun élément n'indiquait une cause organique à ses troubles cognitifs.

La patiente affirme avoir récemment découvert l'existence d'une « deuxième personnalité », qu'elle nomme « Jackie Black ». D'après elle, Jackie est téméraire et extravertie ; elle se manifeste dans les moments de désarroi. En particulier, c'est Jackie qui continue d'avoir une relation sexuelle avec son mari qu'elle n'aime plus, même si elle, Jaclyn, ne l'approuve pas. Mme Blackstone dit détester qu'on l'appelle Jackie ; la seule personne qui utilise ce nom est son mari, un inspecteur de la police criminelle d'Oakland. À l'en croire, si avant sa découverte de l'existence de Jackie Black il n'existait aucune deuxième personnalité connue, il y a certaines « périodes » dont elle n'a aucun souvenir précis. Quant à dire si ces « blancs » peuvent être liés à d'autres personnalités, la patiente ne veut pas se poser la question. Elle affirme également avoir fait l'acquisition d'un pistolet pour pouvoir se tuer si la situation devenait intolérable. Elle dit que le pistolet a entre-temps été revendu à un prêteur sur gages installé dans le centre d'Oakland.

Le cas paraissait franchement simple. Les problèmes de mémoire de Mme Blackstone étaient de toute évidence dus à des troubles psychiatriques, eux-mêmes liés au fait qu'elle continuait de voir un mari violent dont elle cherchait ostensiblement à divorcer. « *Le développement de personnalités multiples survient le plus souvent dans un contexte de maltraitance physique, sexuelle ou psychologique*, avait écrit Chance. *Je pense qu'il est important que cet aspect refoulé de sa personnalité soit abordé et, dans l'idéal, inclus dans son profil psychologique standard. Néanmoins, tant qu'elle continuera d'avoir une relation avec une personne qu'elle déteste et qu'elle craint, il y a peu de raisons de penser que son anxiété sous-jacente puisse être réellement traitée par une approche pharmacologique.* »

Pour le traitement, il avait recommandé que Mme Blackstone envisage une psychothérapie, plus exactement avec une femme. Il avait suggéré le nom de Janice Silver, une psy installée à East Bay qu'il jugeait particulièrement compétente.

En temps normal, les choses en seraient restées là et rien, dans ce cas précis, ne laissait penser que Jaclyn Blackstone appartenait à la catégorie des patients que Chance voyait plus d'une fois. De même, rien n'indiquait qu'elle remplacerait Mariella en tant qu'objet de ses obsessions. Elle était vouée à retrouver l'innombrable cohorte des êtres perdus et seuls, des neurasthéniques et des dépressifs en phase terminale, des morts vivants qu'il voyait défiler tous les jours de la semaine. Sauf qu'il se produisit deux événements.

Le premier fut une rencontre avec Jaclyn Blackstone à Berkeley. Parfaitement fortuite, elle eut lieu dans un petit quartier de magasins branchés au nord-ouest de la ville. Encore en train de se demander ce qu'il ferait de ses meubles, et de la proposition de Carl, et de D, Chance traînait ce jour-là dans la boutique Art & Architecture, sur la 4ᵉ Rue. Feuilletant un livre sur le mobilier Art nouveau français, il aperçut Jaclyn Blackstone parmi les rayonnages. Deux mois seulement s'étaient écoulés depuis qu'elle était venue dans son cabinet, mais Chance fut frappé par son changement d'apparence. Lors de son évaluation, elle portait un pull informe sur une robe ringarde à imprimés bleus, et ses cheveux tirés mollement en arrière étaient maintenus par le genre de petits peignes blancs qu'affectionnent les fillettes. Elle faisait alors

ses trente-six ans – un air de matrone, s'était-il dit.
Mais là, dans le magasin, avec son jean, ses tennis
et sa veste en cuir au-dessus d'un tee-shirt jaune, elle
ressemblait à tout sauf à une matrone. Sa coupe de
cheveux aussi avait changé, plus courte, plus moderne.
En réalité, elle lui avait tapé dans l'œil, et ce n'est
qu'en la regardant attentivement qu'il la reconnut.
Très vite, pourtant, il se fit la réflexion qu'il s'agissait
peut-être non pas de Jaclyn, mais de Jackie, et il se
demanda si elle le verrait – et si oui, le reconnaîtrait-
elle ? D'un autre côté, il se dit que même Jaclyn
n'aurait pas très envie de le saluer, étant donné les
circonstances de leur première rencontre. Il fut donc
surpris lorsque, alors que leurs regards venaient de
se croiser, et après un très court laps de temps, elle
lui adressa un sourire timide accompagné d'un petit
geste de la main.

Ils se retrouvèrent au bout de l'allée. Ils tenaient
chacun des livres. « Ce magasin est merveilleux, vous
ne trouvez pas ? demanda-t-elle.

— C'est vrai. Qu'est-ce que vous lisez ? »

Elle brandit un livre relativement petit sur la
couverture duquel on voyait deux chaises en bois.
« J'aime bien dénicher des vieux meubles pour les
décaper et les repeindre.

— Des antiquités ?

— Oh, non. De la pacotille. »

Elle sortit alors un iPhone, retrouva ses photos et
chercha un peu avant de lui montrer quelque chose,
en l'occurrence une demi-douzaine de chaises en
bois, non seulement peintes en des tons pastel assez
vifs, mais comportant des images de stars de cinéma,
similaires aux portraits sérigraphiés d'Andy Warhol.

« Madonna et Marilyn, lui dit-elle. Je les appelle
mes chaises-icônes.

— Pas mal du tout. Je suis sérieux.

— Vraiment ? »

Elle lui montra deux autres chaises ; cette fois, c'étaient des images de chiens. « J'aime bien les chiens, également.

— Moi aussi. Vous en avez un ? »

Elle regarda ailleurs. « J'en avais un. Mais je l'ai perdu. » Son sourire avait soudain laissé place à une détresse absolue.

« Je suis navré. C'est toujours triste de perdre un animal. »

Elle hocha la tête. « J'ai un chat. » Ses yeux s'arrêtèrent sur le livre de Chance. « Et vous ? »

Il lui montra l'ouvrage sur le mobilier français.

« Voyez… Le vôtre est plus chic que le mien. D'un autre côté, c'est vous le médecin. » C'était la première fois que l'un ou l'autre faisait référence à la raison pour laquelle ils se connaissaient.

« Oui, enfin… J'ai des meubles qui ressemblent un peu à ça et que je pense revendre.

— Alors ne pensez pas trop longtemps », lui dit-elle.

Cela le fit rire. « Pourquoi donc ? »

Elle haussa les épaules. « Je ne sais pas. Je trouve que c'est un bon conseil en général. On pourrait le donner à propos de plein de choses. »

On aurait presque dit qu'elle le draguait. Chance commençait même à se demander si elle ne lui avait pas menti, si elle n'avait pas plus que deux personnalités. Il trouvait aussi sa présence agréable et, très rapidement, se rendit compte qu'il l'avait accompagnée jusqu'à la caisse. Là, il se sentit plus ou moins obligé d'acheter le livre, alors qu'il coûtait davantage que ce qu'il aurait voulu dépenser – tout ça pour prolonger le plaisir de l'instant.

Quelques minutes plus tard, sur le trottoir, l'absurdité de la situation le saisit. En vingt ans de mariage, il était toujours resté fidèle à sa femme, occupé par l'éducation de leur fille et par sa carrière. Depuis la séparation, il n'avait vu personne. Qu'il se retrouvât soudain ici, tout excité comme un gamin devant une belle femme qu'il avait eue pour patiente et qu'il savait posséder au moins une deuxième personnalité entretenant des relations sexuelles brutales avec un mari détesté, et apparemment dangereux psychopathe, cela suffit à le rendre momentanément sans voix. Mais le plus troublant, c'était qu'il se demandait aussi s'il l'inviterait à boire un café, par exemple dans un de ces établissements très chers d'East Bay, qui se trouvait juste devant eux, sur le trottoir d'en face. Heureusement elle parla en premier et, conclurait Chance plus tard, lui épargna Dieu sait quelles horreurs. « Je voulais vous dire que je consulte la psy que vous m'avez conseillée. Et ça a tout changé. » Il répondit en bon médecin discutant avec une patiente rencontrée par hasard dans un lieu public. « Je suis ravi de l'apprendre. Et vous vous sentez mieux ? » Il aurait pu ajouter qu'elle était belle à se flinguer, mais préféra s'abstenir.

« Oui. Ça faisait longtemps que je ne m'étais pas sentie aussi bien. »

Ils restèrent silencieux un long moment.

« Bon... dit-il.

— Parfois, je mets des chiffres. »

Chance lui jeta un regard perplexe.

« Sur les meubles, précisa-t-elle. Des formules, quelquefois, ou des formes géométriques. Mais parfois seulement des chiffres.

— Ah. »

Il se rappela qu'elle était également enseignante.

« Je fais des remplacements, rectifia-t-elle. Je m'y suis remise, après la séparation… » Elle laissa sa voix traîner, comme pour s'éloigner du sujet.

« Vous m'avez l'air en forme », répondit Chance, revenant tout à coup à sa première intention. Si l'objectif était de lui faire retrouver le sourire, ce fut réussi.

« Vraiment ? » En disant cela, elle parvint à modifier encore un peu plus la tonalité de leur rencontre.

Rêvait-il, ou Jaclyn était une excellente comédienne ? Ou peut-être ne lui accordait-il pas le bénéfice du doute. Il avait vu souvent des gens métamorphosés par la psychothérapie. Pourquoi pas Jaclyn Blackstone ? « Vraiment, finit-il par répondre. Je ne vous ai presque pas reconnue dans le magasin.

— Bien, dit-elle en tendant la main. Je suis contente qu'on se soit croisés aujourd'hui. »

Il prit sa main. « Moi aussi. Et je vous souhaite tout le meilleur. »

Elle sembla interpréter cela comme une manière d'adieu, et c'en était peut-être un. En tout cas, ça aurait dû l'être. Pourtant, au moment de lâcher la main de Jaclyn, Chance fut pris de remords.

« Bien… » répéta-t-elle. Et Chance eut vraiment le sentiment qu'ils n'avaient ni l'un ni l'autre envie de se séparer. « Bonne lecture. Et bon courage avec vos meubles, quoi que vous décidiez. »

Il sourit en hochant la tête ; elle disparut aussi sec, ou du moins sembla disparaître. Il gambergea tellement pour savoir s'il ne devait pas ajouter quelque chose que, en y repensant plus tard, il ne se rappellerait plus s'ils s'étaient même dit au revoir. Il en conclurait que non. Il avait hoché la tête. Elle avait souri. Il était resté planté là, et elle était repartie sur le trottoir, s'arrêtant devant la vitrine d'un magasin quelques dizaines de mètres plus loin, puis reprenant sa marche et disparaissant, *a priori* pour toujours. Si bien qu'à la fin Chance ressentit cette douleur très particulière, qu'il n'avait pas connue depuis des années : l'extase du manque combinée à la certitude de savoir que l'objet de ce désir était définitivement inatteignable, à quoi s'ajoutait la merveilleuse cambrure de son dos lorsqu'elle avait pris la posture d'une danseuse devant la vitrine, avec ses cheveux blond cendré baignés par la lumière de l'après-midi.

Cette impression d'une ambiguïté amoureuse, aussi puissante qu'elle ait été juste après leur rencontre, fut remplacée les jours suivants par un soulagement profond, celui de ne pas avoir succombé à la tentation absurde de se mêler davantage des affaires de Jaclyn. Et il s'était remis à s'interroger sur le sort de ses meubles. De ce point de vue-là, il ne se sentait guère pressé. Il était dans sa nature de considérer les choses sous le plus de facettes possible, d'imaginer tous les scénarios, y compris les pires. Sa femme et sa fille l'avaient souvent accusé d'être prudent à l'excès, se liguant impitoyablement contre lui quand il passait des journées entières à soupeser telle décision ou tel achat en apparence anodins. Mais Chance était un fervent adepte de la prudence, héritage de son père, pensait-il, ancien vice-recteur d'une petite université chrétienne installée dans la banlieue de Springfield, Missouri, et qui, tel le Seigneur qui donnait son nom à l'établissement, adorait les paraboles, notamment celles dans lesquelles un écart de jeunesse entraîne toute une vie de souffrances et de privations. Et si Chance avait refusé d'intégrer l'université paternelle, il ne pouvait pas dire les paroles de son père n'avaient pas laissé de traces en lui. Pas plus que son propre travail en tant que médecin ne l'avait rendu moins méfiant. Il avait passé trop de temps auprès de gens pour qui tout avait changé en un éclair... parce qu'ils avaient tourné à gauche plutôt qu'à droite, n'avaient pas vu le feu rouge, pas entendu le klaxon. Ou de gens comme Jaclyn Blackstone, coupable de pas grand-chose, sinon d'avoir la faiblesse de placer le cœur au-dessus de la tête, et qui se retrouvait maintenant au Mercy General Hospital, dans le centre d'Oakland, avec une fracture « blow-out » de l'orbite, côté droit, en attente d'une opération pour relâcher la pression sur le muscle oculomoteur inférieur coincé. C'était le deuxième événement.

Il avait appris la nouvelle par Janice Silver. Elle lui avait téléphoné. Jaclyn étant venue la consulter par l'intermédiaire de Chance, Janice avait estimé judicieux de le prévenir. Elle était très remontée, aussi, et voulait s'épancher auprès de quelqu'un. Pour finir, puisque Jaclyn n'avait pas d'assurance maladie et se trouvait dans un petit hôpital public, elle se demandait si Chance pouvait jeter un coup d'œil sur elle et évaluer la gravité de ses blessures.

Chance accepta. Il était assis dans son cabinet. Devant lui, ouvert, se trouvait le livre qu'il avait acheté en présence de Jaclyn. Dehors, les immeubles étaient en train d'être avalés par un brouillard rampant. « C'est son ex qui a fait le coup ? demanda-t-il.

— Je ne peux pas croire que ce n'est pas lui.

— Mais tu n'en as pas la certitude ?

— Elle ne veut rien dire. »

Chance contempla le brouillard. Il entendit Janice pousser un soupir, et la colère dans sa voix. « Elle allait tellement mieux, dit-elle. Cet enfoiré venait la voir une fois par semaine. Et elle avait commencé à dire non. Et ça marchait. Jackie n'était plus dans le paysage. C'est *forcément* lui.

— Mais qu'est-ce qu'elle dit ?

— Elle raconte qu'elle a surpris un cambrioleur dans le patio de son appartement.

— Ça ne me paraît pas impossible.

— Oh, bien sûr, fit Janice. Tout est possible. N'excluons pas non plus un enlèvement par des extraterrestres. »

Il s'y rendit le lendemain. Il n'alla pas directement dans sa chambre et préféra d'abord s'entretenir avec son médecin. Jaclyn avait subi une commotion cérébrale, mais rien ne montrait une hémorragie interne ou des dégâts structurels infligés au cerveau. L'opération pour soulager le muscle coincé était assez simple. Chance fut soulagé de la savoir en de bonnes mains. Quant à la nature de l'incident, il manquait encore pas mal d'éléments. Jaclyn prétendait avoir surpris quelqu'un derrière son appartement, et c'était tout.

Il envisagea d'en rester là, par prudence, puis céda à la tentation de passer la voir dans sa chambre. Il trouva la porte ouverte et un individu assis sur un fauteuil au chevet du lit. L'homme portait un costume gris ; il était large d'épaules et avait d'épais cheveux noirs. Tournant le dos à la porte, il était légèrement penché en avant et tenait la main de Jaclyn tout en lui parlant doucement. Chance entendit seulement un nom… *Jackie*… Puis il rejoignit le poste des infirmières et engagea la conversation avec l'une d'elles en attendant de voir si l'homme s'en irait rapidement. Il se présenta comme médecin et demanda quelques renseignements concernant la patiente de la chambre n° 141.

« Elle souffre énormément, répondit l'infirmière. Elle se plaint de voir double. L'opération est prévue cet après-midi.

— Elle a reçu beaucoup de visites ?

— Uniquement son mari. »

L'infirmière s'excusa ; elle devait aller voir un malade.

Chance se trouvait encore au bureau des infirmières lorsque l'homme sortit enfin de la chambre. Il était de taille moyenne, svelte, large d'épaules, donc, assez beau, se dit Chance, et affûté, assurément capable de faire des dégâts avec ses poings.

Il s'attendait à le voir passer son chemin et fut surpris lorsque l'homme s'arrêta devant lui. « Vous êtes un des toubibs ? » Il avait un regard noir et direct. Chance, bien sûr, se rappela qu'il était inspecteur à la police criminelle d'Oakland, et ça se sentait, comme un air d'autorité, un soupçon de brutalité. Il n'eut aucun mal à croire que c'était un flic. Il n'eut aucun mal à croire que c'était un flic véreux. « Je suis neuropsychiatre, lui répondit-il. Sa psychothérapeute m'a demandé de veiller sur elle.

— Vous êtes passé dans la chambre il y a deux minutes. Pourquoi vous n'êtes pas entré ?

— J'ai vu qu'elle avait de la visite. Il n'y avait rien de pressé.

— Rien de pressé ? Vous ne parlez pas comme les médecins que je connais. »

Chance pensa que l'homme allait peut-être sourire, mais il n'en fut rien. Il le regarda ; l'autre le regarda en retour, un peu plus longtemps, avant de rejoindre l'ascenseur au fond du couloir. Chance attendit qu'il soit parti pour retourner dans la chambre de Jaclyn.

Étant donné la nature et la gravité de ses blessures, il ne fut pas étonné de la trouver dans un tel état. Tout un côté de son visage était méchamment gonflé et contusionné. L'entendant venir, elle détourna légèrement sa tête sur l'oreiller. Il comprit qu'elle avait pleuré.

« Jaclyn... Je suis navré...

— Je vous en supplie. Partez. »

Elle parlait en serrant les dents, tournée vers le mur, où une petite fenêtre crasseuse donnait sur Oakland.

Chance posa sa main sur l'avant-bras qui traînait au-dessus de la couverture. « Ça va aller, dit-il, à la fois ému et impuissant, réduit à des clichés. Vous vous sentirez mieux quand ils auront délivré ce muscle et que vous cesserez de tout voir en double. »

Il voulait plaisanter un peu, mais sa blague ne marcha pas. Jaclyn ouvrit la main et la referma sur la couverture bleu ciel. Il serra doucement son poignet, puis le relâcha. Il aurait aimé pouvoir la prendre dans ses bras, tant elle semblait fragile et meurtrie, couchée dans cette chambre stérile, avec ses rideaux en plastique, ses couvertures d'hôpital et sa vue lugubre sur la ville. Il repensa à leur discussion dans la librairie de Berkeley, à peine deux semaines plus tôt, à l'histoire des chaises, à son expression quand elle lui avait raconté la disparition de son chien, à son sourire charmant pendant qu'ils faisaient la queue. Une femme douce, se dit-il, une âme tendre. Elle refusait de le regarder, elle refusait d'être réconfortée. Et bien entendu la vérité était que, si une opération pouvait libérer son muscle coincé, elle ne la libérerait pas de l'homme que Chance avait croisé dans sa chambre, penché au-dessus d'elle tel un vampire de série B, sa main dans la sienne, cette même main qui l'avait frappée. Car maintenant qu'il avait vu le visage de cet individu, il lui semblait évident que Janice avait eu raison : il n'y avait jamais eu le moindre cambrioleur derrière l'appartement. Le responsable, c'était lui, le flic véreux, pourchassant sa putain, furieux de sa disparition soudaine.

Derrière les murs de l'hôpital, gris, sinistres, murs d'une prison plutôt que d'un lieu de guérison, une chape de plomb était tombée. Même les panoramas sur la ville et le Richmond-San Rafael Bridge, pourtant presque toujours enthousiasmants, semblaient nimbés de tristesse. Chance passa le reste de la journée dans la petite cuisine trop chauffée d'un dentiste à la retraite. Un parent lointain l'avait contacté parce qu'il pensait qu'on abusait du vieil homme. Il devait donc évaluer sa vulnérabilité. William Fry, qui préférait se faire appeler Doc Billy, avait quatre-vingt-douze ans. Il portait un appareil auditif dans chaque oreille et respirait au moyen d'une bouteille d'oxygène. L'examen cognitif et psychiatrique dura des heures. Lorsque Chance retrouva la lumière du jour, aussi étriquée que la cuisine de Doc Billy, l'après-midi avait laissé place au crépuscule, et les trottoirs étaient rendus humides par une brume trouble qu'il aurait pu, jadis, trouver romantique. De retour chez lui, il trouva dans son courrier une lettre l'informant que le fisc exerçait un droit de rétention sur les profits tirés de la vente de sa maison.

Malgré l'heure tardive, il réussit à avoir son avocat au téléphone. La situation était la suivante : l'administration fiscale s'était intéressée à son cas après un audit du petit studio photographique de sa future ex-femme. Pendant deux ans, Chance avait en effet injecté de l'argent dans l'entreprise afin d'aider son épouse à la faire décoller. Apparemment, ces sommes n'avaient pas été correctement comptabilisées : il se retrouvait donc avec des dépenses non justifiées et elle avec des revenus non déclarés. Étant mariés, ils avaient soumis une déclaration commune et se retrouvaient aujourd'hui dans le même bateau. La seule différence, c'était que *lui* avait de l'argent, quoique de moins en moins, alors qu'elle n'avait pas un sou vaillant. Le fisc entendait recouvrer les arriérés et infliger des amendes supérieures à deux cent mille dollars. Sans compter les frais d'avocat à venir. Chance remercia le sien et raccrocha.

Il resta assis là en tenant la lettre du fisc, les doigts tremblants de colère, ou d'angoisse, ou de peur, incapable de se départir de l'idée que son ex-femme et confidente, la mère de son enfant, l'avait dénoncé. « Les emmerdes n'arrivent jamais seules… » lâcha-t-il, s'apercevant presque aussitôt, et à son grand désarroi, que c'était exactement le genre de choses qu'aurait pu dire sa mère. Et il l'aurait détestée pour ça, sa mère, avec ses platitudes et ses clichés, ses sermons exaspérants. Mais il en conclut que c'était comme ça… Si on tient le coup assez longtemps, on finit par devenir la personne même qu'on a passé le plus clair de son existence à mépriser.

Du placard au-dessus de son réfrigérateur, il sortit une bouteille de vin à trois dollars, trouva un verre, s'installa dans sa propre petite cuisine, à peine plus spacieuse et moins étouffante que celle du Dr Fry, et commença à rédiger son rapport :

William Fry, 92 ans, droitier, est un dentiste à la retraite depuis trente ans. Il est célibataire, n'a jamais été marié et habite depuis cinquante-cinq ans un appartement au premier étage d'un immeuble du quartier de Castro, à San Francisco. Des doutes sont apparus autour d'une éventuelle maltraitance sur personne âgée de la part d'une assistante à domicile à laquelle M. Fry aurait apparemment donné plus d'un million de dollars sous forme d'une série de chèques tirés sur un fonds de placement monétaire.

Chance n'alla pas plus loin. Il n'avait pas le cœur à ça. Pas ce soir-là. Il préféra se tourner vers le vin, siroté dans un verre ridiculement grand qui avait autrefois contenu une boisson nommée le Hurricane dans un bar de La Nouvelle-Orléans, le seul récipient propre qu'il eût retrouvé après une fouille exhaustive de son appartement. Il repensa à sa femme qui l'avait dénoncé. Il repensa à Jaclyn Blackstone, le visage fracassé. Il repensa à la noirceur dans le cœur des hommes. Il repensa à une phrase que lui avait sortie Doc Billy pendant leur long après-midi passé ensemble : « Vous ne pouvez pas savoir ce que ça fait… Putain, quatre-vingt-douze ans au compteur et se sentir aimé pour la première fois. L'argent n'est plus si important que ça. »

Chance pensait être tout à fait capable d'imaginer ce que ça faisait d'avoir quatre-vingt-douze ans au compteur. Malheureusement, cela n'allégea en rien son angoisse face à ses propres difficultés. Son œil tomba alors sur le bel ensemble de meubles français casé dans un coin de son minuscule salon ; il décida de le vendre au plus vite, au meilleur prix possible, et au diable les conséquences. C'était une décision irréfléchie qui ne lui ressemblait pas. Plus tard, il la mettrait sur le compte du mauvais vin, auquel s'ajoutait le simple fait qu'il avait été infoutu de trouver un verre propre plus petit.

D

Le lendemain, samedi, à peine réveillé, il se rendit chez Allan's Antiques. Il trouva l'endroit encore plus sombre que d'habitude, et tellement silencieux qu'il semblait désert. Cependant, la porte d'entrée sur Market Street était ouverte, comme d'habitude. Il entra. Il n'entendit pas la voix de Carl et ne le vit pas davantage. Il s'attendait plus ou moins à tomber sur le jeune type en cuir fumeur de crack, mais ce dernier n'était pas là non plus. Il s'approcha de la grande table autour de laquelle ils avaient regardé les photos de ses meubles, lança un petit bonjour, sans réponse, puis se dirigea vers le fond du magasin.

Une lumière bleue vacillante passait par l'ouverture dans le mur qui donnait sur l'atelier de Big D. Il jeta un coup d'œil à l'intérieur et vit le colosse en personne, une sorte de chalumeau à la main, en train de travailler une pièce de métal brillante. Il attendit un peu et l'observa. La scène avait quelque chose d'un tableau classique qu'il trouvait plaisant à voir et qu'il ne voulait pas troubler : le grand gaillard travaillant au milieu de ses outils, concentré sur sa tâche. Une sorte de pureté physique qui évoquait, pensa-t-il, une époque plus rudimentaire et donc, peut-être, plus simple. D'un autre côté, il se fit la réflexion que les époques plus simples relevaient davantage de la nostalgie que de l'histoire, et que la vie sur la planète Terre n'avait jamais été si simple que ça.

Il attendit que D fasse une pause pour attirer son attention en toquant au mur. D posa la pièce métallique sur un établi et s'approcha de la fenêtre tout en se servant de sa main gantée pour remonter sur son front une paire de lunettes de sécurité. « Dr Chance », dit-il. Il était tout rouge, la sueur coulait sur ses joues, mais sa voix était neutre, factuelle, comme si la présence de Chance en ce lieu n'avait rien, ou presque, de surprenant.

« Bonjour D, répondit celui-ci sur un ton qu'il espérait enjoué. Carl est dans les parages ?

— Il reste chez lui aujourd'hui.

— Il va bien ?

— Il a un peu la crève. »

D était habillé comme au jour où ils s'étaient rencontrés, la veste en moins, ce qui permit à Chance de noter que les manches de son tee-shirt avaient été découpées pour faire de la place à deux bras gros comme ses jambes. La phrase imprimée était également lisible – *L'art du sabre*, en lettres rouge sang.

« Ah. » Chance hésita et réfléchit. « Bon, du coup c'est peut-être à vous que je devrais m'adresser, du moins pour commencer. Vous vous souvenez des meubles, la dernière fois ?

— Je m'en souviens. Vous avez décidé de les remettre bien comme il faut ? »

La formule fit sourire Chance. « On peut dire ça, oui. J'aimerais savoir ce que ça me coûterait, s'il faut payer d'avance ou s'il y a moyen de régler une fois que les meubles seront vendus.

— Pour tout ce qui est paiement, il faudra voir avec Carl.

— Bien sûr. Vous pensez qu'il va bientôt revenir ? Rien de grave, j'espère ? Qu'est-ce qu'il a ?

— Ça va aller. Il devrait être de retour d'ici un ou deux jours.

— En fait, la question que je me pose, c'est si je ne devrais pas anticiper… Et vous apporter les meubles ici. Je suis persuadé qu'on trouvera une solution. »

Soudain confronté à un petit obstacle, il comprit à quel point il avait désespérément envie de vendre son ensemble. « J'aurais besoin d'aide pour les transporter, ajouta-t-il. Carl doit avoir quelqu'un pour ce genre de tâches.

— Il en cherche un en ce moment.

— Il n'a pas un camion, ou quelque chose dans le genre ? Peut-être ici, dans l'entrepôt ?

— Il avait. »

Chance acquiesça. Il sentait que D n'était pas homme à gloser sur les banalités.

« Je vais vous dire, reprit D au bout d'un moment. Allez voir un loueur. Prenez un camion assez gros pour qu'on puisse le faire en un seul voyage. Je pourrai vous aider à rapporter le truc ici.

— C'est vrai ?

— Faites-le aujourd'hui. Trouvez un camion. »

Chance réfléchit une seconde. « Merde. » Il se sentit obligé de faire semblant de chercher ostensiblement dans ses poches. « J'ai laissé mon portable chez moi. Je peux téléphoner d'ici ? »

D'un simple hochement de menton, D lui indiqua la porte.

Chance entra dans l'atelier.

Il constata que la pièce était assez vaste, avec des tas d'établis, de billots, d'étaux et d'outils. Il y avait aussi un matelas dans un coin, tout au fond, avec une caisse en bois posée à une extrémité pour faire une sorte de table de nuit sur laquelle étaient soigneusement disposés divers objets. Au pied du matelas, le sol était jonché de livres, et quelques cartons s'entassaient contre un des murs. Un grand miroir dans un cadre en bois, à coup sûr emprunté à Carl, semblait faire partie du décor, de même qu'une grosse planche de contreplaqué fixée au mur en brique. Dessus, quelqu'un avait dessiné à l'encre noire le contour, plus ou moins à taille réelle, d'un torse humain comportant plusieurs numéros, pour indiquer ce que Chance ne pouvait imaginer qu'être des cibles. Le tableau d'ensemble lui fit penser que cet endroit servait à D autant d'atelier que de domicile.

Pendant que Chance étudiait les lieux, D sortit d'un vieux bureau d'écolier, dont l'essentiel de la peinture avait été arrachée, un annuaire de San Francisco très usé. Il pointa ensuite le doigt vers un téléphone noir fixé au mur – une antiquité. « Faites-vous plaisir », dit-il avant de retourner à son travail.

Il y avait une agence U-Haul à Noe Valley. Ce n'était pas la plus proche, mais elle avait un camion disponible. Chance expliqua au téléphone qu'il voulait le louer, puis il appela un taxi et retrouva D devant son établi.

« On est bons ? demanda ce dernier.

— Le taxi sera là dans un quart d'heure. Du moins c'est ce qu'ils m'ont dit. Je reviendrai avec le camion. Merci encore. »

D hocha la tête. Il travaillait toujours sur son morceau de métal, mais il avait troqué son chalumeau pour un petit marteau avec lequel il tapait sur l'extrémité de la pièce.

« Je peux vous demander ce que c'est ?

— Vous pouvez me demander. »

Chance sourit. Big D, apparemment non dénué d'humour, brandit l'objet. Chance lui demanda s'il s'agissait d'une hachette.

« Un tomahawk, rectifia D.

— Je ne savais pas qu'il y avait une différence.

— La hachette est un outil. Le tomahawk est une arme.

— Encore aujourd'hui ?

— Vous seriez surpris.

— C'est pour vous ?

— Un pote à moi... Il repart sans arrêt en Afghanistan. »

Chance repensa à leur rencontre, à la veste militaire, à l'insigne des Rangers. « Vous étiez là-bas ? »

D hocha la tête. « Ce que j'étais en train de faire quand vous êtes arrivé, c'est que je me servais du chalumeau pour tremper la lame, comme pour un couteau. Il faut qu'elle soit assez fine pour couper, et dure, mais pas cassante. » Il leva une fois de plus l'objet. « On travaille ensemble dessus depuis ses deux dernières missions là-bas. Il m'explique comment ça fonctionne, comment il pense qu'on pourrait l'améliorer. Et moi, je le modifie en fonction. »

Chance imagina un instant ce à quoi pouvaient ressembler concrètement leurs échanges. « Bon, je vais aller prendre mon taxi », finit-il par dire.

L'affaire prit plus de temps que prévu. Le camion était une vraie saloperie, avec des pare-chocs défoncés et des ressorts qui crevaient les sièges en vinyle. La lumière tardive étirait déjà les ombres dans le quartier de Chance lorsque D et lui quittèrent enfin l'autoroute à bord de l'antiquité. Il n'avait pas réussi à éviter l'heure de pointe : des files de voitures à chaque croisement, des gamins partout, cartable sur le dos et portable à la main, des ouvriers chinois déchargeant des camions entiers de poissons dans les petits magasins, des adolescents tatoués affublés de drôles de chapeaux sur leurs skate-boards bruyants. Il y avait même un type qui tenait une planche de surf et marchait en direction d'Ocean Beach, mais l'air un peu perdu. Le vieux camion pétarada pour annoncer leur arrivée.

Big D sursauta comme si on lui avait tiré dessus, et Chance éclata de rire. C'était plus fort que lui. « On dirait les Joad.

— C'est quoi, les Joad ?

— *Les Raisins de la colère* ? » D le regarda sans un mot.

« Le grand roman de la Grande Dépression. Le film est pas trop mal non plus. John Ford, Henry Fonda. Joad, c'est le nom de la famille. Des paysans qui fuient le Dust Bowl pour la Californie avec toutes leurs affaires à l'arrière d'un vieux camion. Quand je conduis un truc pareil, ça me fait penser aux Joad.

— Génial », dit D. Il n'avait pas l'air si enchanté que ça.

Il n'y avait évidemment aucune place de stationnement disponible près de chez lui. Vu la hauteur et la largeur du camion, il était tout aussi inenvisageable d'accéder au petit garage que Chance partageait avec ses voisins du dessous. Il le fit donc entrer lentement dans l'étroite allée de l'immeuble, aussi loin que possible, puis leva le frein à main, alluma les feux de détresse pour prévenir les automobilistes qu'il leur faudrait contourner le camion, et descendit.

Pendant qu'ils montaient l'escalier exigu, il entendait D derrière lui, pantelant. Une fois arrivé à l'appartement et devant les meubles, le colosse était aussi rougeaud et transpirant que dans son atelier. Chance commença à craindre que les marches couplées au poids du mobilier ne soient un peu trop pour D et que, eu égard à sa corpulence et à son apparent manque d'exercice, une telle précipitation ne se révèle une terrible erreur. La crise hypertensive ne semblait pas inconcevable. « Vous voulez un verre d'eau ? » demanda-t-il. Il pensait que D voudrait s'asseoir un moment ; en même temps, il essayait de se rappeler la dernière fois qu'il avait dû pratiquer une réanimation cardio-pulmonaire.

« Laissez tomber, fit D. Vous, prenez ça. » Tout en lui désignant une chaise, il s'avança vers le bureau, à savoir le plus gros et le plus lourd des meubles, et, sans même laisser à Chance le temps de répondre, le fit basculer sur ses cuisses. Il trouva la meilleure prise, souleva le bureau à hauteur de son torse, comme s'il ne pesait pas plus lourd qu'une table basse, et se dirigea vers la sortie. Chance le suivit et le vit descendre le gros meuble dans l'escalier étroit, le tournant d'un côté, puis de l'autre, au moment de sortir de l'immeuble, allant même jusqu'à le soulever au-dessus de sa tête. Une fois qu'il eut déposé le bureau à l'arrière du camion, il se retourna vers Chance, qui avait toujours sa chaise dans les mains. « Emballez et sanglez ces conneries, moi je vais chercher le reste. »

Et c'est ainsi qu'ils procédèrent. Le temps que Chance enveloppe le bureau dans une couverture de déménagement et le fixe à une paroi du camion à l'aide d'une sangle en toile, D était de retour avec la bibliothèque. Le temps qu'il termine d'emballer la bibliothèque, D était de nouveau là avec la dernière chaise, ni plus ni moins essoufflé qu'à leur arrivée.

Alors que Chance était encore dans le camion, quelqu'un avait commencé à klaxonner. La circulation était toujours difficile dans le coin, et la position du camion ne faisait que la ralentir, transformant la rue à double sens en une rue à sens unique et contraignant les automobilistes à contourner l'arrière du camion l'un après l'autre. Pour toute personne qui connaissait le quartier, cela n'avait rien d'inhabituel. Mais les klaxons non plus n'avaient rien d'inhabituel, et un type, en particulier, semblait bien décidé à s'offusquer de la situation. Il conduisait une BMW gris métallisé, une de ces grosses voitures aux vitres teintées ; il se mit à klaxonner alors qu'il y avait encore trois voitures entre le camion et lui. Difficile de savoir ce qu'il espérait obtenir, mais en tout cas il n'arrêtait pas de klaxonner, incitant deux ou trois autres ronchons à l'imiter.

Chance passa à l'arrière du camion et croisa le regard du conducteur de la BMW, un jeune homme à l'air dynamique qui portait une chemise blanche aux manches retroussées au-dessus des poignets. Il leva les deux mains en l'air, comme pour dire : « Qu'est-ce que tu veux que j'y fasse ? C'est comme ça que ça marche ici. » Ce genre de geste. L'autre répondit par un doigt d'honneur. Chance repartit emballer les meubles.

La BMW était presque arrivée à hauteur de l'arrière du camion. Le type ponctuait maintenant ses coups de klaxon par quelques insultes. D sortit alors de l'immeuble avec la dernière chaise. Il la posa à l'arrière du camion et, alors que le tour de la BMW était enfin arrivé, s'arrêta très calmement devant le véhicule, sur la chaussée, pour lui bloquer le passage. Le râleur freina brusquement. Il klaxonna et gesticula en ouvrant la bouche. D se contenta de le regarder fixement. À un moment donné, l'autre sembla comprendre le message. Un silence absolu s'installa dans la rue. Le conducteur laissa passer plusieurs voitures en sens inverse puis tenta de reculer, autant que le lui permettaient les quinze voitures derrière lui, et braqua ses roues, comme si un virage plus large dans la rue faciliterait sa fuite. D répondit en faisant un pas en avant, puis un pas sur sa droite. La situation de l'homme à la BMW était désormais d'une limpidité à la fois pénible et merveilleuse. Trois options s'offraient à lui. Il pouvait écraser le bonhomme devant lui, à coup sûr le choix de son cœur, mais choix peu judicieux puisqu'il y avait des témoins et que la circulation l'empêchait d'aller très loin. Bien sûr, il pouvait aussi sortir de sa voiture. Enfin, il pouvait rester assis et la boucler jusqu'à ce que tout le monde constate clairement à quel point il passait pour une sous-merde. Sans surprise, il choisit la troisième solution. D laissa passer un moment dont il jugea la durée satisfaisante puis s'éloigna, et le type disparut sans rien dire, les mains sur le volant, en regardant droit devant lui.

Chance en avait fini avec ses meubles. Il remonta chez lui pour jeter un dernier coup d'œil et referma la porte à clé. D l'attendait sur le siège passager du camion. Chance s'installa au volant. Ils roulèrent quelques minutes en silence.

« C'était assez fort », finit par dire Chance. Il faisait référence à ce qui venait de se passer dans la rue. En vérité, il avait du mal à contenir une joie profonde.

D acquiesça, posa sa tête sur la grille métallique derrière son siège et ferma les yeux. « Ce genre de conneries, ça suffit à mon bonheur. »

FOU D'AMOUR

Les jours suivants, alors que Big D s'attaquait à ses meubles et que Carl était toujours absent pour une raison inconnue, Chance vaqua à ses occupations. Il poursuivit son travail auprès de Doc Billy. Sur l'inventaire de dépression de Beck, il valida les réponses suivantes :

- *Je me sens triste la plupart du temps.*
- *Je me sens plus découragé par l'avenir qu'avant.*
- *J'ai échoué plus que je n'aurais dû.*
- *Je prends moins de plaisir qu'avant.*
- *Je me sens coupable.*
- *Je pleure davantage qu'avant.*
- *J'ai perdu tout intérêt pour les autres et pour les choses.*
- *Je me considère moins intéressant et moins utile qu'avant.*
- *Je dors beaucoup plus qu'à l'accoutumée.*
- *Je me fatigue plus facilement qu'à l'accoutumée.*
- *Le sexe m'intéresse moins qu'avant.*

Chance lui attribua un score de 13 sur 63, ce qui correspondait à un niveau léger de dépression. Il aurait très bien pu en dire autant de lui-même, mais il essayait de ne pas aller sur ce terrain-là. Ces derniers temps, il buvait plus, et cela l'inquiétait. Il avait pensé prendre des antidépresseurs, mais s'y était jusqu'à présent refusé, y voyant une forme de capitulation face au désespoir, conception qu'il ne partagerait jamais avec les nombreux patients auxquels, sans nul doute, il continuerait de prescrire ce médicament. S'agissant du cas de Doc Billy, il était hésitant. S'il éprouvait de la compassion pour le vieillard, il ne pouvait pas non plus mettre de côté ses considérations professionnelles. Son moral dépendait plus ou moins de sa réputation en tant qu'expert dans des cas comme celui du Dr Billy, justement, et l'inventaire de dépression de Beck n'était qu'un test parmi les nombreux qu'il avait pratiqués. Les scores cumulés indiquaient qu'il eût été erroné d'affirmer que les problèmes d'attention, de concentration et de mémoire du Dr Billy Fry résultaient d'abord, ou exclusivement, de problèmes affectifs, à savoir l'intrusion dans sa vie privée d'un parent qu'il considérait éloigné et intéressé par son argent. D'un point de vue cognitif, le vieux bonhomme était clairement sur la pente descendante.

L'autre protagoniste de l'affaire, l'aide-soignante et première suspecte, s'appelait Lorena Sanchez. Originaire d'Oaxaca, au Mexique, elle était une catholique fervente qui priait souvent en présence de Billy. Quand Chance lui avait demandé de la décrire, Doc Billy avait répondu qu'elle mesurait un mètre cinquante et qu'elle était corpulente. Ils étaient assis dans sa minuscule cuisine, le Dr Chance et le Dr Billy, fenêtres fermées, volets tirés, stores baissés, le four à 180 °C pour avoir « un peu plus de chaleur ». Le vieux dentiste portait son appareil auditif, qu'il qualifiait tantôt de « camelote de Chinetoque », tantôt de « machin merdique ». La bouteille d'oxygène, verte, était à côté de lui, émettant une succession de petits déclics, comme si de minuscules extraterrestres piégés à l'intérieur essayaient d'entrer en contact avec le monde extérieur, dont Chance faisait plus ou moins partie. « Le truc, lui dit Billy, c'est que dès qu'elle fait l'effort de s'habiller… » Il secoua la main, comme pour se sécher le bout des doigts, et haussa les sourcils. Chance comprit l'idée. « La première fois que je l'ai vue comme ça… On était chez Bagel House, sur Lombard Street, et je lui ai dit… Je lui ai dit à quel point elle était belle.

— Et comment a-t-elle réagi ? »

Le vieil homme réfléchit. « Elle m'a pris la main, répondit-il d'une petite voix, les yeux embués. Et elle m'a dit : "Je n'ai jamais connu quelqu'un comme vous." » Il s'interrompit et regarda Chance dans les yeux. « Elle le pensait. Je vous assure. Elle voulait qu'on se marie. Elle le veut toujours, d'ailleurs. Vous vous rendez compte ? Au cas où il y aurait des problèmes un jour, financièrement parlant, elle dit. » Billy se donna une grande tape sur la cuisse. « On est tombés amoureux l'un de l'autre. Oui, je sais qu'il y a sans doute une autre raison derrière tout ça. J'ai quatre-vingt-douze ans, bordel de Dieu. Et elle cinquante-trois. Mais cette autre… C'est le cœur du problème. Si elle n'est pas ce qu'il y a de mieux, alors je ne trouverai jamais mieux. Pas sur cette planète, en tout cas. »

Par « cette autre », Chance en avait déduit qu'il voulait parler de la partie amoureuse du problème, sujet sur lequel le plus jeune des deux toubibs, à moitié ivre, se montra philosophe :

Nietzsche disait : « En fin de compte on aime sa convoitise et non ce que l'on convoite. » Vu dans ce contexte un peu détaché, on peut affirmer que, grâce à sa relation avec Lorena, William se sent à l'abri, protégé, valorisé. Pour la première fois, il connaît aussi l'euphorie de l'amour. C'est tout à son honneur, mais il est capable de reconnaître que, d'une certaine façon, il sait, et depuis le début, qu'il est manipulé. Néanmoins, il revient toujours à cette question : « Que vaut l'argent sans amour ? »

Chance liquida une autre bouteille de vin pendant qu'il essayait de terminer son évaluation de Doc Billy, avec lequel, ce même jour, il venait de passer encore quatre heures et demie dans son appartement aux airs de sauna. Il était maintenant assis dans son propre appartement, tout aussi déprimant, la chaleur en moins. Billy habitait le sien depuis cinquante-cinq ans, seul et en mal d'amour. Rien d'étonnant, donc, à ce qu'il se fût amouraché de la merveilleuse Lorena, malgré sa petite taille et sa corpulence. « *Tout en admettant qu'il semble exister des preuves accablantes de maltraitance sur une personne âgée dans cette affaire...* » Chance voulait, plus désespérément que jamais, semblait-il, conclure sur une note positive, n'importe quoi pour déjouer les humiliations que le temps, le monde et la famille de l'Oregon lui infligeraient à coup sûr. « *... il ne faut pas exclure la possibilité que, à un certain niveau, William Fry ait engagé Lorena en pensant à ses propres intérêts, qu'il l'ait retenue, pour ainsi dire, afin de se soumettre lui-même à un abus d'influence, qu'il ait voulu connaître amour, sécurité et plaisir en sa compagnie. Je pense que William, en réalité, se rappelle plus de choses qu'il ne veut bien l'admettre. Fondamentalement, il a participé à la supercherie, il est un co-conspirateur qui désire maintenant protéger Lorena contre les conséquences judiciaires de ses actes...* » Sentant que cette formulation n'était pas satisfaisante, il s'arrêta et tenta autre chose. « *Néanmoins, et malgré ses limites physiques évidentes... et le besoin manifeste de désigner un garde-fou financier... le Dr Fry fait montre, tout au*

long de ses déboires, d'une dignité, d'une conscience
et d'une perspicacité remarquables... »

Pour finir, Chance poussa un long soupir et mit son texte de côté. Après tout, on ne pouvait pas attendre grand-chose d'un homme dans sa position. Advienne que pourrait, et le mieux que l'on pût espérer était que le vieux garçon puisse, au moins, sortir de cette histoire la tête haute, une sorte de baroud d'honneur tragique mais héroïque... Presque cloué au lit à quatre-vingt-douze ans, accompagné de sa bouteille d'oxygène, enfin en paix avec ses frères, fou d'amour.

Mais lorsqu'il essaya d'imaginer à quoi pouvait ressembler ce baroud d'honneur, rien ne lui vint à l'esprit, et ses pensées se tournèrent, comme souvent ces derniers temps, vers Jaclyn Blackstone. Pour tout dire, elle menaçait de supplanter Mariella en tant qu'obsession du moment. Était-elle aussi, quoique pour des raisons peut-être plus sombres et plus tordues que celles de Doc Billy, complice d'un subterfuge, une co-conspiratrice souhaitant protéger son ancien amant contre les conséquences judiciaires de ses actes ? À peine s'était-il posé la question qu'il s'en voulut. Il repensa à l'automobiliste que Big D avait fusillé du regard dans la rue. Il ne pouvait pas s'empêcher de croire qu'à l'hôpital c'était *lui* qui était passé pour un con, impuissant face au bourreau de Jaclyn. « Qu'aurait fait D à ma place ? » se demanda-t-il avant de se laisser aller, assez longuement, à divers fantasmes de cour de récréation, autant de scénarios remarquables par leur clarté et leurs effusions de sang, dans lesquels ce foutu Blackstone ne l'emportait pas au paradis et ne s'en tirait pas avec un simple regard. Il se faisait casser les dents, éventrer, garroter, émasculer, tout simplement assassiner. Le lendemain, à midi, Chance s'en alla prendre des nouvelles de ses meubles.

Comme toutes les fois précédentes, il trouva la porte d'entrée ouverte, le bâtiment sombre et désert. Ne voyant aucune trace de Carl, il se rendit directement à l'arrière du magasin. Il y avait de la lumière dans l'atelier de D ; Chance l'appela, mais personne ne répondit. Se penchant pour voir à travers l'étroite fenêtre par laquelle ils avaient été présentés la première fois, il constata qu'une porte du fond était entrouverte. Elle donnait sur l'allée et laissait pénétrer un rai de lumière jaune. Chance prit la liberté d'entrer dans l'atelier de D pour trouver l'interrupteur. Au passage, il vit ses meubles, entassés sans ménagement, à son goût, dans un coin. Si D s'attelait à une restauration soignée, ce n'était pas encore visible.

Il retrouva le colosse dehors, dans l'allée, assis sur une caisse retournée, à côté d'un sachet de fast-food. Il tenait un grand gobelet de Coca Light dans une main et, dans l'autre, un exemplaire des *Raisins de la colère*. Il leva les yeux au moment où Chance s'approcha. « Je serai toujours là, partout, dans l'ombre, dit-il en guise de salut, sans regarder le livre. Partout où y aura un flic en train de passer un type à tabac, je serai là. Dans les cris des gens qui se mettent en colère, je serai là. Dans les rires des mioches qu'ont faim et qui savent que la soupe les attend, je serai là. Et quand les nôtres auront sur leurs tables ce qu'ils auront planté et récolté, quand ils habiteront dans les maisons qu'ils auront construites… Eh ben, je serai là. » Il s'interrompit. « J'en ai peut-être oublié deux ou trois. » Il regarda le livre.

« C'est à peu près ça, si je me souviens bien, dit Chance. Bravo.

— Dès que quelqu'un me parle d'un truc que je ne connais pas, un livre ou autre chose… Si ça a l'air intéressant, je mets la main dessus et j'essaie de voir ce que c'est.

— C'est très louable. »

Chance s'assit sur une marche en ciment près de la caisse de D.

Ce dernier referma son livre et le regarda. « Quoi de neuf, patron ? Tu as d'autres meubles à bouger ?

— Non. Mais je connais deux ou trois petits connards à qui tu pourrais faire peur, comme l'autre type, la dernière fois, dans la rue. »

Chance était flatté de se dire qu'ils partageaient cela, une sorte de lien viril, pour ainsi dire. Quant à la pléthore de scénarios que cet incident lui avait inspirés… il les garda pour lui. Sa blague sur les deux ou trois petits connards fut à peu près tout ce qu'il s'autorisa, mais D démarra au quart de tour. « Qui ça ? » Chance n'avait pas l'impression qu'il rigolait. Il fut à deux doigts de parler de Jaclyn Blackstone et de son bourreau de mari, le sale flic, mais se ravisa. C'était tout de même un flic d'Oakland, avec un costume coûteux, un flingue et un insigne, un flic qui était chez lui partout, qui savait comment les choses fonctionnaient ou ne fonctionnaient pas. Il massacrerait un pauvre type comme D, peut-être pas physiquement, dans un combat, mais d'une autre manière, tout aussi violente, et Chance avec lui – il les écrabouillerait sous sa semelle, sans jamais les lâcher. « La moitié des gens de cette ville, finit par plaisanter Chance. Comment ça se passe avec les meubles ? »

D parut légèrement déçu. Il répondit sur un ton beaucoup moins enthousiaste. « Ça me prend un peu de temps de trouver ce qu'il me faut. D'ici un ou deux jours, je vais pouvoir m'y mettre. J'en aurai pour une semaine, à mon avis. »

Sur ces entrefaites apparut Carl Allan. « Y a-t-il un médecin dans la salle ? » lança-t-il. Il se tenait devant la porte de l'atelier de D. Bouffi, le nez enflé et les yeux cernés, il portait un beau chapeau de paille à la manière de certains *hipsters* des années 1950, très en arrière, pour laisser de la place au bandage blanc qui enveloppait son crâne. Il s'appuyait sur une canne en bois au pommeau d'argent. « Je me disais bien que j'avais reconnu votre voix. » Il regardait Chance et faisait de son mieux pour sourire.

Chance se leva aussitôt. « Mon Dieu, qu'est-ce qu'il vous est arrivé ? »

Carl eut un geste dédaigneux. « Oh, une petite mésaventure. Je serai remis sur pied en un rien de temps. » Il changea de sujet sans attendre. « J'ai été content de voir que vous aviez apporté vos meubles. J'ai déjà discuté avec deux acheteurs qui seraient intéressés. »

Intéressés par quoi ? se demanda Chance. Les copies ou les originaux ? Ces acheteurs étaient-ils des particuliers ou des professionnels ? Il devrait peut-être mener sa petite enquête. Mais d'un autre côté il *avait apporté* ses meubles. Un chemin avait été tracé et, regardant autour de lui dans l'allée, il eut l'impression d'être, sans doute pour la première fois d'une vie caractérisée par son attachement aux conventions, complice d'un crime. Il en ressentit une joie aussi brève qu'inexplicable, puis regarda une fois de plus ses comparses : l'un, aussi gros qu'un Boeing 747, en train de faire des gargouillis avec sa paille et son énorme Coca Light, et l'autre, maigre comme un clou dans sa veste en soie à carreaux, la tête bandée – des *desperados* en train de conspirer.

« Allez, dit Carl, interrompant sa rêverie, venez à l'intérieur. Il faut que vous remplissiez quelques papiers.

— Des papiers ? fit Chance, pas sûr d'apprécier.

— Il va falloir donner des renseignements sur les meubles. On aura besoin de votre signature. »

L'idée d'attacher sa signature à quoi que ce soit suffit à éteindre sa joie momentanée. Chance voyait déjà les avocats et les tribunaux, la vraie vie, tout le contraire du rêve. D choisit cet instant pour réitérer son gargouillis. « Mon Dieu, se dit soudain Chance, qu'est-ce que j'ai fait ? » C'était le genre de décisions très mauvaises contre lesquelles son père l'avait toujours mis en garde. Tout cela finirait mal – c'était couru d'avance. Il serait confondu. De nouvelles poursuites s'ajouteraient à celles dans lesquelles il était déjà enfoncé jusqu'au cou. Sa vie deviendrait un cauchemar.

« Les jeunes, continuez votre discussion, dit Carl. Quand vous serez prêts, vous me trouverez à l'intérieur. » Il fit demi-tour, péniblement. Chance le regarda s'éloigner en s'appuyant lourdement sur sa canne. « Qu'est-ce qu'il lui est arrivé ? demanda-t-il à D sans parvenir à dissimuler son propre désespoir.

— Il s'est fait casser la gueule par un jeune.

— Celui que j'ai vu la dernière fois ici ? Avec le pantalon en cuir et les bottes pointues ?

— Il faut croire.

— Ils étaient plusieurs ? »

D rigola. « Le vieux a ses petites faiblesses, on pourrait dire ça comme ça. Mais oui, c'était sans doute celui que tu as vu. Le produit du mois. Il lui a demandé du fric. Carl a refusé. Le môme est revenu avec deux de ses potes, ils l'ont tabassé bien comme il faut et ils ont volé deux ou trois conneries.

— Putain. »

Chance se rassit sur la marche en ciment. « Qu'est-ce qu'ils lui ont pris ? » Il imaginait la situation si ses meubles avaient été là la semaine précédente, et ce que cela donnerait si les petits voyous revenaient.

« Deux fauteuils anciens, un peu de fric qui traînait dans le bureau devant...

— Il est allé voir la police ?

— Il est venu me voir moi. Ce qui me fout en rogne, c'est de ne pas avoir été là quand ils ont débarqué. Mais j'imagine que c'était prévu. Ce petit enfoiré connaissait son emploi du temps. Et le mien aussi, je pense. Il faut faire attention, avec cette connerie.

— Quelle connerie ? Je ne suis pas sûr de comprendre. »

D le regarda. « La *routine*. Même endroit, même heure, chaque jour ? C'est se promener avec une cible à la con dans le dos. »

Chance pensa que D commençait à parler comme certains de ses patients atteints de paranoïa délirante. Bien qu'il trouvât cela troublant, il n'en dit rien et hocha la tête, manière de confirmer le bien-fondé de l'hypothèse.

D désigna le magasin derrière lui. « Tous les trucs sont revenus. Voilà ce que j'allais dire.

— Les objets qui ont été volés ? »

D acquiesça.

« Tu les as récupérés ?

— Plutôt deux fois qu'une. »

Chance attendit.

« J'ai dû faire en sorte que ça vaille le coup. »

Chance secoua la tête, essayant de comprendre de quoi il retournait. « À t'entendre, ça a été une simple formalité.

— Plutôt, oui.

— Ils n'étaient pas armés ? Ils n'ont pas essayé de t'en empêcher ? »

D haussa les épaules. « Le jeune me connaissait. » Il souleva le couvercle en plastique de son gobelet et examina l'intérieur du récipient, apparemment pour s'assurer qu'il avait bu son Coca Light jusqu'à la dernière goutte. « Un de ses copains a voulu tenter sa chance avec une batte de base-ball. »

Chance éclata de rire. Il repensa au conducteur de la BMW, puis à l'inspecteur Blackstone. Toujours ses fantasmes. « Pas une très bonne idée, j'imagine.

— Il aurait mieux fait de continuer de jouer à la baballe.

— Et ensuite ? »

D se leva pour jeter les restes de son déjeuner dans une benne à ordures. « Ensuite, il est parti », dit-il, toujours aussi terre à terre.

Chance attendit de voir si D en dirait un peu plus, mais il semblait en avoir terminé. Il examinait l'intérieur de la benne, comme s'il y avait découvert quelque chose d'intéressant. « Quand tu dis qu'il est parti… » Chance ne termina pas sa phrase, pensant qu'il s'agissait peut-être d'une de ces situations « motus et bouche cousue ». Après tout, que savait-il, *lui* ?

Pour finir, Chance signa ses papiers et repartit. Dans la rue, qu'il trouva d'un calme surnaturel, sans aucun jeune en train de traînasser, il se fit la réflexion que, décidément, chacune de ses petites visites chez l'antiquaire apportait son lot d'aventures. Il retourna à pied à son cabinet et trouva Jaclyn Blackstone dans la salle d'attente, en train d'observer d'un air songeur les nuages par la fenêtre, une attelle en argent sur le nez, des bleus comme ceux du vieil antiquaire sous les yeux, lesquels, remarqua-t-il pour la première fois, étaient d'une très belle nuance de marron doré, presque jaunes, pareils à ceux d'un chat.

LA VISITE AU CABINET

Chance partageait les bureaux de Polk Street avec trois autres médecins : Salk, Marks et Haig. Jacob Salk était un psychiatre, une sommité pour tout ce qui concernait la manipulation mentale, le lavage de cerveau, les sectes et la vulnérabilité face aux abus d'influence. David Marks, lui, était un neuropsychiatre que Chance connaissait depuis ses études à l'UCSF. Comme lui, il était marié et père. Contrairement à lui, il était *encore* marié. Enfin, Leonard Haig, quarante-cinq ans, était déjà le plus riche de la bande ; neurologue et rentier, il s'était spécialisé dans la défense des grandes compagnies d'assurances et venait de s'acheter une maison dans le sud de la France. On le disait excellent joueur de tennis et véritable bourreau des cœurs. Quand ils ne se croisaient pas en tant qu'experts opposés dans un tribunal, ce qui était arrivé plusieurs fois, Chance et Haig se parlaient rarement. Aujourd'hui, pourtant, ce fut Haig qui l'avertit de la présence de Jaclyn Blackstone.

« Je viens de diriger une patiente vers votre salle d'attente », lui dit Haig. Ils étaient dans le couloir, devant la photo en noir et blanc d'une vieille dame manifestement dérangée assise dans une minuscule pièce sans fenêtre aussi dépouillée qu'une cellule de prison, à l'exception d'une série de napperons en papier suspendus, Dieu sait comment, au-dessus de sa tête presque chauve.

Chance se contenta de hausser les sourcils. Il lui semblait hautement anormal que Haig ait considéré le fait de diriger quelqu'un quelque part comme une tâche digne de lui.

« Elle est entrée dans mon cabinet par erreur, lui dit Haig. J'ai pensé la garder, mais bon. Elle voulait vous voir.

— Eh bien… Je dois vous remercier, donc.

— Ou en tout cas me faire une faveur. »

Haig se pencha vers le portrait de la vieille folle. Chance y reconnut une œuvre du gardien du parking de l'immeuble, Jean-Baptiste Marceau.

Né à Paris, Jean-Baptiste avait autrefois étudié l'ethnologie et la médecine. À vingt-quatre ans, une blessure à la tête, suivie de lésions du cortex moteur à l'arrière du lobe frontal, avait fait de lui un épileptique, sujet à des crises partielles, ou complexes, du lobe frontal, comme saint Paul. Il avait alors abandonné ses études pour s'aventurer hors des sentiers battus. S'intéressant entre autres choses à la photographie, il avait, en une quarantaine d'années, constitué une impressionnante collection de portraits d'individus déments et enjoués, à divers stades de la déchéance physique et mentale, dont il aimait parfois décorer les murs de l'immeuble.

« Ça le reprend, fit Haig en parlant de la photo. Je me dis que cette fois… *Vous* pourriez peut-être aller lui parler. »

Face à ces œuvres, Chance était partagé. D'un côté, elles l'intriguaient pour des raisons qui en partie lui échappaient. D'un autre côté, elles lui donnaient envie de se pendre. Quant à Jean-Baptiste lui-même, Chance n'avait aucun doute, pour le coup : il le considérait comme un des trésors cachés de la ville, une sorte de saint errant, voué à une quête encore non identifiée. Il vivait seul dans un minuscule appartement au sous-sol de l'immeuble, un logement de fonction obtenu grâce à la propriétaire, une vieille Chinoise extrêmement riche avec laquelle il avait établi des liens dont la véritable nature n'était pas très claire. Chance soupçonnait toutefois l'existence d'une forme de thérapie clandestine, puisque Jean-Baptiste, même s'il n'avait aucune des compétences requises, voyait parfois certaines personnes en tant que patients, surtout quand il fallait entreprendre des voyages cosmiques ou des discussions avec les morts. Quel que fût leur arrangement – et la thérapie clandestine n'était que pure conjecture de la part de Chance –, les tentatives faites par certains locataires pour le déloger s'étaient toujours mal terminées. Le Français était protégé en haut lieu.

Mais ce n'était qu'un aspect du personnage. Car en effet Jean-Baptiste, dès qu'il s'agissait de garer les voitures, ne faisait aucune distinction entre la cohorte des Porsche, BMW, Mercedes, Range Rover et autres Audi dernier cri qui peuplaient le parking souterrain, et l'Oldsmobile Cutlass modèle 1989 de Chance (dénichée sur Craigslist après que sa femme eut gardé la Lexus). Alors que les autres gardiens avaient tous tendance à cacher la vieille bagnole, Jean-Baptiste, lui, aimait la garer aux emplacements les plus convoités du parking. Attention charitable qui incitait certaines personnes, dont Haig, à croire en l'existence d'un pacte secret entre les deux hommes.

« Son petit numéro à la Diane Arbus atteint de nouveaux sommets, reprit Haig. Ou de nouveaux abîmes. On va avoir des patients qui vont se jeter par la fenêtre. »

Chance observa la veille folle sur la photo. S'il était vrai que, dans les mois qui avaient suivi l'installation de Jean-Baptiste au sous-sol, et particulièrement après son propre divorce, Chance en était venu à apprécier la désinhibition exubérante du Français – au point de lui faire des confidences qu'il n'aurait jamais faites à ses collègues –, il était non moins vrai que Jean-Baptiste était un phénomène à lui tout seul, aussi changeant que la météo. Depuis quelque temps, cependant, les plaisirs devenaient chose rare, et Chance ne faisait pas la fine bouche. « Je ne sais pas, répondit-il, les yeux rivés sur la femme. Je l'aime bien, celle-là. »

Haig le regarda sans rien dire.

« Ça doit être ces napperons. Franchement, réfléchissez-y. » Il était déjà reparti vers son cabinet.

« Allez vous faire foutre, lui lança Haig dans son dos. Si *elle* remet les pieds ici une seule fois... Je me la garde pour moi. »

Chance le salua avec un petit geste. « Vous devriez peut-être croiser Big D, dit-il, trop loin pour être entendu, mais se laissant de nouveau aller à son petit fantasme. Dans une ruelle obscure, en pleine nuit. Et, au fait – prenez votre batte avec vous. »

Il la vit de dos, à travers une des vitres rectangulaires qui encadraient la porte. Elle avait des bottes, un jean et un long chandail gris. Elle était en train de regarder par la fenêtre ; comme dans la librairie, il fut frappé par sa taille et sa silhouette. C'était drôle de voir à quel point elle avait caché tout cela le jour de sa première visite, avec ses chaussures plates, sa robe ringarde et sa coiffure sans intérêt.

Elle se retourna dès qu'il entra. Il découvrit alors son attelle et les ecchymoses. Lorsqu'il s'avança vers elle, il aperçut Lucy, la jeune femme qu'il avait engagée comme secrétaire : installée derrière son bureau, elle lui décocha un regard assassin. Du haut de son mètre cinquante-deux, elle avait la taille idéale pour ça. Parfois, à l'autre bout de la pièce, on ne voyait que le sommet de sa tête à partir des yeux. Elle était rousse, portait les mêmes lunettes en écaille que Buddy Holly et avait une peau d'un blanc laiteux, immaculée à l'exception notable du tatouage qui lui recouvrait presque tout un bras, peut-être excessif mais superbe, l'œuvre d'un Dalí des temps modernes, tout en montres molles, serpents du paradis et Dieu sait quoi d'autre. Le tatouage disparaissait sous ses vêtements, mais devait sans doute se prolonger. Elle avait aussi un petit diamant sous la lèvre. Elle aimait les tenues achetées dans des boutiques vintage et les Converse, mais elle savait les assortir. Avant de décrocher son diplôme en psychologie à Berkeley, elle avait fait les Beaux-Arts à New York, au Hunter College. Au fond, elle avait quelque chose de sexy, mais dans le style artiste, drogué. Ce qui expliquait sûrement pourquoi il l'avait embauchée. Non pas qu'il eût pensé à mal. Mais il aimait la voir là, derrière le gros bureau incurvé, accueillir les patients, se déplacer dans la pièce. C'était pour ça que les gens possédaient des oiseaux exotiques. Ses couleurs égayaient la pièce.

« Les Jenkins attendent », dit Lucy. Elle faisait mine de parler d'une voix haletante, gardant un œil sur Jaclyn. « J'ai expliqué à Mme Blackstone qu'elle allait devoir prendre rendez-vous...

— Ça va aller. Je m'en occupe.

— Mais les Jenkins attendent depuis une demi-heure.

— Dites-leur que je les recevrai dans un instant. »

Lucy le regarda juste assez longtemps pour exprimer son mécontentement, puis s'exécuta.

Chance s'approcha de Jaclyn. Ses yeux jaunes de chat étaient soulignés par des cercles bleus. « J'ai un rendez-vous, dit Chance.

— Vous préférez que je parte ?

— Ce que je veux dire, c'est que ça va peut-être prendre un peu de temps. »

Elle regarda par la fenêtre, comme pour contenir ses émotions.

Les Jenkins étaient un couple marié avec deux enfants en bas âge. Ralf Jenkins avait trente-neuf ans. Cela faisait deux ans que, après une deuxième craniectomie, il suivait une radiothérapie à cause d'une tumeur maligne du cerveau. Depuis la deuxième opération, il avait du mal à trouver ses mots et connaissait des problèmes de motricité fine avec sa main droite. Chance lui avait recommandé de consulter à la fois un spécialiste des troubles de la parole et un psychothérapeute, eu égard aux effets psychologiques de son cancer. Cela remontait au tout début de l'année. Or la semaine précédente les Jenkins avaient pris rendez-vous pour des raisons que Chance pouvait certes deviner, mais dont il lui fallait encore s'assurer. Dans son esprit, il y en aurait pour une heure ou deux. Depuis qu'il s'était installé en libéral, il essayait toujours de voir très large pour ses patients. Ils étaient souvent dans un état grave, perdus, effarés, énervés. Le monde allait déjà trop vite pour eux ; ils n'avaient pas besoin qu'il en rajoute. « Combien de temps avez-vous ? » demanda-t-il à Jaclyn. Il savait que Lucy les observait depuis son poste, à la réception.

« J'ai tout l'après-midi. Je suis vraiment désolée de débouler comme ça... »

Il leva la main. « Pas de problème. Vous allez vous ennuyer à attendre ici. Il y a un petit café en bas, juste au coin de la rue. Attendez-moi là-bas en buvant une boisson chaude. » Il avisa une table dans sa salle d'attente. « Prenez un magazine. Je devrais pouvoir vous retrouver d'ici une heure. » Il regarda sa montre. 13 heures passées de quelques minutes. « Je dois aller chercher ma fille à 16 heures, mais ça devrait nous laisser le temps de parler. »

Elle le regarda dans les yeux. « Ce serait très gentil à vous », dit-elle en tripotant les boutons de son chandail. Chance vit qu'elle se rongeait les ongles des pouces jusqu'à la chair. « J'ai un portable, reprit-elle. Si jamais je dois partir, je préviendrai votre secrétaire. Mais j'essaierai d'attendre.

— Entendu.

— Merci. Je ne sais pas... » Elle pensa à autre chose, puis se reprit : « Je suis désolée. Vraiment. Mais merci. » Elle s'éloigna sans prêter attention aux revues et quitta le bureau.

« Je vous arrête tout de suite, dit-il à Lucy en allant retrouver les Jenkins. Vous ne savez pas ce qu'elle a vécu.

— Peut-être, mais ça se voit que c'est quelqu'un qui sait ce qu'elle veut. Vous auriez dû voir son numéro de petite fille perdue avec votre cher ami le Dr Haig.

— Ce n'est pas du tout mon ami.

— Et elle n'était pas du tout perdue. Ce n'est pas la première fois qu'elle vient.

— Sauf que, *entre-temps*, elle a subi un choc assez gratiné. Pourquoi est-ce que vous vous montrez si sévère, tout à coup ? »

Lucy ne répondit pas. « Un rendez-vous dans un café, dit-elle. C'est comme une prestation gratuite, non ?

— Croyez-moi. C'est bien le moins que je puisse faire. »

Bien que la séance avec les Jenkins eût duré plus d'une heure, Jaclyn l'attendait dans le café presque désert. Pour y entrer, il fallait descendre quelques marches carrelées, de sorte que la devanture se trouvait quasiment à hauteur du trottoir et des roues des voitures. Jaclyn avait choisi une table tout au fond de la salle, loin de la vitrine. Chance commanda un café et la retrouva dans la pénombre.

« Comment allait votre patient ? »

Il lui raconta l'histoire de Ralf.

« Il est en train de mourir, donc ?

— Il en a peut-être encore pour six mois.

— Mon Dieu. Qu'est-ce que vous leur dites, dans ces cas-là ?

— La vérité. Je leur conseille des psychologues, des groupes d'entraide, des soins palliatifs. »

Un tramway passa bruyamment dans la rue. « Ce n'est pas toujours aussi sinistre qu'on pourrait le penser, reprit-il. Ce qu'on constate... parfois, chez certains... c'est que le superflu disparaît. Ils comprennent ce qui est essentiel et ce qui ne l'est pas. On a l'impression... avec certaines de ces personnes, qu'elles commencent à vivre pour la première fois. » Chance aimait à le croire.

Jaclyn hocha la tête, mais ne dit rien.

« Une explosion se produit devant ce café. La lumière blanche d'un holocauste nucléaire. Il vous reste cinq secondes. Qu'est-ce que vous faites ? »

Jaclyn regarda en direction de la rue. Il n'y avait que la lumière sourde d'un après-midi brumeux. « Je ne sais pas, répondit-elle avant de se retourner vers Chance. Vous savez, vous ? »

Il tendit le bras et prit sa main. « Ça. Il n'y a peut-être que ça à faire. On le retrouve partout, vous savez. De Pompéi au World Trade Center. » Il relâcha sa main. « On finit tous par mourir. Ce qui compte, c'est ce qu'on fait du temps qu'il nous reste. »

Les yeux de Jaclyn s'embuèrent. « Vous êtes un bon médecin.

— Les gens attendent des miracles. Or, parfois, le seul miracle possible, c'est de leur prendre la main. Il est là, le miracle. »

Un ange passa. Jaclyn se ressaisit.

« Qu'est-ce que je fais ? demanda-t-elle.

— À mon avis, vous devriez commencer par dire la vérité.

— Il me tuerait. Il me l'a juré, et je le crois.

— On parle de votre mari, pas d'un cambrioleur, n'est-ce pas ? Histoire d'être clairs. »

Elle confirma d'un hochement de tête.

« C'est votre mari qui vous a frappée. »

Elle sourit avec un air de dire qu'il était bien naïf. « Ce n'est pas son genre. Ce n'est pas son genre de se salir les mains.

— Il a demandé à *quelqu'un* de le faire ? C'est ça que vous êtes en train de m'expliquer ? Il est important que les choses soient très claires entre nous. »

Elle haussa les épaules et regarda ailleurs.

« Est-ce que vous êtes allée voir un avocat ? Ou un autre policier ? Il y a des avocats spécialisés dans les menaces aux personnes…

— C'est à vous que je m'adresse.

— Mais maintenant que vous vous êtes fait taper dessus…

74

— Vous croyez que c'est la première fois ? Je *sais* comment ça se passe… Ce que vous ne savez pas, ce que personne ne sait… c'est à quel point il est intelligent. Il connaît la loi. Et il est fou. Il finira par m'avoir. Il est comme ça. Il connaît du monde. Même en prison, il pourrait organiser le coup. »

C'est alors que sa voix se mit à trembler. « Il sait comment procéder, murmura-t-elle. Il saurait comment faire disparaître Jaclyn.

— Vous parlez de vous à la troisième personne. C'est à Jackie que je suis en train de parler ?

— Non. Je ne sais pas. Je me fous de Jackie… J'ai une fille. »

Chance fut pris de court. Aucun des documents relatifs à son cas ne faisait référence à un quelconque enfant. Elle n'en avait pas non plus parlé lors de leur premier entretien. Il la scruta un long moment sous la lumière tamisée.

Jaclyn Blackstone regardait ses propres mains.

« L'enfant est de lui ? »

Elle fit signe que non. « J'avais dix-sept ans. Le père et moi, on ne s'est jamais mariés. » Elle hésita une seconde avant de continuer. « J'ai fait adopter ma fille. On a repris contact il y a deux ans de ça. Elle est à l'université de Chico. C'est Raymond qui lui paie ses études.

— Raymond, c'est votre mari ? »

Il lui sembla que c'était la première fois qu'il l'entendait prononcer son nom. Elle lui fit comprendre que Raymond était bien son mari. « Pourquoi ne m'avez-vous rien dit de tout ça quand vous êtes venue me voir ?

— Je crois que… ce qui me faisait le plus peur à ce moment-là… C'était que mes symptômes soient neurologiques. »

Dans un premier temps, il pensa lui rappeler qu'il était à la fois neurologue et psychiatre, qu'une évaluation sérieuse des symptômes de Jaclyn exigeait qu'il ait toutes les données utiles en main. Tout bien réfléchi, il se dit que c'eût été pinailler inutilement, au vu des circonstances ; il préféra donc ne rien dire, du moins pour le moment. « J'imagine, finit-il par répondre, que vous estimez que votre fille est elle aussi en danger.

— Il me l'a dit. »

Chance se fit la réflexion qu'il n'était lui-même pas étranger aux procédés par lesquels les gens concevaient l'architecture de leur propre emprisonnement, les citadelles d'où l'on entend parfois leurs cris, derrière une fenêtre du sous-sol. Comme Houdini, nous construisons la machinerie du piège dont il nous faudra nous échapper ou mourir. Embourbé dans les problèmes juridiques et financiers liés à son divorce, il ne trouvait pas chez lui de véritable exception à cette règle, même si, comparé à Jaclyn Blackstone, le risque de mourir relevait plus de la métaphore que de la réalité. « À part essayer de trouver une aide *juridique*, dit-il après un autre long silence, je ne sais pas quoi vous répondre. Vous continuerez de voir Janice ?

— Il me l'a interdit. Venir ici, pour moi, a été compliqué. Je me mets en danger. »

Elle promena son regard dans la salle. « Et ça pourrait vous mettre en danger aussi. Je pourrais vous nuire. J'ai dû y réfléchir. »

Pour la deuxième fois de l'après-midi, il prit conscience d'un changement. « Il y a souvent une grande différence entre ce que les gens menacent de faire et ce qu'ils font vraiment. » Malgré tout, il remarqua que son pouls avait accéléré.

« Exact, dit-elle.

— Écoutez. Tout ça n'est pas facile. Je comprends bien. Qu'est-ce qu'on est prêt à risquer pour retrouver sa vie ? De la perdre ? Et il n'y a pas que vous. Il faut penser à votre fille. Je ne peux pas vous dire quoi faire. Je suis convaincu qu'une petite discussion discrète avec quelqu'un de plus calé en droit… Je suis souvent convoqué au tribunal en tant qu'expert. Il s'agit rarement d'affaires criminelles, mais je connais un certain nombre d'avocats. Je pourrais me renseigner… En plus de ça… »

Elle tendit brusquement le bras pour prendre sa main. « C'est peut-être ce que vous disiez. Peut-être simplement ça. C'est peut-être pour ça que je suis venue. »

Le geste le décontenança. Il resta assis, sa main dans celle de Jaclyn, et étudia son visage sous la lumière déclinante. Nom de Dieu, se dit-il, on aurait pu faire atterrir un avion sur ses pommettes. Il se demanda alors comment, lors de leur premier entretien, il avait pu passer à côté d'elle. Elle attira sa main à elle, en la serrant fort, si bien que l'alliance qu'elle portait tout le temps lui fit mal aux doigts. Il s'imagina dehors, en train d'observer la scène, le tableau qu'ils formaient. Il imagina le flic véreux en train de les reluquer. « On devrait se méfier davantage des apparences, pensa-t-il, un peu à la manière de son père. On devrait être plus prudents. » Pourtant, sa main ne bougea pas. Il sentait le pouls dans le poignet de Jaclyn, sa paume chaude contre la sienne. Il sentait le désir qui le prenait à la gorge.

L'INTERVENTIONNISTE

Une fois de plus, ils s'étaient quittés sur un trottoir ; une fois de plus, il l'avait regardée repartir à pied. Mais l'épisode du café l'avait troublé. Avec sa vie personnelle et financière en vrac, et l'absence de présence féminine à ses côtés, il s'aperçut qu'il était vulnérable, encore plus qu'à l'accoutumée. L'angoisse étant mauvaise conseillère, il devait absolument garder la tête froide. C'était, conclut-il, comme se promener avec une foutue cible sur le dos. Il arriva devant l'école de sa fille avec dix minutes de retard.

Située près de la marina, l'école disposait d'une vue sur la baie. Lorsque Chance se gara devant le bâtiment couleur corail, un vent fort et mordant soufflait sous le Golden Gate Bridge. La baie était constellée de moutons de mer et la silhouette d'Alcatraz se dessinait au loin. Le spectacle de la vieille prison lui fit penser à des policiers qui avaient mal tourné, aux yeux gris d'acier de l'inspecteur Blackstone.

Sa fille, Nicole, attendait seule sous un arbre. Dès qu'elle aperçut sa voiture, elle s'approcha à la manière d'un condamné, serrant sous ses bras croisés un cahier. Chance en déduisit que son ex-femme avait annoncé à leur fille la mauvaise nouvelle au sujet de son école. Il ne pouvait qu'imaginer la scène. Nicole ouvrit la portière et monta. Il vit qu'elle avait pleuré. Ils restèrent assis un moment, tandis que les voitures passaient et que le vent de la baie embuait le pare-brise. De toute évidence, Nicole avait décidé de se montrer stoïque. « Je suis désolé, Nicky, finit par dire Chance. S'il y avait eu une autre possibilité…

— Et pourquoi ne pas rester avec maman ? »

Il poussa un soupir. Il trouva grossier de répondre que c'était sa mère qui avait voulu partir, donc de lui faire porter le chapeau, même si dans les faits ça avait été une idée de Carla. Il se demanda si Nicole ignorait encore l'existence du coach dyslexique. Tout était possible, se dit-il. « C'est compliqué, Nicole. Tu ne connais peut-être pas tous les détails, mais tu sais que c'est compliqué. »

Sa fille se mordilla les lèvres et regarda par la vitre.

« Je sais que tu adores Havenwood. Mais il y a d'autres bonnes écoles…

— Marina South, c'est nul. »

Marina South était le nom de l'école publique la plus proche de leur ancienne maison. « Oui, répondit Chance. Marina South est nulle, en effet. Je me suis renseigné, je suis au courant. Ce que je veux dire, c'est qu'il y a d'autres bonnes écoles de l'autre côté de la baie, à Berkeley.

— On n'habite pas à Berkeley.

— Pour l'instant. Mais je cherche. Si j'arrive à trouver un appartement là-bas…

— Mais tu viens de trouver un appartement ici. »

Elle paraissait décidée à s'adresser exclusivement aux arbres derrière la vitre et prenait bien soin, depuis qu'elle était montée, de ne pas regarder son père. Il posa sa main sur la sienne. « Nicole. » Il attendit qu'elle tourne enfin la tête. « La situation est difficile. Pour tout le monde. Mais la vie, parfois, c'est comme ça. Ce que je veux que tu saches, c'est que je fais tout ce que je peux pour toi et que je ferai toujours tout ce que je peux pour toi. Je t'aime très fort. »

Les yeux de Nicole se mouillèrent encore de larmes ; elle regarda ailleurs. « Je sais », dit-elle d'une petite voix. D'une manière un peu théâtrale, aurait-on pu dire. Mais Chance savait qu'elle était sincère, dans sa souffrance comme dans son stoïcisme.

« On y arrivera, lui dit-il. Tout s'arrangera. Tu verras. »

Elle hocha la tête. Il serra sa petite main. Elle fit de même. « Je sais », répéta-t-elle, d'une voix encore plus ténue. Chance lâcha sa main et mit le contact. Il était de tout cœur avec sa fille. Le monde tel qu'elle le connaissait était en train de voler en éclats. Il avait lu quelque part que la famille est une machine à produire du chagrin. Parfois, cela semblait tellement vrai. Il regarda une dernière fois Alcatraz, vieux fantôme sur son rocher battu par les vents.

Il déposa Nicole à son ancienne maison, devant laquelle un panneau « À VENDRE » s'agitait tristement sous le vent de l'après-midi, attendit qu'elle ait franchi le seuil de la porte d'entrée et retourna directement à son travail. Il n'y avait plus personne. Chance prit les escaliers et les couloirs qu'il connaissait si bien, regagna son cabinet et fouilla dans ses dossiers jusqu'à retrouver celui de Jaclyn Blackstone. Il contenait notamment les questionnaires qu'elle avait remplis lors de sa première visite et où devaient figurer son adresse et son numéro de téléphone actuels. Dossier sous le bras, il quitta les lieux, non sans échanger deux ou trois amabilités avec le veilleur de nuit dans le hall. Il avait l'impression très nette de partir comme un voleur.

Le soir, il resta seul chez lui. Ça devenait un rituel. Il pensa terminer l'évaluation de Doc Billy – la famille dans l'Oregon insistait et le procès était prévu avant la fin de l'été. Mais il n'y arriva pas. Au lieu de ça, il s'assit avec sa désormais habituelle bouteille de vin et, regardant le brouillard envahir les trottoirs devant sa fenêtre, préféra réfléchir au problème de Jaclyn Blackstone.

S'il fallait la croire dans sa paranoïa, l'affaire relevait d'une énigme où chaque coin de rue donnait sur une impasse. Dans son premier rapport, Chance avait noté qu'elle prenait des neuroleptiques – elle avait commencé par du Trilifan. Il avait écrit : « *Elle souffre peut-être d'akathisie, effet secondaire du traitement à la perphénazine, le bloqueur de dopamine.* » Il considéra le problème sous un autre angle. Au départ, il avait craint qu'une akathisie de plus en plus lourde soit perçue, à tort, comme un signe d'anxiété croissante, méritant d'être soignée par des doses toujours plus fortes de bloqueurs de dopamine, ce qui n'aurait fait qu'aggraver la situation, du moins eu égard à son anxiété et à sa paranoïa, en exacerbant les angoisses mêmes qu'elle devait surmonter pour se libérer de son prédateur de mari. Puis il était allé la voir à l'hôpital. Ses blessures n'avaient rien d'imaginaire. Ni ses fractures ni le muscle coincé. Elle avait très bien pu subir des dégâts irréversibles. Des gens comme ça, il en voyait tous les jours – des êtres brisés pris dans une noria de thérapies cognitives et pharmacologiques, victimes de pertes de mémoire et d'hallucinations. C'était son fonds de commerce, après tout. Il jeta un autre coup d'œil sur le dossier, relut une fois de plus ce qu'il avait écrit juste après leur premier rendez-vous. « *Je pense qu'il est important que cet aspect refoulé de sa personnalité soit abordé et, dans l'idéal, inclus dans son profil psychologique standard.* » C'était ce qu'elle avait essayé de faire, suivant ses conseils, pour finir par se retrouver alitée au centre de traumatologie de Mercy General, avec des factures qui la poursuivraient pendant des années.

Une autre phrase attira son attention : « *On ne peut pas exclure des tendances masochistes dans sa relation actuelle avec son mari.* » Ça avait pu être vrai. Mais elle avait mis fin à cette relation après quelques semaines de psychothérapie. C'était son mari, le malade. Chance avait rencontré le monstre en personne et n'avait pas été à la hauteur. Il repensa à Jaclyn, à son allure lors de ce premier rendez-vous, à la description assez clinique qu'elle avait faite de son dédoublement de personnalité. Rarement, se dit-il, la vie lui avait réservé une telle surprise. En un mot comme en cent, la plupart des gens qu'il voyait dans le cadre de son travail se caractérisaient par le fait qu'ils avaient déjà atteint un point de non-retour. Ce qui distinguait Jaclyn, et qu'elle avait en commun avec Mariella Franko, de ce point de vue-là, et avec quelques très rares autres personnes, c'était sa capacité à faire naître chez lui la conviction qu'il y avait encore du temps, qu'une intervention n'était pas inconcevable. Et alors que généralement les choses en restaient là, à une exception près, cette Jaclyn Blackstone l'entraînait dans des eaux encore plus troubles. Peut-être était-ce simplement le fait qu'elle lui ait rendu visite à son cabinet, qu'il ait senti son pouls dans sa main. Car en vérité… malgré les réserves d'usage, un plan d'action concret, voire réaliste, avait commencé à se former dans sa tête. Il envisagea d'abord d'y repenser le lendemain. Mais il était un peu ivre et mourait d'envie de lui en parler. Il avait également son numéro de téléphone. Elle décrocha à la deuxième sonnerie. « Vous pouvez parler ? » demanda-t-il.

LA FAMILLE JOLLY

Jusqu'à son arrestation récente et son incar-
cération, Bernard Jolly, 19 ans, droitier, blanc,
a vécu chez sa tante maternelle, Amanda Jolly,
à South San Francisco. Ses parents ne se sont
jamais mariés et il affirme n'avoir jamais connu
son père. Sa mère l'a abandonné quand il avait
six ans, après quoi il est allé vivre chez la sœur
de sa mère, une femme qu'il décrit aujourd'hui
comme étant obèse et folle. Au moment de
notre premier entretien, il était victime depuis
trois ans d'un syndrome post-traumatique dû
à une fracture de la base du crâne et à un
hématome intracérébral suite à une collision
entre son vélo et une voiture. D'après ses
dires, l'accident s'était produit au croisement
de Judah Street et de Sunset Boulevard ; la
dernière chose dont il se souvient est d'avoir
vu s'approcher de lui, sur la gauche, un pickup
rouge, dont il apprendra plus tard qu'il était
conduit par un jardinier mexicain. Retrouvé
inanimé sur la scène de l'accident, il a été trans-
porté aux urgences de l'UCSF où, au moment
de son examen, il était conscient mais perturbé.
Pendant son hospitalisation, son hématocrite
étant passé de quarante-cinq à une petite
vingtaine de pourcents, un hématome rétropé-

ritonéal a été détecté. Il a été stabilisé grâce à deux unités de concentré globulaire. Plusieurs densitométries ont révélé la présence d'un œdème cérébral réduit, d'une hémorragie intra-parenchymateuse temporale gauche et d'une petite hémorragie épidurale à l'hémisphère droit. Comme il était toujours fébrile, le patient a commencé un traitement à la vancomycine et à la ceftizoxime pour une présumée méningite bactérienne. Sa température a baissé et, après quatorze jours d'hospitalisation, il n'avait plus de fièvre et était en mesure de participer aux examens. Il est ressorti deux jours plus tard.

Depuis, le patient se dit victime d'hallucinations visuelles et olfactives. Les premières consistent, le plus souvent, à voir le jardinier mexicain qui l'a renversé, même si notre patient sait que cet homme a quitté le pays. Plusieurs fois, et avant son arrestation récente, il a poursuivi et agressé des inconnus qu'il prenait pour le jardinier. L'incident le plus grave s'est produit lorsque, au volant de sa propre voiture, il a intentionnellement percuté un piéton qu'il pensait être le jardinier mexicain. Le piéton a survécu, mais au prix de graves blessures. M. Jolly, arrêté sur place, a séjourné quatre mois dans un hôpital psychiatrique. Quant aux hallucinations olfactives, ce sont des odeurs de foin, d'encens, de marijuana, et « des odeurs d'êtres différents ».

Les Jolly n'étaient pas venus le voir par les canaux habituels. À dire vrai, c'est lui qui était allé vers eux. Ce dont il avait besoin, dans le cas de Jaclyn Blackstone, avait-il conclu, était au moins un ami haut placé. C'est à cette fin qu'il avait téléphoné au bureau du procureur d'Oakland pour proposer une ou deux évaluations psychiatriques gratuites. Il y voyait une manière de s'introduire au sein du département. Même si Jaclyn ne l'avait pas totalement convaincu de la quasi-omniscience de son mari, le passage à tabac qui avait suivi leur rencontre suffisait pour inciter à la prudence. Il ne pouvait pas attaquer bille en tête. L'enjeu était trop important. Il avait parlé avec un avocat qui s'occupait d'affaires de menaces et de violences. C'était toujours la même histoire. On portait plainte. On obtenait des mesures d'éloignement. Un prédateur un tant soit peu déterminé, ou fou, n'avait aucune difficulté à retrouver sa proie. Les autorités ne le rattraperaient qu'après coup, une fois le mal fait. Sans compter que, d'après Jaclyn, Raymond n'était pas du genre à se salir les mains... Il pouvait *déléguer*. « Il est corrompu, donc ? » lui avait demandé Chance. Ce à quoi elle avait répondu par un petit rire, comme une *private joke*. « Il est tout », avait-elle dit.

Eh bien, soit. Ça pouvait être la clé du problème. Si Chance parvenait à se faire un ami chez les policiers, il y avait peut-être un moyen de les aiguiller vers leur collègue véreux. C'était peut-être la meilleure manière de coincer Raymond Blackstone : pour d'autres méfaits, sans même que Jaclyn et sa fille soient impliquées – véreux un jour, véreux toujours. C'était un peu comme l'arrestation d'Al Capone pour fraude fiscale : l'essentiel était de le coincer, peu importait comment. Ce qui paraissait tout aussi important, puisque le plan était vraisemblablement amené à évoluer, c'était que Jaclyn trouve le moyen de poursuivre sa psychothérapie. Pour cela, Chance avait interrompu la rédaction de son rapport sur Bernie Jolly, désormais devenu un délinquant sans intérêt accusé d'avoir violé une fille de douze ans, et rejoint à pied Janice Silver dans un café de Market Street, non loin du magasin Allan's Antiques et de ses meubles.

Depuis sa dernière promenade dans cette partie de la ville, l'air était devenu un peu plus respirable, même si l'on rencontrait encore çà et là quelques personnes affublées de masques de chirurgien. Ces temps-ci, Chance les comptait, sans raison précise. Il trouva Janice assise à une table en terrasse, sous un sycomore.

« J'ai fait de toi mon alliée, dit-il en prenant place face à elle.

— Je vois ça. »

Janice était une femme d'âge mûr à la silhouette menue, habillée comme beaucoup de lesbiennes de la région, bien que son orientation sexuelle, depuis tout le temps qu'ils se connaissaient, relevât encore du mystère. Ils s'étaient rencontrés au centre hospitalier universitaire de l'UCSF et étaient restés amis. Avec les années, elle était devenue pour lui une sorte de psy *de facto*, et une des rares personnes à qui il s'était confié sur certains éléments de son passé.

Leur discussion au téléphone avait été brève. Il s'était contenté de lui annoncer l'objet de leur rendez-vous. Elle balaya quelques cendres qui étaient tombées près d'une assiette de biscuits. Un cycliste masqué passa dans la rue.

« C'est une connerie de nous retrouver ici ? demanda Chance.

— Je ne sais pas. Tu crois ?

— Dehors, je veux dire. Ça fait déjà plusieurs semaines.

— Oui, je comprends bien. Aucune idée. Ils disent d'éviter les efforts physiques. Je ne pense pas que dans notre situation ce soit le cas. »

Elle leva les yeux au ciel. « On attend la pluie. Maintenant, parle-moi de ton plan. Tu étais très mystérieux au téléphone. »

Chance regarda le cycliste disparaître dans la brume, commanda à la serveuse un thé glacé et reporta son attention sur la femme qu'il avait face à lui, remarquant au passage que ses cheveux paraissaient plus gris que lors de leur dernière rencontre. « Eh bien, se dit-il, elle est comme moi. » Le temps file, quand on s'amuse. « Elle n'a aucune chance, finit par dire Chance. Pas tant qu'il y aura cet homme dans sa vie.

— Et pourtant, elle reste ici. Dans *sa* ville.

— Elle dit que, si elle part, il la retrouvera.

— Et tu la crois ?

— On a vu de quoi il est capable.

— En effet. On a vu.

— En plus, ce n'est pas à elle de partir. Sa vie est ici. Tu savais qu'elle avait une fille ?

— Oui, elle me l'a dit. »

Chance y vit un bon signe. Cela allégea au moins une partie de ses angoisses liées à la confession de Jaclyn au café. Janice attendait qu'il embraye. « Elle a besoin de deux choses, dit-il.

— Seulement deux ?

— Elle devrait poursuivre sa thérapie, sous une forme ou une autre, et il lui faut un ami.

— J'ai l'impression qu'elle en a un.

— Attends… Je croyais que tu étais avec moi.

— Si tu veux dire par là que ce type est un monstre et qu'elle devrait avoir la possibilité de se sortir de cette merde, alors oui, je suis avec toi. Mais je crois qu'il y a autre chose. Je vais te le dire autrement. Je crains qu'il n'y ait autre chose. Dissipe mes inquiétudes, tu veux bien. »

Il lui fit part de sa tentative pour se concilier les faveurs du procureur d'Oakland et de sa théorie des amis haut placés.

Elle mit plus de temps à lui répondre qu'il ne l'aurait voulu. « Tu te fous de moi ? finit-elle par dire. Franchement… Si ce type est vraiment comme elle le décrit… comment veux-tu qu'il ne sache pas que tu fourres ton nez là-dedans ?

— C'est une grosse administration. J'aurai affaire directement au cabinet du procureur. Blackstone ne peut pas avoir un œil sur tout ce qui se passe là-bas. En plus, il est à la brigade criminelle. Ce qu'ils vont me demander, ce sont des profils, des avis sur la capacité de tester. Il devrait y avoir toutes sortes d'affaires. Il n'y aura peut-être pas d'homicide dans le lot.

— Tu as déjà commencé, donc.

— Il a suffi d'un simple coup de fil et de deux petites heures sur Internet. Ils ne croulent pas non plus sous les expertises. »

Il lui décrivit le premier cas qu'on lui avait demandé d'évaluer, celui de Bernard Jolly.

« Pauvre petit », dit-elle.

Chance considéra qu'elle parlait de Bernard, et non de lui.

« Bon… finit-elle par reprendre. Peu importe. Tu ne viendras pas ensuite m'expliquer que je ne t'ai pas mis en garde. Moi, ce qui m'inquiète plus, c'est ton degré d'*implication* dans toute cette histoire. Je ne pense pas que ce soit la meilleure chose à faire, ni pour toi ni pour elle. »

Janice n'était pas du genre à mâcher ses mots, ce qu'il appréciait. Mais il était d'humeur combative. « Bien sûr, répondit-il. *S'impliquer*, quelle horreur… Cette idée qu'il faut se bouger le cul.

— Ce n'est pas ce que je veux dire, et tu le sais très bien.

— Janice… On agit ou on n'agit pas. C'est aussi simple que ça. »

Un silence passa. Janice regardait la rue. « Donc… tu vas lui trouver un ami. C'est déjà ça.

— Elle donne des cours de maths à des enfants qui ont l'âge de Nicky. Je me dis que je pourrais la faire venir chez moi. Tu pourrais la voir là-bas et poursuivre la psychothérapie.

— Est-ce qu'elle t'a raconté comment elle avait retrouvé sa fille ? »

Chance fut surpris. « Elle m'a seulement dit qu'elles avaient repris contact.

— C'est son mari qui l'a retrouvée. Pardon, le flic. »

Chance attendit la suite.

« C'était un dossier définitif, ce qui signifie que, quand elle a signé les papiers pour faire adopter l'enfant, elle a accepté de ne jamais tenter de reprendre contact.

— Elle avait dix-sept ans.

— Oui, et ces dossiers définitifs étaient plus fréquents à l'époque qu'aujourd'hui. Mais quand même… Tu sais comment elle l'a rencontré, son flic ? Elle se faisait harceler par un type, quelqu'un avec qui elle avait eu une histoire, visiblement. Elle a appelé la police. Devine qui a débarqué ?

— Ce ne serait pas la première femme à quitter un homme violent pour un autre.

— Ou alors elle cherche plutôt un homme qui la sauverait d'un autre. C'est peut-être ça qu'elle fait, consciemment ou non…

— C'est peut-être là qu'intervient Jackie Black.

— Si tu veux aller sur ce terrain-là… Tu l'as déjà rencontrée, cette Jackie Black ?

— Pas que je sache.

— C'est une réponse nulle, mais moi non plus, et d'aucuns te diraient qu'on ne diagnostique pas un véritable trouble de dissociation identitaire sans être entré en contact avec au moins un *alter ego*.

— Tu ne crois pas trop à son histoire ?

— Je ne sais pas. Cette fille est compliquée. Elle a une histoire atypique… Pour un développement de personnalité secondaire, je trouve qu'il arrive très tard dans sa vie. Et bien sûr, si on veut creuser dans cette direction-là, il se peut qu'il y en ait encore d'autres… Des personnalités dont *elle-même* n'a pas conscience. D'anciens schémas violents qui sont toujours enfouis.

— Eh bien… Quel que soit le nombre de ses personnalités, je pense qu'aucune d'entre elles n'a envie de se faire tabasser.

— Ça dépend de la gravité de sa maladie. »

Chance ne répondit pas.

Janice voulut calmer le jeu. « Je suis de tout cœur avec elle, Eldon. Tu le sais pertinemment. J'aime beaucoup Jaclyn. Je pense que c'est une femme brillante qui pourrait un jour recouvrer sa santé mentale. Ou pas. Elle a un passé chargé et, pour encaisser, elle a développé ce que j'appellerais une stratégie dangereuse. Mais je sentais qu'on progressait. J'ai été très en colère quand c'est arrivé, comme tu le sais, puisque c'est toi que j'ai appelé pour me défouler. Et bien sûr j'ai pensé qu'il serait bon pour toi que tu veilles sur elle et que tu t'assures qu'elle ne manquerait de rien dans ce zoo qu'on appelle l'hôpital. Mais jamais je ne t'aurais demandé de t'impliquer comme tu le fais. » Elle observa un court silence. « Et voilà, reprit-elle. J'ai encore prononcé le mot, ton gros mot. Pourtant, je maintiens que c'est le terme juste. Je n'aurais jamais exigé ça de personne, et encore moins de toi. Tu as eu raison, au départ, de l'envoyer chez un psy. Et tu as eu raison de choisir une femme. »

Chance regarda le soleil monter à l'est, derrière un gratte-ciel. Il y avait encore suffisamment de cendres dans l'atmosphère pour que sa lumière glisse vers les rouges, laissant entrevoir les tons apocalyptiques auxquels Chance non seulement s'attendait, mais prenait un certain plaisir. « J'ai croisé son mari. Je te l'avais dit ?

— Non. Quel genre ?

— Genre flippant, répondit Chance. Ce serait cruel d'abandonner Jaclyn à ce type.

— Oui. J'imagine bien. Mais j'imagine autre chose, aussi. J'imagine qu'elle compte là-dessus.

— Ce n'est pas moi qu'elle verra. C'est toi.

— Dans ton appartement.

— On n'est pas obligés de lui fournir un élève ni de le faire chez moi. L'idée, c'est de trouver une couverture pour qu'elle et toi continuiez de vous voir. Qu'est-ce que tu en dis ? Et si je lui en parlais ? Peut-être qu'elle connaît quelqu'un.

— Je ne sais pas, Eldon. Franchement, je ne sais pas. Il va falloir que j'y réfléchisse.

— On en revient au choix initial. On prend des mesures exceptionnelles pour un cas exceptionnel. On intervient ou on ne fait rien en espérant que ça se passe bien. Je pense que, toi et moi, on sait comment ça se termine. »

Janice poussa un soupir et regarda en direction de la rue.

« Je prends ça comme un oui ou comme un non ? » demanda Chance.

LE CHÈQUE ET LE LAC GELÉ

Ce fut un oui, en fin de compte, avec des réserves – mais qui n'en a pas ? Et ils laisseraient tomber l'idée de l'appartement de Chance. « Je le lui demanderai aujourd'hui, dit-il.

— Je n'en doute pas un seul instant, répondit Janice avant d'ajouter, en se levant, qu'en règle générale elle était opposée aux subterfuges.

— Comme tout le monde, non ? »

Elle s'en alla sans un mot.

Chance passa l'appel depuis son portable. Il était toujours assis en terrasse.

« Ce n'est pas le bon numéro, lui dit Jaclyn Blackstone. Laissez-moi cinq secondes, je vous rappelle. » Son portable sonna au bout de dix secondes.

« Bien, dit-il. Je crois que j'ai quelque chose. » Le soir où il l'avait appelée, ils n'avaient pas beaucoup parlé. Il lui avait fait part d'un plan, mais n'était pas entré dans les détails, lui demandant un délai de quelques jours. « On peut discuter ?

— Tout de suite ?

— Tout de suite ou plus tard. Quand ça vous convient. »

Il y eut un silence à l'autre bout du fil, un peu de remue-ménage en bruit de fond, la musique d'une radio lointaine. « Je suis au travail, dit-elle avant de couper le son. Il y a une conférence ce soir, au campus. Je comptais y aller. Au département des mathématiques. Un des étudiants va parler de l'axiome du choix. » Un nouveau silence. « Si ça vous dit de venir », fit-elle sans vraiment finir sa phrase.

Le ton de sa voix, combiné à sa manière de formuler son invitation, donnait le sentiment que cela lui en coûtait ; il se rappela combien elle était vulnérable et repensa aux délicates articulations de la main qui s'était ouverte et refermée sur la couverture bleu ciel, le jour où il s'était assis à côté d'elle dans cette chambre d'hôpital sinistre, alors que la ville, au loin, était nimbée de tristesse. « J'ai bien peur de ne rien y comprendre », dit Chance, non sans que cela lui en coûte aussi. Il ne s'attendait pas à ce qu'elle demande à le voir. Elle ne répondit pas tout de suite, et il patienta, le téléphone collé à l'oreille. Des voitures passèrent. « Il y a un petit restaurant thaï sur Shattuck Street, pas loin du campus, ajouta-t-il soudain. Vous le connaissez ? » Ce fut un instant étrangement fragmenté, un moment au cours duquel il eut l'impression de parler et d'écouter en même temps.

« On pourrait se retrouver là-bas après. » La voix de Jaclyn n'était guère plus qu'un murmure.

« On pourrait.

— À 19 heures ?

— À 19 heures. »

Sur ce, ils raccrochèrent.

Chance régla l'addition et descendit Market Street, tiraillé entre l'euphorie et l'appréhension. Rien de tel qu'un rendez-vous secret pour ajouter un peu de sel à la journée. Il pensait à elle et pensait à cette conférence à laquelle elle l'avait invité : « L'axiome du choix. » Ça tombait à pic. Pour calmer ses nerfs, il rendit visite à ses meubles.

Lorsqu'il entra, il entendit Carl qui parlait au téléphone. Le vieux monsieur, vêtu cette fois d'une veste marron foncé et d'un foulard jaune vif, allait et venait entre une armoire datant de la fin des modernistes français et une imposante table basse japonaise. La conversation à sens unique était indistincte mais animée, et Carl, la tête toujours bandée, faisait à chaque fois demi-tour à la manière d'un oiseau au plumage bigarré. Sa main libre dirigeait un orchestre invisible. Après avoir remarqué la présence de Chance, il se tut juste assez longtemps, avec de tels gestes et de telles mimiques que ce dernier comprit qu'il devait aller tout seul au fond du magasin. Du moins est-ce ainsi qu'il voulut interpréter la succession de mouvements de tête, de sourires et de haussements de sourcils. Au passage, il lui sembla que Carl était tout excité, comme si un nouveau garçon de cuir vêtu était entré dans sa vie – ou alors la consommation de drogues.

Chance traversa le magasin. Il s'arrêta devant la fenêtre de D mais ne vit pas ses meubles. Un bruit provenant du dehors le mena vers la porte du fond et l'allée, où D s'échinait à installer ce qui ressemblait à un radiateur neuf dans une Studebaker de 1950, la Starlight Coupé, pour être précis.
« Qu'est-ce qui se passe avec Carl ? demanda Chance en sortant. Un nouveau petit ami ?
— Comment tu as deviné ?

— Les yeux de l'amour, comme on dit. »

D acquiesça et souleva le radiateur avant de le poser à sa place. Il décrocha un chiffon et s'essuya les mains. « Tu as déjà entendu parler du lac gelé ?

— Je ne suis pas certain de connaître.

— Donc tu n'en as jamais entendu parler. C'est le truc que tu désires tellement que tu es prêt à marcher jusqu'au centre d'un lac gelé pour l'obtenir.

— Là où la couche de glace est la plus fine.

— Sauf que tu n'y réfléchis même pas. Tout le monde le fait, mais pas toi. J'ai appris ça chez les commandos. Par exemple, je suis avec mes gars et quelqu'un me dit : "Tu es sur ton lac gelé, mon pote." Ça veut dire que… Il faut que je m'arrête deux secondes et que je réfléchisse, *quoi* que je fasse… Il faut que je m'arrête parce qu'il a vu quelque chose et pas moi. Il se peut même qu'on soit ici, ou que j'aie un petit faible pour la femme de mon pote, et lui l'a remarqué. Enfin… On a tous notre lac gelé. Au combat, si tu découvres celui de ton ennemi, tu as un coup d'avance. Le vieux aime ses petits gars en cuir.

— Tu lui en as parlé, du lac gelé ? »

D lâcha un soupir résigné. « Dix mille fois. Mais qu'est-ce que tu veux ? Ce n'est pas à un vieil enfoiré de singe comme lui… »

Chance sourit, mais il pensait aux lacs gelés, et pas à ceux de l'antiquaire. Il étudia la voiture. D'un jaune citron éclatant, elle était effilée à l'avant et à l'arrière, comme un bateau. « C'est une Starlight Coupé, dit-il. Ma grand-mère avait exactement la même.

— Sans déconner ? »

Soit D était vraiment intéressé par ce qu'il racontait, soit il se foutait gentiment de lui. Chance penchait pour la deuxième option, mais il décida de se laisser aller. Cette voiture était pour lui une machine à remonter le temps. « Quand j'étais petit, je trouvais qu'elles ressemblaient à des soucoupes volantes. Un jour, ma grand-mère et moi on est allés dans un magasin de surplus militaire et on a acheté un vieux masque à gaz. Après, elle maintenait le coffre ouvert avec un bâton et roulait pendant que moi, installé dans le coffre avec mon masque à gaz, je tirais sur des objets avec un pistolet en plastique.

— Heureusement que personne ne lui est rentré dedans par-derrière.

— Elle mesurait à peu près un mètre trente-cinq et elle voyait à peine au-dessus du volant. Sa voiture était cabossée de partout. Sortie tout droit d'un jeu vidéo.

— Et toi, tu remontais derrière.

— Avec beaucoup d'enthousiasme », dit Chance.

D s'était mis à serrer des boulons sur les supports du radiateur. « Il ne va pas bien non plus. » Il hocha la tête vers le fond du magasin. « Tu as vu l'autocollant : "Je freine en cas d'hallucinations" ?

— C'est à lui, donc ? demanda Chance, parlant de la Studebaker.

— Il l'a dégottée dans une vente de succession. Je la répare pour lui. Elle doit pouvoir encore servir. »

La phrase rappela à Chance l'objet de sa visite – il voulait avoir des nouvelles de ses meubles.

« Ils sont partis. »

Chance pensa avoir mal compris. « Partis ?

— Hier. Je pensais que tu étais venu pour ça. »

À cet instant précis, Carl apparut au fond du magasin. Les bandages dépassaient toujours sous le bord de son chapeau, mais ses yeux avaient un peu dégonflé. Le foulard jaune qui entourait son cou était parfaitement assorti à la Starlight.

« Jeune homme ! » lança-t-il en regardant Chance droit dans les yeux. Une dent en or éclairait son sourire. « Est-ce qu'un chèque d'une valeur de quatre-vingt mille dollars serait de nature à rendre cette journée plus belle à vos yeux ? »

DANS LE PETIT RESTAURANT THAÏ

Carl avait photographié les meubles avant qu'ils ne quittent son magasin, agrafé les photos à une feuille noire, puis les avait rangées dans un dossier de carton noir que Chance tenait à présent entre ses mains. Après sa visite, il avait pensé retrouver son cabinet et Bernie Jolly. Son rapport était attendu avant la fin de la semaine, et il devait encore organiser un entretien. Mais la vente de ses meubles l'avait distrait, si bien qu'en fin d'après-midi il se retrouva à boire une bière sur le front de mer, avec Oakland en face de lui, de l'autre côté de la baie. Il avait déposé dans un coffre-fort de sa banque le chèque de quatre-vingt mille dollars émis par Allan's Antiques. Vu ses problèmes avec le fisc, il lui semblait en effet plus sage de consulter son avocat avant d'encaisser l'argent. Mais cela n'expliquait pas entièrement les crises intermittentes de vertiges, de palpitations et de transpiration excessive que ce chèque provoquait chez lui. Les meubles avaient été vendus comme des originaux.

« Mais je croyais qu'on s'était mis d'accord là-dessus, avait dit Carl, surpris par les réticences initiales de Chance à accepter le chèque. C'est bien pour ça qu'on a fait tout ce boulot. » Certes. Mais n'avait-il pas imaginé aussi qu'il y aurait une dernière possibilité de changer d'avis, le moment venu et l'acheteur trouvé ? Ses meubles avaient été vendus à un certain M. Vladimir, de San Francisco, pour cent mille dollars. Carl en gardait vingt mille pour sa commission et le travail de D. « Et c'est un bon prix, avait précisé Carl. D vous aime bien. Et moi aussi. Et on sait ce que vous vivez en ce moment. »

Le travail de D, bien entendu, n'était pas le fond du problème. Chance était prêt à accepter ce qui était juste, tout comme Carl. Non, c'était l'autre partie de l'affaire qui le gênait, la partie que, faute de terme plus précis, il commençait à qualifier d'*obscure*.

« Je pensais que vous auriez été plus content », avait dit Carl.

Que faire, sinon le remercier et lui dire adieu ?

Une fois cela fait, il était retourné à son cabinet, le temps de donner à Lucy son après-midi. Il avait envisagé d'y laisser le dossier, puis s'était dit que les photos demandaient à être regardées de temps en temps, comme un moyen de se rassurer, de vérifier que les meubles ressemblaient bel et bien aux autres, ceux des livres, ceux qui étaient intacts.

« Vladimir ? avait-il demandé, ultime question avant de quitter le magasin. Il est russe, c'est ça ? » Cette histoire se compliquait de minute en minute. Il repensait à un article qu'il avait lu dans le *Chronicle* sur la mafia russe à San Francisco. Carl avait secoué la tête en faisant claquer sa langue. « Les meubles étaient sublimes à voir, mon jeune ami. M. Vladimir est très riche. Et maintenant il est très content. L'ensemble restera sans doute dans sa famille pendant un siècle. Vous aussi, vous devriez être content. »

Chance voulait bien essayer. Il posa le dossier sur le comptoir devant lui et regarda les photos à la lumière pâle des grandes fenêtres qui donnaient sur le Bay Bridge et les collines d'Oakland. Mais il n'arrivait décidément pas à être content. L'eau qui séparait les deux villes semblait grise et menaçante, fouettée par un vent tardif ; une bonne partie des collines brûlées étaient noyées dans un épais nuage qui s'étalait sur toute la région comme de la gaze sur une plaie béante. Pourtant il savait ce qui se cachait au-dessous : les cimes dénudées, les carcasses squelettiques. Il savait à quoi s'en tenir, comme le sauraient les Russes si son subterfuge venait à être découvert, auquel cas il était difficile d'imaginer qu'ils le prendraient avec le sourire.

Le nuage s'était transformé en une légère brume lorsqu'il quitta le bar pour une destination douteuse – une de plus. Dans son esprit, il n'était pas trop tard pour téléphoner et annuler l'opération. Il tenait le dossier de Carl, avec toutes les photos, contre ses jambes, bien à plat, espérant le protéger contre l'air humide. La soirée était inhabituellement tendue, et les gens agités. Mais c'était peut-être lui. En marchant vers la station de métro près de Powell Street, Chance vit une clocharde en train de déféquer dans une cabine téléphonique. C'était une Noire, d'une obésité sans nom. Et la cabine était à l'ancienne, de celles que, jusque-là, il aurait pu croire définitivement disparues. Celle-ci semblait avoir été restaurée, vestige étincelant d'une ère révolue qu'il aurait pourtant fort bien pu croiser sans le remarquer s'il n'y avait eu ce spectacle grotesque. La malheureuse femme l'occupait entièrement ; ses énormes fesses s'aplatirent contre le verre et donnèrent l'impression de se battre comme deux phoques, ou peut-être comme les fantômes de H. P. Lovecraft, tandis qu'elle relevait sa robe carmin au-dessus de ses amples hanches. On pouvait deviner la suite. Les gens détournaient le regard, accéléraient le pas. Certains se mettaient même à courir. C'était trop pénible. Chance ne faisait pas exception. *L'exception*, on pouvait la trouver à l'entrée de la station, un homme filiforme et d'un âge incertain, aux bras maigres tatoués comme ceux d'un marin, adossé au mur carrelé ; s'il n'était pas clochard, il devait au moins habiter dans un hôtel miteux du Tenderloin. En descendant, Chance s'approcha assez de lui pour constater que, jusqu'à ce que leurs regards se croisent, l'homme avait observé avec beaucoup d'intérêt l'horrible spectacle qui se donnait dans la cabine. Maintenant qu'il était nez à nez avec Chance, l'homme lui décocha le grand sourire lumineux de l'alcoolique invétéré.

« Ouh, c'est rude, dit-il en désignant la cabine.

— L'histoire va bientôt rattraper l'empire », répondit Chance.

L'homme voulut lui taper dans la main, mais Chance passa son chemin. On avait entendu parler de cas de lèpre dans la ville, ainsi que de récentes poussées de tuberculose résistantes aux antibiotiques, apparues, aux dires de certains, dans les prisons russes.

Pour Chance, qui redoutait les tremblements de terre, le passage sous la baie fut, comme toujours, désagréable, d'autant plus qu'il y eut un bref mais agaçant contretemps à la sortie de la station de Powell Street. Les lumières tremblèrent, s'éteignirent, puis se rallumèrent. Les passagers se regardèrent. Une annonce se fit entendre, inaudible. Toujours un peu claustrophobe, Chance réagit en conséquence. Le trait essentiel d'une attaque de panique, comme le rappelle le *Manuel diagnostique et statistique des troubles mentaux*, est une période distincte de peur intense, sans la présence d'un vrai danger, et accompagnée par au moins quatre symptômes somatiques ou cognitifs sur une liste de treize. Comme la région de San Francisco était le point de rencontre d'au moins trois grandes lignes de faille et de plusieurs dizaines d'autres, moins importantes, et qu'un séisme catastrophique y était prévu depuis plusieurs années, Chance n'eut pas de mal à qualifier cet épisode d'au moins légèrement problématique, avec deux symptômes somatiques et un autre cognitif, soit trois au total, donc impossible à ranger dans la catégorie des événements diagnostiquables. Néanmoins, à son arrivée à Rockridge, il ne se sentait pas très bien.

Chance avait tendance à croire que les problèmes cédaient face à la raison, à condition de les aborder avec un œil clair et un cœur ouvert. Voir une âme tourmentée lui faisait mal. Penser qu'il avait trouvé une solution l'enchantait. Pour être très franc, s'imaginer en chevalier servant de Jaclyn Blackstone l'avait réjoui, même s'il savait, comme Janice Silver se serait empressée de le souligner – et elle ne s'en était pas privée –, que c'était un terrain glissant, y compris pour un homme qui n'aurait pas le passé et les prédispositions de Chance.

En vérité, la vente des meubles, sa finalité, avait jeté un éclairage nouveau sur certains de ses comportements récents. Il se sentait soudain beaucoup moins sûr de lui qu'il ne l'était quelques heures plus tôt, quand il avait quitté son cabinet pour retrouver Janice. Peut-être n'était-il pas trop tard, se dit-il, pour redresser la situation et remettre les choses à leur place. Cette simple idée lui remonta le moral et il décida de le faire. Jusqu'à présent, *tout*, dans sa manière d'aborder Jaclyn et Allan's Antiques, relevait d'une forme d'aberration. Mais un coin du voile avait été levé.

Le rendez-vous serait bref et direct. Il ne boirait pas. Et ce n'était qu'un début. Il commença à envisager de clarifier la situation avec le Russe, aussi. Après tout, il n'avait pas encore dépensé l'argent de la vente. Il ne se défausserait pas sur Carl ou sur D. Il expliquerait que tout était sa faute. Les meubles étaient tels qu'il les avait apportés au magasin. Lui, Chance, et lui seul, connaissait leur histoire secrète. Mais *maintenant* qu'ils étaient vendus, il avait des remords. Ou alors, et quitte à biaiser un peu, il pouvait se faire passer *lui-même* pour une victime. Il venait de se rendre compte que son mobilier n'était pas celui qu'il croyait être. Ils avaient *tous* été dupés. Il avait été informé par un tuyau anonyme, ou Dieu sait quelle autre connerie… Peu importait. L'essentiel était qu'il proposerait au Russe de le rembourser, au moins en partie, si jamais ce dernier insistait pour acheter l'ensemble. Il irait voir Carl le lendemain matin. Il lui dirait les choses sans ambages. Il serait tout aussi clair avec Jaclyn. Il était désolé : son plan avec le bureau du procureur ne fonctionnait pas. Janice était prête à rendre service, mais Jaclyn allait devoir régler le reste toute seule. Chance avait fait son possible pour mettre les choses en mouvement, mais il ne pouvait pas, d'un point de vue déontologique, aller plus loin.

On pourrait penser qu'une telle hésitation serait accompagnée d'un sentiment de culpabilité, ne serait-ce qu'une petite once, étant donné l'imprudence avec laquelle il semblait prêt à abandonner tous ses plans et points de vue précédents. S'il n'entendait pas exclure cette possibilité dans un avenir immédiat, ce qu'il ressentit au moment de quitter le métro pour rejoindre Market Hall et la brûlerie Highwire – il avait un faible pour une de leurs boissons, ce qui expliquait sa préférence pour le train de Pittsburg/Bay

Point à celui de Richmond, pourtant plus direct –, c'était un grand poids qui se soulevait de ses épaules. Au fond, la culpabilité, il pouvait vivre avec. À part ça, quoi de neuf ?

Après avoir acheté du café en grains et plusieurs brioches qu'il comptait partager avec sa fille, il monta dans un taxi près de la station de métro et poursuivit son voyage en compagnie d'un Noir tout ratatiné, âgé d'environ quatre-vingts ans, son chauffeur. Chance se dit qu'il était d'origine haïtienne, notamment parce qu'il écoutait une drôle d'émission religieuse qui fleurait bon le vaudou – quant à savoir comment et où un tel programme pouvait exister, cela restait un mystère : peut-être était-ce une cassette ou un CD, enregistrement d'une émission venue d'une contrée plus exotique. D'un autre côté, la période était bizarre ; les cieux s'ouvraient à la fin de la journée, les derniers longs rayons du soleil laissaient entrevoir de temps en temps les collines noircies, les constructions carbonisées, comme autant de dents pourries. Près du campus, Chance s'aperçut que le vieil homme au volant fredonnait doucement à l'unisson de sa radio, dans sa barbe, et dans une langue étrangère.

Le restaurant était comme dans son souvenir, petit et sombre, tout en bambous et en éclairages festifs. Chance était un peu en avance. Il n'y avait que quelques clients, des étudiants, pour l'essentiel, assis près des fenêtres qui donnaient sur la rue bordée d'arbres et, au-delà, le campus. Il alla au fond de la salle, s'assit dans un coin, sur une banquette en vinyle rouge foncé, et commanda du thé. Il était encore en pleine conversation imaginaire au sujet de son avenir et de ses meubles lorsqu'un homme entra dans la salle. Chance ne l'identifia pas tout de suite. Puis il reconnut Raymond Blackstone.

Ce dernier resta quelques instants planté devant la porte. Lorsqu'il repéra Chance dans le coin, il congédia la serveuse d'un simple geste et se dirigea vers lui. L'inspecteur Blackstone s'installa sans un mot sur la banquette, en face de lui, là même où il s'était attendu à trouver Jaclyn. Ni l'un ni l'autre ne parlèrent. Devant Blackstone étaient dressés les couverts et un deuxième bol. Les éclairages, accrochés à un câble au-dessus de leurs têtes, les baignaient dans un halo rose, tandis que, au-dehors, le soir était tombé, accompagné une fois de plus par une petite brume.

« Vous attendez quelqu'un ? » demanda enfin Raymond. Il considéra le décor inhabituel et, avant même que Chance puisse répondre, ajouta : « Docteur Chance, c'est bien ça ? » Le ton était plaisant, affable.

Chance hocha la tête. Il préférait attendre avant de se fier à sa voix.

« On s'est croisés à l'hôpital, continua Raymond, toujours agréable. Vous rendiez visite à ma femme.

— Oui. C'est exact. Je me souviens de vous, maintenant.

— Maintenant. Et pas quand vous m'avez vu entrer ? »

Malgré le sous-entendu brutal de la question, son ton restait neutre.

« Votre visage m'est familier, dit Chance. Vous savez, je croise beaucoup de monde tous les jours. Ça doit remonter à longtemps.

— Hmm. »

L'inspecteur Blackstone retourna le bol devant lui et se saisit de la théière. « Vous permettez ? » Il versa le thé sans attendre la réponse.

« Je vous en prie, dit Chance. N'hésitez surtout pas. »

Le policier acquiesça et le resservit également. « Merci », répondit Chance. C'était une phrase absurde. Il était incapable d'imaginer la suite. Une serveuse arriva, mais Blackstone lui fit signe de les laisser. Un long moment s'écoula. Entre eux, sur la table, traînait le dossier contenant les photos des meubles de Chance. Raymond Blackstone prit la liberté de le retourner vers lui et de l'ouvrir. Il regarda plusieurs photos. « C'est ça qu'on appelle le style Art déco ?

— C'est bien ça. L'Art déco français. Sans doute fin des années 1930, début années 1940. Avant la guerre. Les meubles que vous avez sous les yeux ont été signés par le créateur. » Pourquoi s'était-il senti obligé de donner cette précision ? Il n'en avait pas la moindre idée.

Raymond haussa un sourcil. « Je suis impressionné. C'est à vous ?

— C'était à moi. Je viens de les vendre.

— Eh bien, j'espère que vous en avez eu un bon prix.

— Oui, moi aussi. »

Raymond esquissa un petit sourire. Il referma le dossier et regarda Chance droit dans les yeux. « Bien… Quel bon vent vous amène de ce côté-ci de la baie, cher docteur ?

— Il m'arrive de voir des patients ici. J'aime bien aller sur le campus de temps en temps. Ça me rappelle mes années étudiantes. »

L'inspecteur hocha la tête. « Vous travaillez pour un des hôpitaux de la ville ?

— La psychothérapeute de Jaclyn m'a demandé d'aller la voir. Elle craignait un éventuel traumatisme cérébral. Elle voulait s'assurer que les médecins ne passaient pas à côté de quoi que ce soit. C'était la raison de ma visite, mais je ne travaille pas pour eux. »

Il n'avait pas manqué de remarquer les mains de l'inspecteur, posées sur la table ; l'une des deux semblait être en perpétuel mouvement, s'ouvrant et se refermant pendant que Chance parlait. Raymond Blackstone n'était pas une demi-portion. Mesurant, au jugé, un peu plus d'un mètre quatre-vingts, il avait la carrure fine et osseuse d'un mi-lourd. Pourtant, ces mains-là paraissaient inhabituellement grandes et puissantes, avec des veines saillantes. Elles étaient également bien soignées, manucurées, même, d'après ce que devinait Chance. La gauche portait une alliance en or blanc et, au poignet, une montre qui devait coûter cher. « Bon, finit par répondre Raymond. Je ne vais pas vous embêter. Je vous ai vu assis là et je me suis dit que je passerais vous dire bonjour. » Il observa un bref silence. « Vous disiez que vous attendiez quelqu'un ? »

Chance, à son grand déplaisir, sentait que son front commençait à suer. Jamais de la vie, se dit-il, il ne resterait assis là et transpirerait devant ce type. Jamais de la vie, d'ailleurs, il ne resterait assis là. « Je n'ai *pas* dit ça, répondit-il. Pas du tout. » Il envisagea toutes sortes de prétextes. Un petit thé, rien de plus, un simple voyage dans le passé, autant de raisons pour s'excuser et déguerpir. Malheureusement, c'est à cet instant précis que Jaclyn Blackstone surgit de la nuit, chassant la pluie de sa chevelure blond cendré.

JACKIE BLACK

« Tiens, tiens, fit l'inspecteur Blackstone. Regardez-moi ça. » Il lui fit ostensiblement signe de les rejoindre. Elle s'approcha sans un mot et s'assit à côté de son mari. Chance trouva son expression indéchiffrable.

« Regarde un peu sur qui je suis tombé », continua Raymond. Il s'adressait à Jaclyn. « Le Dr Chance.

— Bonjour », dit Jaclyn. Elle fixait Chance droit dans les yeux. Ou, plutôt, elle le transperçait.

« Le Dr Chance était sur le point de me dire qui il attendait.

— Vous avez dû mal comprendre. Je vous disais justement que je n'attendais personne.

— Ah oui. C'est vrai. »

Jaclyn déplaça une mèche de cheveux qui venait de tomber sur ses sourcils. Elle était habillée comme pour aller courir : un legging noir, des tennis et un coupe-vent bleu clair qui faisait sport. Elle était de loin, pensa Chance, la plus belle de toutes les femmes présentes dans le restaurant, y compris celles qui étaient deux fois plus jeunes qu'elle.

« Une coïncidence, donc, reprit Raymond. Vous seriez étonné du nombre de coïncidences dont j'entends parler dans mon boulot. Vous seriez encore plus étonné de voir à quel point ces coïncidences se révèlent ne pas être du tout des coïncidences. J'en suis au point de ne plus savoir si je crois à des choses pareilles. »

Jaclyn scrutait la table. Il commença à y avoir de la musique en bruit de fond. Chance pensa qu'il s'agissait d'enregistrements de chants de baleines. Après tout, elles vivaient tout près, à l'est du pont. Il s'arma de courage et regarda Raymond Blackstone dans le blanc des yeux. « Une coïncidence est simplement l'état de choses qui coïncident, dit-il. Un certain nombre de gens ou d'objets occupant le même espace au même moment. Je vais vous donner un exemple. Un ouvrier installe un lustre dans le hall d'un hôtel chic. Mais il fait mal son boulot. Il a oublié plusieurs vis. Quelque temps après, une femme entre pour aller rejoindre des amis au bar de l'hôtel. Au même moment, un gros camion déboule dans la rue de l'hôtel. Pour arriver au bar, la femme doit traverser le hall. Le camion passe à présent devant l'hôtel. Le hall subit de petites vibrations, mais elles suffisent à faire bouger le lustre, qui se décroche à l'instant précis où la femme marche au-dessous et lui tombe en plein sur la tête. Le choc que je viens de décrire a engendré une hémorragie méningée et une aphasie générale. La vie de cette femme n'est plus la même. Mais c'est un exemple de géométrie horriblement merveilleux. Sauf à parler d'une machination des dieux, il s'agit de deux objets entrant en collision, dans le temps et l'espace, par le plus grand des hasards. Une pure coïncidence. J'en vois tout le temps. Je vois des vies inexorablement bouleversées. Parfois, j'imagine que c'est grâce à ce genre de géométrie que nos vies sont *nos* vies, ces rencontres fortuites dans le temps et dans l'espace. »

L'inspecteur Blackstone le fixa longuement, sans rien dire, avant de se tourner vers sa femme. « Et on l'appelle Dr Chance. »

Jaclyn réussit à sourire.

« On n'est jamais responsables de nos actions, donc, c'est ça ? demanda Raymond. Parce que celle-là, je l'ai déjà entendue plusieurs fois.

— J'imagine bien. Quelqu'un demandait un jour à William James s'il croyait au libre arbitre. Il a répondu : "Bien sûr. Est-ce que j'ai le choix ?"

— *Excellent* », fit Raymond. Il regarda sa femme. « Il est pas mal. Comment était ta conférence ?

— Bien, répondit Jaclyn.

— C'est tout ? »

Encore une fois, Jaclyn sourit un peu, affectant le comportement d'une enfant intelligente mais timide interrogée par sa maîtresse. « C'était sur le paradoxe de Banach-Tarski, dit-elle. Et ne me demande pas de répéter ce nom. » Personne ne lui répondit, elle poussa un soupir et poursuivit : « C'est un théorème contre-intuitif qui veut qu'une boule dans un espace tridimensionnel puisse être découpée en un nombre fini de morceaux qui peuvent être ensuite réassemblés pour former deux boules identiques à la première. Je n'en dirai pas plus.

— Putain », fit Raymond. Il regarda Chance, l'œil pétillant.

« Les boules sont théoriques, ajouta Jaclyn en baissant la voix. Une série infinie de points. »

Cela faisait très longtemps que Chance n'avait pas participé à une conversation aussi bizarre. Il commençait à se dire qu'il avait posé le pied sur un champ de mines interminable, une série infinie de points, théoriques ou non. Il en conclut qu'il ne méritait pas mieux, à force de vouloir décrocher la lune. Il entendit Raymond demander à sa femme si elle avait faim.

« Je suis venue acheter à emporter, répondit-elle. Il faut que je rentre à la maison prendre une douche. J'ai des devoirs à lire pour demain. »

Sa tenue de jogging tombait donc bien, pensa Chance – elle donnait du crédit à sa version. Il se demanda même si l'éventualité d'un tel incident ne l'avait pas, dès le départ, incitée à s'habiller comme ça.

Raymond l'observa un moment sans rien dire. « Dans ce cas… Va voir la fille et prends ta commande. » Il montra la serveuse. « Je vais régler dans deux minutes.

— Pas la peine, dit-elle.

— Je m'en charge. »

Jaclyn se leva. « J'étais contente de vous revoir », dit-elle à Chance. Ils ne se serrèrent pas la main.

Raymond la suivit des yeux pendant qu'elle traversait la salle. « On vit séparément. Mais j'imagine que vous étiez au courant.

— Je ne suis pas psy. Si j'ai vu Jaclyn, c'est uniquement pour évaluer la gravité de ses blessures neurologiques. Au fait, est-ce qu'on a retrouvé le coupable ? »

Blackstone ne répondit pas à sa question. « J'insiste pour régler. C'est moi qui régale.

— Je ne peux pas accepter.

— Bien sûr que si. Vous avez eu la gentillesse de rendre visite à ma femme. Et non, on n'a pas retrouvé le coupable. Mais on finira par l'avoir. Vous pouvez compter là-dessus. »

Raymond Blackstone se glissa vers l'extrémité de la banquette et se leva. « Dites-moi, docteur, est-ce que vous êtes marié ?

— Je suis en plein divorce », répondit Chance après une petite hésitation.

Blackstone acquiesça.

« Des enfants ?

— J'ai une fille. »

Blackstone hocha encore la tête. Il laissa passer un court silence, puis… « Je ne vous envie pas. »

Chance le regarda sans rien dire.

De sa poche intérieure de veste, l'inspecteur sortit une carte de visite qu'il posa sur la table. « Le monde est violent. C'est ça que je veux dire. Nous sommes une espèce prédatrice, docteur. » Il sourit, mais son sourire n'avait rien de plaisant. « Ce n'est pas ce qu'on apprend en face, dans ces vénérables amphithéâtres, j'en suis sûr. Et quand on est flic, ce n'est pas le genre de choses qu'on ira expliquer à la presse. Pas dans *cette* ville. Et pourtant c'est la vérité. Et c'est ce monde-là que *je* me coltine chaque jour. » Il le regardait dans les yeux, avec une noirceur que Chance n'avait encore jamais décelée chez un être humain. « Une vigilance de tous les instants, reprit l'inspecteur. C'est tout. » Il se retourna, comme pour partir, puis s'arrêta et revint. « Bon appétit, docteur Chance. La prochaine fois… Si on se croise par hasard… C'est vous qui m'invitez, cher ami. » Ce n'est qu'à cet instant qu'il remarqua le sac rouge vif du Market Hall, caché sur la banquette à côté de Chance. « Regardez-moi un peu ça… Des meubles français. Market Hall. C'est la belle vie. » Il alla jusqu'à soulever le sac pour voir ce qu'il contenait – un geste d'agression pure que Chance ne fit rien pour empêcher, préférant même rester assis et écouter, le visage en feu, pendant que l'autre lisait à haute voix le nom du café qu'il avait acheté : « Objecteur de conscience ».

Blackstone reposa le sac et jeta un dernier coup d'œil à Chance. « Quand on voit certaines conneries, on se dit que ça ne s'invente pas. »

Chance le regarda s'arrêter devant la caisse, où Jaclyn attendait sa commande. L'inspecteur s'adressa à une serveuse ; elle prit sa carte bancaire. Une fois cela fait, il signa le reçu et s'en alla sans un regard derrière lui. Jaclyn fit de même. Après avoir récupéré sa commande, elle disparut à son tour. Chance n'avait plus qu'à imaginer ce que leur réserverait la soirée, à tous. Il abandonna son thé, but trois verres de vin blanc et repartit sans manger, la carte de visite du policier dans son portefeuille. *Ville d'Oakland*, était-il écrit. *Raymond Blackstone. Inspecteur. Brigade criminelle.*

Comme il était encore relativement tôt, il appela sa fille en arrivant chez lui. « Qu'est-ce qui se passe, papa ?

— Rien. Je voulais juste entendre ta voix. »

Elle sembla décontenancée. « J'étais à Oakland, aujourd'hui, reprit-il. Je suis revenu avec des brioches pour toi et maman.

— Chouette. »

Chance lui dit qu'il l'aimait et lui souhaita bonne nuit. Au lieu de dormir, il opta pour un supplément de vin, Wikipédia et Banach-Tarski.

Les résultats surprenants et contre-intuitifs du paradoxe, apprit-il, n'étaient pas possibles sans qu'on ait recours à l'axiome du choix. Bien que Jaclyn n'en eût pas parlé au restaurant, il se rappelait que c'était l'expression qu'elle avait employée pour l'inviter à la conférence. Il découvrit que c'était un axiome de la théorie des ensembles permettant la construction d'ensembles non mesurables, des séries de points sans volume au sens ordinaire du terme. Et pourtant, se dit-il tout à coup, pourquoi *devraient*-ils être ordinaires ? Faute de nourriture et à force de vin, il était maintenant plus que pompette. Pourquoi est-ce qu'une chose devrait être ordinaire, bordel ? Cette simple idée l'arrêta net, le mit dans une colère absurde. C'était plus qu'il ne pouvait supporter. « C'est insupportable », psalmodia Chance dans son appartement vide, éclairé seulement par son ordinateur et une petite ampoule au-dessus de la cuisinière.

Privé des connaissances mathématiques requises pour comprendre ce qu'il lisait, c'était la simple disposition des mots qui retenait son attention, ajoutée à sa volonté de voir les insultes et les inepties de la journée sous un éclairage nouveau. Pour cela, l'expérience n'était pas sans mérite, car il y avait vraiment *quelque chose* là-dedans, comme si, dans cette petite matrice de mots, pouvait en effet se trouver toute la condition humaine. On peut bien saigner sur les autels sacrificiels secrets de Nietzsche, mais n'est-on pas aussi empalé sur l'axiome du choix ? La formule lui plut – à chaque jour suffisait sa peine. Vous ajoutiez à cela l'autre nouveau concept du jour, la théorie du lac gelé telle que formulée par Big D, et vous avanciez à grands pas. Son téléphone sonna à 2 heures du matin. « Je suis en bas », dit-elle.

La créature qu'il trouva dans le hall tout en brique de son immeuble était plus vivante que jamais, et si purement sexuelle qu'elle semblait surgie tout droit de profondeurs aussi freudiennes qu'enfiévrées. Ses yeux s'en consumaient. Elle se lova contre lui sans la moindre hésitation, le visage tourné vers le sien. « Tu es mon chevalier », susurra-t-elle d'une voix à peine audible.

En d'autres circonstances, Chance aurait trouvé cela risible. Mais il ne rigolait pas du tout. Elle portait la même tenue sportive qu'au restaurant et, pendant qu'elle frottait sa cuisse contre la sienne, il put sentir toute la chaleur de son corps à travers le tissu lisse et moulant. C'était, pour l'amour du ciel, un moment on ne peut plus inopportun pour être ivre. Ce qui ne l'empêcha pas de lever sa main vers les cheveux blond cendré de Jaclyn pour les écarter de son visage, tout en lui tenant l'arrière de la tête. La lumière de la rue tombait parfaitement sur ses pommettes et ses dents blanches entre les deux lèvres entrouvertes. « Je veux te faire l'amour avec ma bouche », dit-elle, d'une voix plus claire, cette fois, mais qui n'était pas tout à fait la sienne.

FREUD ET FLIESS

C'était une bonne chose, se dirait-il plus tard, qu'elle ait parlé à ce moment-là et de cette manière-là. Car il sut alors que ce n'était *pas* Jaclyn Blackstone qu'il tenait dans ses bras à la porte de son immeuble. Les angoisses de la soirée, la coïncidence des corps dans l'espace et le temps, telles qu'elles ont été décrites, les répercussions qu'on ne pouvait qu'imaginer – tout cela avait clairement fait surgir Jackie Black. Et c'était quelque chose. Tout homme qui n'avait pas envie de la sauter comme une bête méritait d'aller se pendre. Chance commença à lutter contre elle.

Elle était robuste. Il était ivre. Elle voulait absolument prendre sa queue dans sa main. Absolument convaincu que cela le mènerait à sa perte, Chance se débattit pour l'en empêcher. Il *lutta*, tel Jacob avec les anges, mais pour des raisons opposées. Quand ce dernier espérait obtenir une bénédiction, Chance voulait surtout l'éviter. Leur corps à corps les emmena à l'autre bout du hall en brique. L'épaule de Chance, percutant le panneau de l'interphone de l'immeuble, appuya sur la sonnette de ses voisins d'en bas. De là, ils tournoyèrent jusqu'au trottoir, comme s'ils dansaient, renversèrent violemment une poubelle en plastique et finirent sur la chaussée.

La poubelle contenait toutes les bouteilles qu'il avait bues chez lui. Plusieurs roulèrent du trottoir, sur la chaussée et glissèrent sur le bitume ; l'une alla même jusqu'à se briser contre la grille métallique d'un collecteur d'eau de pluie. La fenêtre d'un des appartements du rez-de-chaussée, en façade, s'éclaira. Un petit chien se mit à aboyer.

Ajoutées les unes aux autres, ces distractions permirent de rompre le sortilège de la sorcière, et Chance trouva la force de se détacher. Elle s'éloigna de la lumière pour rejoindre un coin du hall, où elle s'assit par terre, serra les bras autour de ses genoux et commença à pleurer. Elle redevenait Jaclyn Blackstone, de l'hôpital d'Oakland, seule sur son lit, l'oiseau à l'aile brisée.

Chance leva les yeux et découvrit, debout devant la porte de son appartement, un de ses voisins d'en bas, informaticien chauve et ventru qu'il avait entendu plus d'une fois s'engueuler bruyamment ou copuler violemment avec une partenaire féminine à demeure qu'il n'avait toujours pas rencontrée.

L'homme était encore un peu caché par la lourde porte à moustiquaire métallique du hall où Jackie Black avait désespérément cherché le membre de Chance. Celui-ci supposa que l'informaticien s'était positionné ainsi pensant que les mailles d'acier de la porte le protégeraient un tant soit peu au cas où les choses tourneraient mal dans la rue. « Tout va bien ? demanda-t-il d'une voix aiguë que Chance ne lui avait encore jamais entendue.

— Oui, répondit-il. Pardon. Pardon pour le dérangement. »

L'autre resta sur le pas de sa porte.

« Tout va bien », insista Chance.

L'informaticien scruta encore quelques instants la scène mal éclairée, et la pénombre derrière, espérant sans nul doute entrevoir l'adversaire invisible de Chance, ne serait-ce que pour connaître le fin mot de l'histoire. En vain. Il regarda Chance une dernière fois, hocha la tête et retourna chez lui.

Chance rejoignit Jaclyn, toujours recroquevillée dans le noir. « Je ne sais pas ce qui m'a pris, dit-elle. Je ne sais pas ce qui s'est passé. »

Chance se baissa pour lui prendre les mains. « Tu vas bien ? » Elle semblait aller mieux.

Elle le dévisagea. « C'était Jackie ? demanda-t-elle.

— Elle ne m'a pas donné son nom, mais oui, je crois que c'était elle.

— Ça n'est jamais arrivé, dit-elle. Uniquement avec lui. »

En attendant un taxi, il lui proposa de monter à son appartement afin qu'elle se rafraîchisse. « C'est là que tu vis ? » Elle s'était imaginé quelque chose de plus imposant. Il lui raconta son divorce. Elle se débarbouilla la figure. Il prépara du café. Il était curieux de savoir comment Jackie avait obtenu son adresse. « Je crois qu'il faudrait le lui demander, répondit-elle.

— Tu ne le sais pas ?

— Je ne me rappelle pas toujours. Il y a des vides. »

Elle repéra l'ordinateur portable de Chance dans la cuisine, ouvert, sur la table. « Tu n'étais pas couché.

— Après l'épisode du restaurant… Je ne me sentais pas de dormir. Qu'est-ce qui s'est passé après ton départ ? Qu'est-ce qu'il t'a dit ?

— Rien.

— Rien ?

— Il peut être comme ça, parfois. C'est un maniaque du contrôle. Il aime bien déstabiliser les gens. Il aime le suspense, les grands drames. Je ne l'ai pas revu depuis que nous avons quitté le restaurant. En tout cas, pas que je me souvienne. »

Elle appuya sur une touche du clavier pour rallumer l'ordinateur. « L'axiome du choix », dit-elle, et l'ombre d'un sourire effleura son visage, un sourire un peu aguicheur, comme à la librairie. Si seulement elle n'avait pas été aussi excitante. Tout aurait été plus simple.

« D'un point de vue mathématique, dit Chance, un axiome est une proposition indémontrable dont on se sert pour étudier les conséquences qui en découlent. On *pourrait* dire que c'est comme ça que l'on vit. La vie nous confronte à des choix. Nous sommes définis par les choix que nous faisons, et pourtant nous les faisons dans l'incertitude. Avec le recul, nos choix paraissent souvent arbitraires. »

Elle sembla méditer là-dessus. « Je ne sais pas ce qu'en penseraient les mathématiciens », répondit-elle. Son visage se rembrunit. Chance devina qu'elle n'était pas très à l'aise face à ce qu'il venait d'exposer. « Disons que… Ils donnent parfois un sens différent aux mots. Par exemple, *arbitraire*. » Sa phrase ressemblait à une question.

« Certes. Les mathématiques ont leur propre langue, mais je ne la parle pas. Moi, je ne connais que les mots, et ce sont les mots en tant que mots qui m'intéressent.

— Ce sont les mots en tant que mots que j'aime fuir de temps en temps », lui dit Jaclyn Blackstone.

Chance entendait ses voisins du dessous. Par bonheur, ils n'étaient ni en train de s'engueuler ni en train de faire l'amour. Ils discutaient à voix basse et inaudible, sans doute de ce qui venait de se passer devant leur porte, pensa-t-il. Et pendant quelque temps

ce fut la seule chose que lui et Jaclyn eurent à écouter
– le murmure lointain d'autres voix dans des pièces
invisibles.

« J'ignorais qu'il était violent », dit enfin Jaclyn.
Chance en déduisit qu'ils allaient évoquer Raymond
Blackstone. Elle lui parla du type qui la harce-
lait, de la réaction de Raymond face à son appel
au secours. Tout avait commencé comme ça. Pour
finir, il l'avait invitée au restaurant. Ce n'est qu'*après*
leur mariage qu'elle avait décelé la violence en lui.
Il y avait encore eu un décalage entre le moment
où elle s'en était rendu compte et celui où il avait
dirigé cette violence contre elle. C'était arrivé un
après-midi, au milieu des collines ondoyantes de West
Marin. Ils étaient partis faire une balade en voiture
dans la campagne, vers la côte, pour voir le phare
de Point Reyes. Au retour, un pneu avait crevé. Ils
étaient descendus de voiture. Il avait commencé à
changer la roue. Ils étaient tous deux fatigués ; le
ciel s'assombrissait à la fin de cette longue journée.
Sur le promontoire qui dominait le phare, ils avaient
bu une bouteille de vin. Il avait soulevé la voiture
avec le cric sans dévisser préalablement les écrous de
roue ; il allait donc devoir, pour ce faire, rabaisser la
voiture – petite erreur sans grande conséquence. Mais
elle avait dit quelque chose – une blague, peut-être ?
Elle ne se rappelait plus. Raymond lui avait alors
donné un coup au visage avec la poignée du cric.
Sans autre forme de procès. « J'ai eu l'impression de
prendre la foudre, dit-elle. Tombée de nulle part un
jour sans nuages. » Il s'était ensuite excusé. Il avait
inventé une histoire pour les médecins des urgences.
Mais plus tard, en la ramenant de l'hôpital, lorsqu'il
était devenu évident qu'elle ne l'écoutait plus, il
s'était arrêté sur le bas-côté et lui avait expliqué

comment ça se passait, comment ça se passerait si elle racontait un jour ce qui était arrivé, si elle essayait de s'enfuir. De manière incongrue, avait-elle trouvé sur le coup, il avait voulu faire l'amour aussitôt qu'ils étaient rentrés à la maison. Elle en avait déduit qu'il aimait la voir tabassée. Ça l'avait même fait jouir. C'est à peu près à cette époque que Jackie Black avait fait sa première apparition.

Curieusement, et on ne pouvait exclure le taux d'alcoolémie élevé dans son sang, Chance décida de dévoiler ses projets d'infiltration du bureau du procureur d'Oakland, sa volonté de trouver des appuis au sein de la police. Se sentant pousser des ailes, il alla même jusqu'à lui parler de la famille Jolly.

Jaclyn lui jeta un regard effaré. Ce n'était pas du tout la réaction qu'il attendait.

« Quoi ? » dit-il.

Les voisins du dessous avaient cessé leurs messes basses. Le silence régnait dans l'appartement. Jaclyn faisait les cent pas. « Tu ne m'as pas écoutée. Même s'il *allait* en prison, ça ne changerait rien. Ils pourraient l'enfermer jusqu'à la fin de ses jours...

— Jaclyn... Il n'est pas tout-puissant. Il n'est pas Dieu le père. Il y a des limites.

— Ça ne s'arrêtera jamais. Tant que lui ou moi serons en vie. »

Chance la regardait. « Mais je t'ai expliqué au téléphone que j'avais concocté un plan qui pouvait marcher... Pourquoi as-tu accepté de m'écouter si tu penses ce que tu dis ?

— Je voulais te voir. »

Lorsqu'il fut évident qu'elle n'en dirait pas davantage, Chance poursuivit : « Je ne veux pas me résoudre à accepter cela comme un problème insoluble. » Ce n'était guère plus qu'une redite du plan qu'il avait presque abandonné, mais la présence de cette femme semblait tout bouleverser. Elle possédait son propre champ gravitationnel, une sorte de phénomène astral, capable de courber la lumière. « De la même manière… reprit Chance, un peu comme un train vide dévalant une colline, je ne considère pas que trouver un appui au sein du bureau du procureur soit une si mauvaise idée. On a affaire à un flic véreux. S'il est pourri d'un côté, il sera pourri de tous les côtés. Il n'a pas à être arrêté pour ce qu'il t'a fait. C'est ça, le plus beau, là-dedans.

— Dans ton plan.

— C'est comme Al Capone. Il ne s'est pas fait prendre à cause de tous les gens qu'il a tués. Il s'est fait coffrer pour fraude fiscale.

— Hmm. »

Une voiture s'arrêta dans la rue.

« Sans doute ton taxi. » Chance s'approcha de la vitre.

Un taxi de la compagnie d'East Bay s'était en effet garé devant l'immeuble. Chance se retourna et vit que Jaclyn s'était levée. « Tu ne peux pas perdre la foi », dit-il, submergé par son envie de lui dire quelque chose. Il aurait voulu la prendre dans ses bras. Elle était, à sa manière, aussi séduisante que Jackie, sinon aussi dangereuse. Ou peut-être qu'elle l'était, d'ailleurs. Dans le traitement des troubles de la dissociation, l'objectif classique consistait à réunir les personnalités en un tout unifié. Chance, toujours un peu ivre, se mit à envisager ce à quoi une Jaclyn/Jackie réunifiée pouvait ressembler. « On trouvera un moyen », lui dit-il.

Elle hocha légèrement la tête.

« Et si tu avais la possibilité de continuer avec Janice ? Ce ne serait pas dans son bureau. On trouverait une couverture, quelqu'un que tu irais voir pour des cours de maths. Janice te retrouverait là-bas…

— Tu es mon chevalier, l'interrompit-elle.

— C'est ce qu'*elle* m'a dit. »

Elle ne fut désarçonnée que quelques secondes.

« Tu devrais descendre.

— Elle avait raison, alors. »

Chance mit un petit moment à s'apercevoir qu'elle aussi parlait de Jackie Black. « Tu sais que… Que tu devrais considérer toutes ces choses… Le fait que tu lui aies tenu tête au restaurant.

— On ne peut pas dire que je lui aie tenu tête.

— Oh, que si. »

Elle laissa passer un silence. « Et ne crois pas qu'il ne l'a pas remarqué. Désormais, tu es dans son radar. »

Le portable de Chance sonna. « Ça doit être ton taxi. Tu réfléchiras à Janice ? » Il sortit son portable, dit au chauffeur de taxi qu'ils arrivaient et raccrocha. Il regarda une dernière fois Jaclyn Blackstone.

« C'est vraiment la famille Jolly ? » demanda-t-elle.

En sortant de l'appartement, elle remarqua l'armoire remplie de flacons de parfum. Elle s'arrêta pour y jeter un coup d'œil. « Mon Dieu. Qu'est-ce que c'est que ça ? » Sa phrase avait quelque chose de badin, comme quand elle l'avait interrogé sur la famille Jolly : pas tout à fait Jackie Black, mais pas tout à fait l'autre non plus, la créature recroquevillée dans le hall.

« Je m'intéresse aux liens entre notre odorat et la mémoire. C'est un passe-temps. Du moins, ça l'a été.

— Tu me vois soulagée, dit-elle. Je commençais à me dire que j'allais peut-être devoir inspecter ta garde-robe avant de partir.

« — Tu n'y trouveras rien, la rassura-t-il. Ni robes du soir ni talons aiguilles. Dans le temps, j'avais imaginé une sorte de test de Rorschach olfactif qui aurait pu être particulièrement utile pour les personnes victimes de certaines formes d'amnésie.

— Mais ça ne t'intéresse plus ? fit-elle en tendant le bras vers un flacon.

— Je ne sais pas. Peut-être, si. Pour être très honnête, ça fait un moment que je n'y ai pas repensé. On devrait vraiment descendre. »

Mais elle avait déjà versé une goutte de parfum sur le dos de sa main. Chance regarda lequel elle avait choisi : une eau de toilette pour hommes fabriquée en France. « Ça te fait penser à quoi ? demanda-t-il.

— Au désert, après la pluie. C'est agréable. Je peux en essayer un autre ? » dit-elle en désignant un flacon plus élégant.

Il constata qu'il s'agissait encore d'un parfum pour hommes. Il le sortit. « Essaie-le comme ça. » D'un tiroir placé sous les flacons, il sortit une bande de papier, versa quelques gouttes dessus et la lui tendit.

Elle le renifla, fit une grimace et le repoussa. « Trop, dit-elle.

— Trop quoi ?

— C'est étouffant. »

Elle lui redonna la bande de papier et porta une main à sa gorge. « C'est comme aux pompes funèbres. Quand ils referment le cercueil. »

Il aurait pu l'interroger sur les pompes funèbres et les associations d'idées. Il préféra lui parler de la manière dont une odeur offrait un accès direct au système limbique. « Tous les autres chemins passent par le thalamus. La conscience module la sensation. Les données olfactives, elles, possèdent un filtre en moins. La sensation influence la conscience. Ce qui explique pourquoi les réactions viscérales, émotives, aux odeurs sont parfois si immédiates, si puissantes, comme aucune autre forme de donnée sensorielle. La plupart des gens, dans mon secteur, l'ignorent. » Il s'interrompit et la regarda. « Je t'ennuie ?

— Tu plaisantes ? Une personne qui se renseigne sur l'axiome du choix ne m'ennuie jamais. »

Elle le regardait fixement. Dans la lumière ténue de son appartement, Chance sentit toute la chaleur qu'elle dégageait entre leurs deux corps. « Pourquoi ? demanda-t-elle. Pourquoi est-ce qu'ils l'ignorent ?

— C'est dû aux relations entre Freud et un type qui s'appelait Wilhelm Fliess, un spécialiste des oreilles, du nez et de la gorge, qui a déconné avec le nez de Freud aux alentours de 1895.

— Oh non, tu ne peux pas en rester là.

— Il y a une voiture qui t'attend en bas.

— Tu en aurais pour combien de temps ? »

En réalité, il trouvait ce petit manège assez amusant. C'était beaucoup plus rassurant que les événements précédents. Avec un taxi qui attendait en bas, où était le danger ?

« Eh bien... » finit-il par répondre. Il était juste assez ivre pour jouer le jeu. « Bon. Les points principaux... Dans les années 1880, alors que Freud formulait ses conceptions sur le rôle du trauma sexuel, réel ou imaginaire, dans le développement des symptômes hystériques, il s'est intéressé un temps au rôle de l'odorat. Il disait qu'il avait souvent soupçonné la présence d'un élément *organique* dans le refoulement, à savoir l'abandon de ce qu'il appelait les "zones sexuelles anciennes", lié au rôle modifié des sensations olfactives. C'est-à-dire que l'importance de l'odorat dans le façonnement du comportement a changé quand nous avons commencé à marcher sur deux pattes au lieu de quatre. Des sensations jadis *intéressantes* venant du sol sont devenues répulsives. Ce sont *ses* mots. Et il allait plus loin. Le souvenir, disait-il, dégage désormais la même puanteur qu'un objet concret. De même qu'on détourne notre organe olfactif des objets qui sentent mauvais, notre préconscient et notre compréhension consciente se détournent des souvenirs douloureux ou désagréables. C'est ce que l'on appelle le refoulement. *Mais*, et c'est là que ça devient intéressant...

— Je te trouve intéressant, le coupa-t-elle. J'aime quand tu parles comme un médecin. »

Dieu, se dit-il, elle était forte pour se sortir de toutes les situations. Il se rappela qu'elle était sur le point de partir et poursuivit : « Il n'a jamais exploré systématiquement l'odorat dans son rapport à l'hystérie, aux névroses ou aux psychoses. Et la raison derrière tout ça... C'était Fliess, qui pendant des années a enseigné et écrit sur ce que *lui* considérait être une relation physiologique entre le nez et les organes génitaux féminins. Il a conceptualisé un certain nombre de maladies somatiques comme étant des *névroses nasales réflexes*. Pour soigner ces *névroses*, Fliess soit appliquait de la cocaïne ou cautérisait la muqueuse nasale, *soit* retirait par la chirurgie une partie des os des cornets nasaux.

— Mon Dieu. C'était vraiment le Moyen Âge.

— Donc Freud s'est bien entendu avec ce type. Et il se trouve aussi qu'à la même époque il souffrait d'infections nasales récurrentes. Fliess lui a prescrit de la cocaïne et a opéré, deux fois, le nez de Freud. Finalement, à la demande de ce dernier, Fliess s'est rendu à Vienne pour y opérer une de ses patientes, une femme qui souffrait de maladies dans lesquelles Freud voulait voir le genre de névroses nasales réflexes imaginées par Fliess. Celui-ci l'a opérée, puis est retourné chez lui. La patiente a alors développé une grave infection postopératoire et a failli mourir. Plus tard, on a découvert que Fliess avait oublié de la gaze dans son nez.

— J'espère qu'elle l'a retrouvé et qu'elle lui a tranché la gorge, dit Jaclyn, qui n'avait pas l'air de plaisanter.

— Rien d'aussi spectaculaire. Mais elle a survécu. Chose remarquable, Freud est même allé jusqu'à considérer l'hémorragie postopératoire de cette femme comme un symptôme d'hystérie.

— Tu comprends maintenant pourquoi j'aime les nombres.

— En effet. Et on pourrait spéculer sur les propres motivations inconscientes de Freud... Mais l'essentiel, là-dedans, à *mon* avis, c'est que ses échanges avec Fliess ont traumatisé Freud. Il s'en est retrouvé brûlé, au propre comme au figuré. Par conséquent, le monde inconnu, profondément intime et non verbal charrié par notre organe olfactif allait rester étranger aux disciples de Freud pendant tout le siècle qui a suivi. »

À cet instant précis, le chauffeur de la compagnie des taxis d'East Bay klaxonna – encore un peu d'eau apportée au moulin du voisin. Jaclyn, elle, semblait s'en moquer éperdument. « Quelle histoire, dit-elle. Laisse-moi essayer un autre parfum, *s'il te plaît*. Tu choisis. Donne-moi quelque chose de léger pour sortir. Je n'ai pas envie de repenser à cette femme et à son pauvre nez. »

Il en choisit un dont il était persuadé qu'il lui plairait. C'était un parfum pour femmes, acheté chez un petit fabricant du sud de l'Italie, et l'un des plus chers de sa collection. Il en versa quelques gouttes sur une bande de papier et la lui tendit.

Son changement d'attitude fut aussi rapide que radical. La créature recroquevillée était de retour. Elle laissa tomber la bande. Elle ne dit rien, mais son visage exprimait la terreur pure. Fini les blagues sur la famille Jolly, fini les petits jeux. Fini. Elle se retourna et disparut.

Chance resta planté là pendant qu'elle descendait l'escalier. Il dut refermer derrière elle. Puis il alla une fois encore à la fenêtre. Jaclyn était en train de monter à bord du taxi ; il vit la lumière jaune des réverbères dans ses cheveux blonds. Elle était à la fois dans la rue, en bas, et à côté de lui, présence palpable. Ça aurait pu être l'une ou l'autre. Jackie Black avait surgi en un clin d'œil et, déjà, il aurait voulu qu'elle revienne. Tout en faisant le constat, troublant, qu'il partageait désormais un désir impossible avec Raymond Blackstone, il remarqua pour la première fois la voiture garée en face de son appartement, le genre de Crown Victoria grise et banale qu'affectionnent les policiers. Il ne voyait pas assez bien pour en avoir le cœur net, mais il lui sembla que quelqu'un était assis au volant, une simple silhouette dans l'obscurité. Par réflexe, et bien que son appartement fût encore plongé dans la pénombre, il s'éloigna de la vitre. L'instant d'après, trouvant son geste sinon lâche, du moins inutilement prudent, il s'approcha encore de la fenêtre, juste à temps pour voir la voiture faire demi-tour dans la rue et suivre le taxi. Ne lui restait plus qu'à se demander si la personne avec laquelle il avait tout juste parlé au téléphone était bien celle qu'il avait imaginée.

CHANCE ET LE SIGNE PARFAIT

Il comprit qu'il aurait pu y réfléchir jusqu'à la fin des temps. Un puits sans fond, comme l'axiome du choix ou le Livre de Job. Après un sommeil haché, il se réveilla tard. Les événements de la nuit lui parurent d'abord être un rêve. Il ne vit ni chat pendu à sa porte ni voiture banalisée stationnée au bout de la rue. Il inspecta le hall de son immeuble pour y retrouver des traces du corps à corps de la veille, mais n'en trouva aucune. Il avait remis à l'endroit sa poubelle avant de remonter. Les maisons en crépi et en bois, avec leurs couleurs sourdes, la rue sans arbres et les voitures stationnées... Tout était plutôt dénué de mystère, aussi plat que la main dans la lumière tiède du matin.

En règle générale, il évitait les transports en commun de la ville. Ce matin-là, pourtant, il n'avait pas l'énergie pour procéder autrement. Malgré tout, prendre le bus se révéla une erreur, et il s'en aperçut immédiatement. Celui-là était bondé. L'air y était rare. Et ce n'était pas tout. Hormis une bande d'adolescents turbulents qui tailladaient des graffiti dans les sièges en plastique avec un cutter, ou du moins était-ce ce qu'ils *avaient l'air* de faire – il hésitait à y regarder de plus près, de peur de se faire tabasser avant le petit déjeuner –, les autres passagers matinaux auraient tout aussi bien pu être sur le point de se soumettre à une évaluation dans son bureau.

Chance voyait une profonde – et triste – ironie dans le fait que, après avoir passé la première moitié de sa vie à essayer de se souvenir, se bourrant la tête de chiffres et de petits détails, il passerait la seconde à vouloir à tout prix oublier. À quelques notables exceptions près, comme Mariella Franko, Jaclyn Blackstone ou Doc Billy, ses patients et leurs maux n'étaient pas le bagage qu'il avait envie de traîner derrière lui. Le *Manuel diagnostique et statistique des troubles mentaux* contenait plus de neuf cents entrées. Le temps d'aller d'un arrêt à l'autre, il repéra un certain nombre de troubles neurologiques et psychiatriques, y compris une dyskinésie tardive, une démarche parkinsonienne, une dystonie cervicale, ainsi qu'une impressionnante quantité d'états d'agitation et d'euphorie hallucinatoires dus, à n'en pas douter, à la drogue – et tout cela uniquement dans le bus. La liste aurait pu s'allonger, mais il ne lui restait qu'un court trajet avant de descendre à son arrêt, accueilli par un homme à peine plus âgé que lui. Installé sur un fauteuil roulant minable renforcé par du contreplaqué, devant le siège de la banque Wells Fargo, au croisement de Van Ness Avenue et de California Street, l'homme, à la fois cul-de-jatte et sans-abri, était clairement en phase terminale d'une maladie pulmonaire chronique. Il tenait sur ses genoux un vieux bout de carton sur lequel il avait écrit à l'encre noire : « VOUS ÊTES PARFAITS ! » Le carton était dans un cadre rudimentaire en bois verni, posé sur ce que Chance reconnut être un exemplaire usé de la bible de Gédéon.

Au moment où le bus s'éloigna poussivement du trottoir, l'homme leva en l'air son panneau, comme pour le protéger des fumées du pot d'échappement, ou pensant peut-être qu'il serait plus aisément lu par les personnes avec lesquelles Chance venait de voyager, et qui avaient certainement besoin d'être rassurées. Chance déposa un billet d'un dollar dans la corbeille à côté du sans-abri et s'en alla aussitôt. En prenant California Street vers l'est, il s'aperçut que l'homme s'était mis à lire sa bible à voix haute. En tout cas, il se figura que c'était lui, car il ne se retourna pas. D'une voix à la fois sonore et étonnamment douce, le sans-abri lisait un passage de la Révélation selon saint Jean.

Lucy était à son poste. Lorsque Chance entra, elle regarda tout de suite l'horloge au mur. « Je suis viré ? » demanda-t-il. Il était modérément troublé par sa capacité d'intimidation.

Elle le regarda chercher la clé qui lui permettrait d'accéder à la sécurité relative de son cabinet. « Qu'est-ce que vous voulez que ça me fasse si vous êtes en retard ? dit-elle. C'est plutôt ça. » Elle montrait du doigt le mur où, apparemment, Jean-Baptiste avait pris la liberté d'accrocher une énième photo dérangeante – une énième vieille femme, cette fois nue comme un ver, et affublée de ce que l'on pouvait considérer être la coiffure élaborée d'un Indien d'Amérique. « Est-ce que vous l'avez *autorisé* à faire ça ? » interrogea Lucy.

Chance s'approcha pour inspecter la photo. « Pas exactement. Il m'a demandé. Je ne lui ai pas tout à fait interdit de le faire, non plus.

— Vous pensez que vous pourriez le lui interdire, maintenant ? Puisque c'est moi qui l'ai sous les yeux. »

131

Chance hocha la tête sans conviction. Lucy le regardait avec plus de conviction. « Les Foote seront là dans une demi-heure, lui dit-elle. Vous voulez leur dossier ? »

Chance observait toujours la photo. « Celle-ci est un peu dure, je vous le concède.

— Merci. Ça veut dire que vous allez lui demander de l'enlever ?

— Il est en train de mourir.

— Thaddeus Foote ?

— Jean-Baptiste. Je ne suis pas censé en parler, mais je vous le dis.

— Vous êtes sûr ? »

Tout bien réfléchi, Chance se dit qu'il était vrai que Jean-Baptiste, affabulateur assumé, mourait déjà depuis un petit bout de temps. Mais il était aussi vrai qu'il *fréquentait* la clinique des maladies osseuses de Stanford. « J'ai discuté une fois avec un de ses médecins. Il a une maladie rare, que personne n'arrive vraiment à comprendre. » Le médecin ne lui avait pas expliqué que Jean-Baptiste était en train de mourir, mais Chance avait cru comprendre le message.

« Ça change tout, du coup. À votre avis, quel est le rapport entre ce qu'il sait et les photos qu'il prend ?

— Vous avez déjà parlé de ses photos avec lui ? demanda Chance.

— Non.

— Vous devriez peut-être le faire, un jour. Il est intelligent. Excentrique, mais intelligent. Sans lui répéter tout ce que je viens de vous dire, vous pourriez lui demander pourquoi il prend ces photos. Je serais curieux de savoir ce qu'il vous répondrait.

— Vous lui avez déjà posé la question ?

— Non. Mais je pense que ce serait mieux... venant de vous.

« — Pourquoi ?

— Je ne sais pas. Simple intuition.

— Bon, dit Lucy. Je savais qu'il était intelligent... Je le trouvais simplement un peu culotté... d'accrocher ces trucs partout.

— Il faut s'y faire.

— J'imagine que je devrais être plus gentille avec lui.

— Soyez plus gentille. »

Chance se tourna une fois de plus vers son cabinet. « Thaddeus Foote. Vous voulez le dossier ?

— Ce que je voudrais, c'est que vous annuliez le rendez-vous. »

Elle laissa passer un silence. « Vous rigolez, j'espère ?

— Je ne crois pas. »

Ils se regardèrent fixement, d'un bout à l'autre de la pièce.

« Ils sont sans doute en chemin.

— Du coup, vous pouvez peut-être les joindre avant qu'ils n'arrivent.

— Ce n'est pas une blague, donc. »

Thaddeus Foote était un grand jeune homme de vingt-neuf ans, d'une obésité pathologique, schizophrène, toujours accompagné de sa mère. Pris ensemble, ces deux-là formaient le duo le plus bête, le plus déprimant qui soit. « Vous vous rappelez, dit Chance, comment Mme Foote avait décrit l'état de son fils dans notre questionnaire ? Un seul mot : *psychologique*. »

Lucy lui sourit. « Ils sont un peu lents d'esprit.

— Et la vie est un peu courte. »

Elle le regarda. « La nuit a été difficile ?

— Je ne saurais par où commencer. »

Lucy acquiesça comme quelqu'un qui avait aussi connu des nuits difficiles. « Qu'est-ce que je dis aux Foote ? Pour les médicaments ? C'est sûr qu'elle va nous poser la question.

— De l'amitriptyline. Vingt-cinq milligrammes, deux fois par jour. »

Dès que Lucy s'empara du téléphone, Chance put s'échapper.

Psychologique – c'était le moins qu'on puisse dire. Le jeune homme ainsi qualifié avait en effet subi une commotion cérébrale, une fracture du crâne basilaire et un saignement intracérébral, après un accident de voiture sur la Shoreline Highway. L'accident, son troisième en trois ans, avait causé la mort d'une étudiante aveugle de vingt-trois ans qui se trouvait à bord de la voiture percutée par Thaddeus. Ancienne meilleure élève de sa classe au lycée, rentrée chez elle pour les vacances d'hiver, la jeune fille partait ce jour-là chercher des huîtres à Tomales Bay avec des amis lorsqu'elle fut heurtée par Thaddeus qui, obéissant à des instructions données par son autoradio, avait déporté la Buick Roadmaster 1953 de sa mère, énorme bagnole presque aussi large que la route, au-delà de la ligne continue, vers les voitures qui arrivaient en face. Le père de la jeune aveugle, un architecte-paysagiste qui l'avait élevée seul après la mort de sa femme, avait ensuite sombré dans l'alcool et perdu son travail. Les compagnies d'assurances avaient commencé à traîner et à se chamailler autour de la responsabilité de Thaddeus, étant donné son passé haut en couleur et ses capacités pour le moins douteuses. Plusieurs assureurs, Mme Foote, et même le service des immatriculations, avaient été impliqués. Sans consulter ses dossiers, Chance ne pouvait pas se rappeler précisément qui, parmi eux, payait pour les rendez-vous de Thaddeus. De même, il avait du mal à voir en quoi ces bisbilles, quelle qu'en fût l'issue, changeraient quelque chose aux yeux du père de la jeune femme.

Le duo d'obèses craignait surtout que Thaddeus perde son permis de conduire, car sa mère comptait sur lui pour aller acheter ses magazines people, ses journaux et ses cigarettes en échange de bons alimentaires fournis par l'État de Californie. Quant aux instructions transmises par autoradio et à leurs effets sur le jeune homme, l'un comme l'autre s'efforçaient d'expliquer, d'une manière qu'on ne pouvait qualifier que d'optimiste, que, *en général*, Thaddeus était plutôt capable de résister à ces injonctions.

La seule et grande contribution de Chance à cette lamentable histoire était d'avoir, grâce à une série de lettres et de coups de téléphone, empêché le gros débile de pouvoir reprendre le volant, en le menaçant d'une assignation à domicile. Chose incroyable, personne ne l'avait fait avant lui – on se demande à quoi servent les impôts. Inutile de préciser que ce n'était pas bien passé auprès du fils et de la mère, lesquels profitaient maintenant de la moindre occasion pour réclamer le rétablissement des droits de Thaddeus et auraient incontestablement continué de le faire ce jour-là si Chance leur avait accordé un moment.

Un peu plus tard, Lucy passa la tête dans son cabinet pour annoncer qu'elle avait repoussé le rendez-vous à la semaine suivante. « Excellent, répondit Chance. Et merci. Cette consultation m'eût été insupportable. »

Lucy s'attarda sur le seuil de la porte. « Vous êtes *sûr* que ça va ? » Elle avait l'air préoccupée. Chance l'assura que tout allait bien. Elle embrassa du regard une dernière fois la pièce, comme pour y trouver quelque chose qu'il aurait caché, Jaclyn Blackstone peut-être, puis le laissa tranquille. Après le déjeuner, qu'il sauta également, Chance téléphona à Carl Allan. Le vieil antiquaire étant absent, il laissa un long et peut-être incohérent message sur le répondeur du magasin et raccrocha.

Il y eut plusieurs appels au cours de la journée, mais Chance ne les prit pas. Lucy passa le voir à deux reprises pour s'assurer de son bien-être. Il lui répéta que tout allait pour le mieux et finit par la renvoyer dans ses pénates juste avant 15 heures.

Lorsqu'elle fut partie, il resta assis à son bureau, qui était aussi ancien que les meubles qu'il venait de vendre, mais d'une bien moindre valeur. À un des coins trônait le petit buste de Nietzsche acheté à l'étranger, lors d'un voyage qu'il avait entrepris pour faire une pause pendant ses études de médecine, choisies non par passion, mais sur ordre paternel. Regardant la lumière dorée et le vent tardif agiter les nuages au-dessus des toits, il se fit la réflexion qu'il avait été un fils modèle – dans une certaine mesure. Une vingtaine d'années dans la médecine, tout ça pour en arriver là, à quelque chose qui ressemblait beaucoup à la vie de désespoir tranquille chère à Thoreau : frustré dans son travail, divorcé, endetté, à moitié amoureux d'une femme inaccessible, et signal potentiellement dangereux dans le radar d'un autre homme. Si ce n'était pas le merdier, il ne savait pas ce que c'était.

Ne faisant rien pour accélérer le fonctionnement de son cabinet, il avait très envie d'appeler Janice Silver. Il partait toujours du principe que, en tout état de cause, ils trouveraient un moyen pour qu'elle poursuive son travail avec Jaclyn. Et il voulait lui parler du parfum.

« Je peux te demander ce qu'elle fabriquait chez toi ? »

Il lui raconta le rendez-vous au restaurant et Jackie Black. S'ensuivit un long silence. Un tramway passa bruyamment dans la rue, plus bas.

« Je ne sais pas, Eldon, finit par répondre Janice. Je ne pense pas que ce soit une bonne idée.

— J'ai vu une âme en détresse. J'ai pris la décision de l'aider.

— Comme moi, j'imagine. Et on va peut-être très vite comprendre pourquoi c'est tellement déconseillé. Mon Dieu, qu'est-ce que tu feras le jour où ce type… son mari, te tombera dessus ?

— Je n'ai pas l'intention de commencer à la *fréquenter*, dit Chance. Ni socialement *ni* professionnellement. J'espérais simplement arranger quelque chose, faire en sorte qu'elle continue sa thérapie pendant que je cherche le talon d'Achille de ce type.

— Et donc ?

— Pour être très honnête, je ne sais pas. »

Il y eut encore un long silence. « Tu joues avec le feu, répondit Janice. Pour deux raisons. Il y a elle et désormais il y a lui. Je te le dis parce que je suis ton amie. En ce qui concerne la psychothérapie, je vais faire un effort. J'ai une amie dont la fille a des difficultés en maths. On peut donc tenter le coup. Mais comme tu le sais, ses progrès dépendront en grande partie du fait qu'elle s'extirpera de la relation qui est à l'origine de ses problèmes.

— C'est vrai. Mais ce que je me dis aussi… C'est que ce type n'est pas forcément l'alpha et l'oméga de ses problèmes. Est-ce qu'elle t'a dit des choses qui feraient songer à des mauvais traitements plus anciens ?

— Elle pense qu'elle a eu une enfance merveilleuse.

— Ce n'est pas parce qu'elle le pense que c'est vrai.

— Et tu sais bien que, dans le climat actuel, il faut être prudent quand on émet ce genre de supposition.

— Ses deux parents sont morts, si je me souviens bien, ce qui limite leur capacité à intenter un procès. Il y avait quelque chose, dans sa réaction à ce parfum, que je ne peux pas balayer d'un revers de main. Quelque chose d'enfoui, quelque chose dont elle n'a pas encore parlé et dont elle n'est peut-être même pas consciente… Elle est partie tout de suite. Il y avait déjà un taxi qui l'attendait en bas. Je pourrais difficilement creuser. Mais toi, tu le pourrais. Je serais ravi de fournir le parfum.

— C'est ton domaine, Eldon. Laisse-moi quand même un délai de réflexion.

— Ce qui est intéressant, c'est que ce parfum est un parfum de femme. Vu ce qu'on sait de son passé, on pourrait penser que ce serait plutôt un parfum d'homme qui provoquerait ce genre de réaction chez elle. »

Avant de répondre, Janice poussa un long soupir. « Elle et moi, on s'est vues six fois. L'essentiel de nos discussions a porté sur le comportement… Les stratégies grâce auxquelles elle peut dire non à son mari. Ce que je veux dire par là… c'est qu'on ne sait presque rien de son passé.

— Voilà peut-être quelque chose sur lequel on pourrait travailler. »

Janice soupira encore. « Oui, Eldon. Peut-être. Mais pour le moment… J'ai une patiente qui m'attend. »

Une fois qu'il eut raccroché, Chance se replongea dans le premier rapport qu'il avait écrit sur Jaclyn Blackstone et le relut. Le document ne faisait que six pages. Jaclyn lui avait été envoyée par la clinique de neurologie de Stanford après s'être plainte de pertes de mémoire intermittentes et de difficultés de concentration. Les renseignements biographiques étaient maigres. Naissance à Virginia Beach, en Virginie. Lycée à San Jose, en Californie, avec de bonnes notes. La fac à San Diego, et diplôme de mathématiques appliquées. Ses deux parents étaient morts et elle était mariée depuis trois ans à Raymond Blackstone. Pas d'enfants, du moins selon elle, même si elle affirmait être tombée enceinte une fois à l'âge de trente-deux ans. La grossesse s'était terminée par une fausse couche. Chance avait déjà lu tout ça, naturellement. Mais ça remontait. Entre-temps, Jackie Black avait mis la barre plus haut.

Après sa fausse couche, elle avait vu une psychiatre, une certaine Myra Cohen, pendant un an, jusqu'à ce que ce Dr Cohen meure subitement. Le rapport ne disait rien de plus, ce qui signifiait qu'elle n'avait rien voulu ajouter lors de leur première rencontre et qu'il n'avait pas posé de questions. Pourtant, c'est en relisant le nom du Dr Cohen que Chance vit quelque chose qu'il avait jusqu'à présent négligé.

Il était toujours parti du principe que, si Jaclyn avait consulté cette psy, c'était après sa dépression causée par la perte de son enfant. Il comprenait maintenant qu'il ne s'agissait pas tout à fait de ça. La dépression avait joué un rôle, certes, mais ce n'était pas tout. Car, enfouis dans le récit de sa dépression et de sa fausse couche, il y avait aussi de « vagues sentiments paranoïdes », comme on pourrait s'y attendre chez une personne assaillie par les souvenirs refoulés.

D'après Jaclyn, Jackie Black était une réponse à Raymond Blackstone. Comme l'avait souligné Janice, c'était une chose atypique. Les troubles de dissociation de ce genre étaient généralement considérés comme la résultante de mauvais traitements subis pendant *l'enfance* et étaient souvent associés à des souvenirs refoulés. S'ajoutait à cela un certain nombre de questions sinon troublantes, du moins intéressantes. Comment l'inspecteur Blackstone avait-il été au courant du rendez-vous au restaurant ? Avait-il intercepté un message, entendu une conversation ? Ou est-ce que Jaclyn jouait un petit jeu, inconscient mais bien réel, consistant à dresser un homme contre un autre, le nouveau chevalier contre l'ancien ?

En psychothérapie, la théorie du contrôle repose sur l'idée que tout ce que les gens font dans leur vie consiste à essayer de dominer des traumatismes anciens, par des moyens inconscients, et que toutes les relations n'ont de sens qu'en référence à des sentiments de honte et d'impuissance d'une part, de contrôle et de domination d'autre part. La vie elle-même devient une expression de la volonté de puissance, celle d'infliger aux autres ce que l'on a subi. Enfermée dans un tel schéma, la victime peut devenir un prédateur dont la vocation sera de piéger les prédateurs, de préférence par l'intermédiaire d'un autre prédateur. Se pouvait-il que ce fût la manœuvre menée par Jaclyn ? Si Jackie Black avait trouvé Chance une fois, elle pourrait le trouver une deuxième fois. Prendre ses distances ne serait donc peut-être pas aussi simple qu'il le pensait. Après tout, certains spécimens très abîmés vivaient comme ça. À la vie, à la mort. Une solution pouvait être d'affronter le problème tête baissée, d'identifier le traumatisme ancien, en espérant trouver un remède, de mettre au jour les schémas comportementaux cachés et de siffler la fin de la récréation une bonne fois pour toutes. Dans cette optique, Chance en conclut qu'il allait peut-être devoir enquêter sur la mort du Dr Cohen, sans doute répertoriée quelque part. Avec un peu de chance, il découvrirait des dossiers médicaux, voire les notes prises par le médecin. Avaient-elles survécu ? Pourrait-il en retrouver la trace ? Confierait-il la mission à Janice Silver ou se lancerait-il dans la recherche lui-même ?

Il y avait bien sûr des tas de choses à chercher. Un effort serait exigé, un « surcroît de volonté » digne de William James. Car Jaclyn Blackstone n'était qu'un parmi tous ses problèmes. Carl Allan en était un autre. Il avait vraiment *tout intérêt* à aller voir le vieux zozo en tête à tête. Et *tout intérêt* à faire quelque chose au sujet d'un certain chèque déposé dans un certain coffre à quelques centaines de mètres de là. Perdu dans les complexités de la journée, les six pages du dossier Jaclyn Blackstone éparpillées sur son bureau, un disque de son cher Mahler en fond sonore, Chance resta assis à regarder les toits de la ville à peine éclairés par le soleil couchant.

Sur le coup de 17 h 35, alors que la lumière tardive s'allongeait toujours davantage, il reçut un appel sur sa ligne personnelle. Il vit qu'il s'agissait de sa future ex-femme. Il n'aimait pas ça. Et comme il n'aimait pas ça, il décrocha.

« Nicky est avec *toi* ? » demanda Carla.

Il entendit la peur dans sa voix puis, ayant répondu par la négative, l'entendit dans la sienne.

UNE ESPÈCE PRÉDATRICE

Moins d'une heure plus tard, il était devant la maison. C'était la première fois qu'il y mettait les pieds depuis son départ ; il fut choqué de la retrouver dans un tel désordre. Le salon était rempli de cartons. Les portes des placards ouvraient sur des espaces vides, éviscérés, désossés. Rien n'était à sa place. Tout en continuant à chercher des acheteurs, Carla avait apparemment décidé de louer la maison. « On n'a pas les moyens d'habiter ici », dit-elle en réponse à son regard, et sur un ton accusateur.

Un VTT aux pneus crottés de boue séchée trônait dans l'alcôve du salon qui avait autrefois hébergé son piano. Chance en déduisit que c'était le vélo du coach dyslexique, mais préféra ne pas envenimer les choses. Nicky aurait dû être rentrée depuis déjà trois heures. Elle avait été aperçue à l'école en train de discuter avec des copines, dont aucune n'était capable de dire quand, précisément, elle avait été vue la dernière fois, ni où elle se trouvait. Les coups de fil aux parents desdites copines n'avaient rien donné. Et, bien sûr, Nicky n'avait pas appelé. Carla, dont la retenue n'était pas la vertu principale, avait téléphoné à l'école de Nicky et à la police de San Francisco pour signaler la disparition de sa fille.

Chance était désemparé. Une petite voix lui disait qu'il y avait nécessairement une explication toute bête. Ils l'auraient très vite. Le téléphone sonnerait. Nicky finirait par rentrer. Appeler la police était assurément une surréaction de la part de sa future ex-femme, toujours prompte à surréagir. Mais une autre petite voix lui soufflait des choses qu'il n'avait pas envie d'entendre, le pire de ce que tous les parents du monde peuvent imaginer ; et ce n'était qu'un début, car la voix des mauvaises nouvelles devint la voix de Raymond Blackstone, le toisant au restaurant, éclairé par les lumières festives. « Une espèce prédatrice », avait dit l'inspecteur. Il le répétait à présent dans les décombres de l'ancienne maison de Chance, lequel avait l'impression de visiter le site d'un naufrage en haute mer, où l'eau tourbillonnait avec les épaves d'une vie détruite. Jamais il ne s'était senti aussi impuissant, autant mû par une colère meurtrière et trouble. « Qu'a dit la police ? demanda-t-il.

— Qui l'a vue pour la dernière fois ? Les noms des copines… Ils voulaient savoir si elle avait un petit ami. Ils voulaient savoir si elle se droguait. »

Carla fondit en larmes. C'était une femme menue, énergique, apprentie prof de yoga dans une ancienne vie, qui avait laissé tomber pour devenir une apprentie conseillère matrimoniale, puis l'apprentie photographe qu'elle était aujourd'hui, d'après ce que savait Chance.

Il passa un bras autour d'elle. Elle se blottit un instant contre lui, puis s'éloigna, les yeux gonflés, cernés, la figure encadrée par les boucles brun clair qu'il trouvait jadis si attirantes. « Et nous, on sait ? demanda-t-il. Qui l'a vue en dernier ?

— Shawn. Mais Shawn dit seulement qu'elle l'a vue marcher près de la marina, qu'elle était toute seule et qu'elle a pensé qu'elle rentrait à la maison.

— On a le numéro de téléphone de Shawn ?

— Je l'ai déjà appelée. Et la police aussi.

— Donc on *a* un numéro.

— Tu écoutes un peu ce que je te raconte ?

— Oui, mais je n'ai pas l'intention de rester ici les bras croisés. Je ne peux pas. Si on peut parler à quelqu'un, je veux lui parler. »

Carla cherchait encore le numéro lorsque le coup de fil survint. C'était Nicky. Elle était vivante, à moins de deux kilomètres de la maison, mais elle était aussi en larmes et avait besoin qu'on passe la chercher. Quelqu'un lui avait donné un coup de poing au visage et lui avait volé son sac.

Chance s'en chargea pendant que Carla passait les coups de fil nécessaires depuis la maison. Il retrouva sa fille dans une station-essence de Lombard Street. Elle n'avait pas d'argent. Le patron, un Pakistanais d'une cinquantaine d'années qui parlait très mal l'anglais, l'avait laissée utiliser le téléphone. Lorsque son père arriva, elle était assise devant le bureau, sur une chaise pliante en métal, l'air assez stoïque. Elle mit quelques instants à repérer sa voiture, et Chance à en sortir pour aller à sa rencontre. Là, elle s'effondra. Le temps qu'il la rejoigne, elle sanglotait.

Il la serra contre lui, puis l'éloigna un peu pour inspecter son visage, dont un côté était légèrement rougi – le début d'une petite ecchymose au bord de l'œil droit. Ses pupilles étaient dilatées et symétriques. « Comment tu te sens ? demanda-t-il.

— J'ai l'air de quoi ?

— De quelqu'un qui s'est fait taper. Tu as mal ? C'est ça que je veux savoir. »

Il leva la main. « Suis mon doigt.

— Papa…

— Accorde-moi une petite seconde. »

Elle regarda ailleurs, exprès. « On peut *y aller*, oui ? S'il te plaît. »

Il savait que le patron les observait depuis la porte ouverte. « Merci, lui dit Chance. Merci de lui avoir prêté votre téléphone. »

L'homme hocha la tête et leva la main, l'air de dire que ce n'était rien.

« OK, fit Chance. On va dire que tes pupilles sont réactives. » Ils se dirigèrent vers la voiture. « Je regarderai de plus près à la maison.

— Mais je vais bien ! »

Elle ne pleurait plus. L'exaspération, et ce qu'elle considérait manifestement comme une humiliation publique infligée par son père, avaient supplanté toutes les autres émotions.

Ils rentraient à présent chez eux, au milieu des arbres du Golden Gate Park – la route qu'elle avait toujours préférée. « Tu vas me raconter ce qui s'est passé ?

— Un connard m'a frappée et m'a piqué mon sac.

— Avec son poing ou sa paume ?

— Sa paume, répondit-elle d'une voix faible, presque inaudible.

— Où est-ce que ça s'est passé ?

— Sur le chemin du restaurant de yaourts.

— Chestnut Street ? »

Elle confirma par un hochement de tête. « On est vraiment obligés d'en parler maintenant ?

— Il faut bien qu'on en parle à un moment, Nicky. Qu'on sache ce qui s'est passé. Tu avais trois heures de retard. »

Aucune réaction.

« Ta mère a appelé tout le monde, l'école, la police... »

Il l'entendit ronchonner. « Comment est-ce que tu te sens ? demanda Chance. Je veux au moins savoir ça. »

Un silence passa. Elle tendit la main et toucha son bras. « Je vais bien, papa. Vraiment. Merci d'être venu. » Ils roulèrent sans rien dire. Deux rues plus tard : « C'est tellement dégueulasse.

— Quoi donc ? fit Chance.

— Tout. »

À leur arrivée, ils découvrirent un nombre anormal de voitures garées devant la maison, y compris un véhicule noir et blanc dont la portière comportait l'inscription en lettres dorées : « POLICE DE SAN FRANCISCO ». « Oh, putain », dit Nicky, sur un ton blasé qui fit mal à son père. Comparée à l'énormité des malheurs du monde, c'était une toute petite chose, mais Chance n'en souffrit pas moins. Si Dieu tout-puissant pouvait voir la chute d'un moineau, pourquoi est-ce qu'un père ne se lamenterait pas de voir son enfant quitter le monde de l'innocence, même lentement ? Ils se garèrent à quelques centaines de mètres de là et remontèrent la colline ensemble.

Les policiers voulaient un rapport signé sur l'agression. Tandis que Nicole et Carla s'asseyaient à la table de la salle à manger pour le leur fournir, Chance s'installa sur la terrasse en espérant être seul. Il avait absolument besoin de rassembler ses esprits. Au lieu de ça, il eut droit à Holly Stein, la proviseure de Havenwood, qui s'empressa de le rejoindre.

Holly Stein était une femme impeccable, âgée d'environ cinquante ans, avec la tête d'une prof à

Berkeley. « Je me demandais si on pouvait avoir un moment seuls », dit-elle.

Chance avait déjà l'impression d'être seul, mais Holly Stein semblait avoir d'autres idées. D'un hochement de menton, elle lui montra la porte ouverte, sa femme et sa fille assises aux côtés d'un agent en uniforme, signifiant par là qu'elle souhaitait un endroit plus tranquille.

« On peut aller dans le bureau », dit Chance.

Comme la maison, le bureau était peuplé de fantômes et de cartons, mais vide de meubles. « Ça fait longtemps que je n'ai pas été convoqué par le proviseur », dit Chance en refermant la porte derrière eux. Dans cette pièce, le mobilier disparu était celui qu'il avait indûment vendu au Russe.

« Vous seriez surpris du nombre de fois où j'entends cette phrase.

— Vous êtes en train de m'expliquer que je n'ai rien d'original. »

Holly sourit. « On s'inquiète pour Nicole.

— Oui. La journée a été rude. Merci d'être venue.

— Ça, pour être rude… Je suis navrée. Comment va-t-elle ?

— Un peu secouée. Je pense que ça ira.

— Qui ne serait pas un peu secoué ? Mon Dieu. »

Ils observèrent un long silence, au cours duquel Chance nota la présence de ce qui s'apparentait à des livres d'exercices empilés le long d'un mur, ainsi qu'un sac de sport plutôt chic, à moitié ouvert. « L'enfoiré, se dit-il, il m'a piqué mon bureau. » Il faillit le dire tout fort.

« Il y a un autre sujet dont il faut qu'on parle, reprit Holly. Je suis désolée de le faire maintenant, mais le moment n'est pas forcément plus mal choisi qu'un autre. »

Chance ne l'écoutait qu'à moitié. Il imaginait le coach personnel dyslexique en train de fouiner dans la maison. Le mot *marijuana* attira soudain son attention.

« Ce n'était qu'une tige. Dans sa boîte à peintures…

— Quelqu'un a fouillé dans ses affaires ? »

La question s'adressait plus ou moins à lui-même.

La proviseure de Havenwood se raidit ostensiblement. « Elle l'a oubliée en classe, après le dernier cours. Dans ces conditions… »

Chance acquiesça. Il commençait à se mordiller l'intérieur de la lèvre.

« Comme vous le savez, reprit Holly, dès qu'il s'agit de drogue, l'école a pour politique la tolérance zéro.

— Je suis au courant. »

Holly acquiesça. Un ange passa.

« Je ne suis pas certain de bien comprendre, dit Chance. Vous me racontez tout ça parce que vous voulez m'informer ? Ou parce qu'elle est virée de l'école ?

— C'est justement cela, la tolérance zéro. On en discute encore, mais en effet l'exclusion est une possibilité tout à fait réelle. »

Ils en restèrent un instant là : la possibilité tout à fait réelle des choses.

« Et *bien sûr*, je voulais vous informer. Quelle que soit la décision de l'école… Vous devez savoir ce qu'il en est. »

Chance hocha la tête. Il réfléchissait à ce qu'il en était.

Elle affecta un air profondément préoccupé. « Tout ce qui se passe en ce moment, ajouta-t-elle en prenant des pincettes, mais disant les choses tout de même, ça peut être très dur pour un enfant…

— Le divorce.

— Oui. Je suis sûre que je ne vous apprends rien. Mais on voit peut-être des choses chez nous qui semblent moins évidentes à la maison, surtout quand il y a *deux* maisons. Vous ignorez probablement que les résultats de Nicole sont moins bons. Dans des matières où elle décrochait de bonnes notes l'année dernière… À ce rythme-là, elle est partie pour avoir des notes moyennes, voire des plus mauvaises, dans une matière en particulier.

— Je suis navré. Je ne savais pas cela. »

Holly prit une longue inspiration. « Ce que je constate, c'est que cela ressemble au début d'un engrenage – des notes en baisse, des indices de consommation de drogue…

— Entre nous, une tige dans une boîte à peintures, je n'appellerais pas ça un "indice de consommation de drogue". »

La directrice continua comme si de rien n'était : « On n'a pas eu le temps de lui demander d'où venait la marijuana… Mais aujourd'hui… »

Chance la regarda sans rien dire.

« La marijuana vient forcément de quelque part. L'a-t-elle obtenue auprès d'une personne de l'école ? Et si ce n'est pas le cas, où ? Est-ce que ça peut être là où elle est allée tout à l'heure, après les cours ? Y avait-il autre chose dans son sac ? Quelqu'un le savait-il ? Est-ce que le voleur cherchait précisément *cela* ? » Elle laissa encore passer un silence. « Je n'ai pas les réponses à toutes ces questions, et je ne l'accuse de rien, sinon de ce que l'on sait déjà. Et je suis bien consciente que la journée a été rude… Et je suis tellement contente qu'elle soit saine et sauve.

Mais j'ai pensé que vous deviez être tenu au courant. Et je voulais vous le dire, à *vous*. Pas à eux. » Elle regarda en direction de la porte fermée du bureau, pour lui faire comprendre que ce *eux* désignait le policier en uniforme assis à la table du salon. Qui aurait pu le croire ?

Il interrogea Nicky, en personne, plus tard dans la soirée. Le rapport avait été rédigé. Le policier était reparti. Ils étaient assis sur les marches de la terrasse, où ils aimaient si souvent s'installer quand elle était toute petite – une autre époque.

« Qu'est-ce que ça change que j'aie des notes merdiques ? » Telle était la position initiale de Nicky. « Je ne serai plus là-bas, de toute façon.

— J'imagine que tu ne parles pas sérieusement. »

Sa fille avait les yeux fixés sur le bas de la colline, plongé dans l'obscurité.

« Tu viens de te faire frapper et piquer ton sac. Alors je vais être très direct. Y avait-il de la marijuana dans ton sac ? Ou de l'argent pour en acheter ? C'est ça que tu comptais faire ? »

Elle le regarda comme si c'était lui qui l'avait tapée. « Je voulais m'acheter un yaourt. Un type est venu vers moi, tout à coup.

— Je suis désolé, Nicky, mais il fallait que je te pose la question.

— C'est ce qu'*elle* pense ? Mme Groscul ?

— Estime-toi heureuse qu'elle l'ait dit à moi et pas aux flics. C'est ce qui s'appelle un répit. Où est-ce que tu l'as obtenue ?

— À l'école. Tout le monde en a. »

Elle essuya ses yeux avec le revers de la main. « Quelle connerie, tout ça.

— Certes. Mais on doit tous faire avec. Alors mieux vaut apprendre comment plutôt que se plaindre. »

Elle ne répondit pas. Ils restèrent assis là, sous la lumière douce de la terrasse. L'air du soir s'était imprégné de l'odeur salée de l'océan. « Tu sais ce qui me revient en mémoire, quand je m'assois ici ? » demanda Chance, qui était fatigué et voulait conclure sur une note plus gaie. « Je me souviens du jour où... Tu devais avoir trois ans, on était là, et soudain tu as prononcé le mot *cosmos*, surgi de nulle part. Tu te rappelles ?

— Oui, vaguement. Je disais que c'était là-bas. » Elle pointa le doigt vers le bout de la rue.

Cela fit rire Chance. « Oui. Je trouvais ça tellement bizarre, et tellement drôle, que tu sortes un mot pareil, quelque chose que je ne t'avais jamais entendu dire. Et quand je t'ai demandé où était le cosmos, tu m'as montré le bas de la colline en me disant que c'était là-bas. » Un silence. « Je m'en souviens comme si c'était hier.

— Je devais penser que c'était là-bas, le cosmos », lui dit-elle.

Il n'insista pas sur la marijuana retrouvée dans sa boîte à peintures. Nicky campa sur sa position, à savoir qu'elle l'avait obtenue auprès de quelqu'un à l'école. Mais elle refusa de donner son nom. « Ni aujourd'hui ni jamais. » Chance avait tendance à la croire. Par conséquent, l'agression dont elle avait été victime était soit un acte de violence malencontreux, soit une mission commanditée par quelqu'un, quelqu'un qui ne se salissait jamais les mains, mais déléguait. Tu parles d'une journée de merde. Et la nuit sans sommeil qui l'attendait n'offrirait aucune consolation : l'idée *même* que Raymond Blackstone ait pu se mêler de sa vie et poser la main sur ce qu'il avait de plus précieux au monde rendait la moindre consolation impossible, celle-ci et toutes les autres.

Une nouvelle lettre du fisc l'attendait chez lui. Pourquoi pas ? Vu la journée qu'il venait de passer… Sans même la décacheter, il jeta l'enveloppe sur une petite pile de courrier non ouvert dont il savait qu'il contenait les factures des avocats. Plusieurs fois, depuis quelque temps, et ce fut le cas ce soir-là, il avait eu le sentiment d'être au milieu d'un processus de désintégration profonde, comme si la construction mentale qu'était Eldon Chance, déjà peu reluisante au départ, était sur le point de disparaître entièrement, sans rien laisser dans son sillage qu'une vague odeur d'œuf pourri. Il ressentait le besoin de se confier à quelqu'un, de partager ses peurs, d'évoquer la suite des opérations, quelle qu'elle soit. Mais il ne voyait pas qui pouvait avoir envie de l'entendre ni qui, autour de lui, aurait des commentaires intéressants à faire sur la question. D'ailleurs, il ne voyait pas *du tout* qui lui répondrait au téléphone à cette heure de la nuit sans le traiter de fou. Constat pathétique, certes, mais indéniable. À force de gamberger, il y aurait peut-être des bouts de cervelle sur le plafond avant le lever du jour, et un entrefilet dans le *Chronicle*. Redoutant le pire, il quitta sa chambre aux alentours de minuit et se rendit en voiture chez Allan's Antiques.

DES ÉMETTEURS, DES RÉCEPTEURS
ET DES COURAGEUX VOLONTAIRES

La vieille façade du magasin étant plongée dans le noir, Chance fit le tour jusqu'à l'allée, où il vit une lumière pâle filtrée par la porte latérale. Il savait que c'était D et toqua doucement à la porte. Il entendit rapidement un bruit de verrous et la porte coulisser sur son rail métallique, juste assez pour que D passe sa tête. Il était habillé, tout à fait réveillé et visiblement pas le moins du monde surpris de trouver Chance devant sa porte en pleine nuit. « J'étais dans les parages », lui dit ce dernier.

Deux fauteuils de cuir noir Eames avec repose-pieds avaient été disposés dans la pièce de D. Ils s'y assirent. « Joli », commenta Chance. Il fit claquer sa paume sur un des accoudoirs. Il supposa que les fauteuils arrivaient tout droit du magasin.

« Quoi de neuf ? » demanda D. Ils étaient là comme deux types normaux, pensa Chance. « Aucune idée », répondit-il, ce qui était vrai. Cela ne l'empêcha pas de parler. Il raconta beaucoup de choses, son divorce, sa femme et sa fille, le fisc, l'exercice de la médecine, les injustices d'un système à l'agonie. Il évoqua peut-être même Bernard Jolly, Mariella Franko et/ou

Doc Billy – plus tard, il ne s'en souviendrait plus trop. Pour finir, il en vint au motif de sa visite, à savoir Jaclyn Blackstone, *alias* Jackie Black, et son ancien mari Raymond Blackstone, le criminel de la brigade criminelle.

D se révéla un auditeur attentif. Il l'écouta sagement jusqu'au moment où Chance lui raconta le rendez-vous au restaurant, quand il s'était attendu à voir Jaclyn et avait découvert Raymond à la place. D l'interrompit.

« C'était un rendez-vous organisé ?

— Oui, j'avais prévu de retrouver cette femme.

— Et c'est le type qui a débarqué ?

— Plutôt deux fois qu'une.

— Comment est-ce qu'il était au courant, à ton avis ?

— J'y ai un peu réfléchi. Il a dû entendre une conversation, trouver un bout de papier. On ne peut pas exclure la possibilité qu'elle ait vendu la mèche d'une manière ou d'une autre…

— Elle aurait fait ça ?

— Tout dépend du degré de sa maladie, répondit Chance, reprenant Janice.

— Bon. En gros… Peu importe comment il l'a su. Sa simple présence était une menace. *Sauf si…* c'est un jeu auquel ils jouent *tous les deux* et qu'ils te tendent un piège. Tu y as pensé ?

— Oui, mais ce qui me paraît plus probable, c'est qu'il l'a appris tout seul ou que, si elle l'a *laissé* l'apprendre, c'était de manière inconsciente.

— C'est toi le médecin. Enfin… Donc il débarque au restaurant. Ce que je ferais… si j'étais lui… Je me montrerais vachement sympa. C'est comme ça qu'on fait peur aux gens. Il était sympa ?

— Au début. Puis elle est arrivée. Et là, c'est devenu un peu bizarre.

— Définis "bizarre".

— Bon. D'accord. Tendu. Disons que c'était tendu.

— Mais il ne t'a pas menacé ouvertement ?

— Il s'est lancé dans un discours bizarre sur ma fille, comme quoi c'est dur d'être parent dans un monde de prédateurs. Quelque chose dans ce style.

— Pas très rassurant.

— Non. Et il m'a donné sa carte.

— Tu l'as toujours ? »

Chance la lui montra.

D la regarda de près. « Et maintenant tu te demandes s'il n'est pas derrière cette histoire… avec Nicole.

— C'est ce que je me demande, oui.

— Elle a très bien pu se fourrer dans des emmerdes toute seule.

— C'est possible.

— Mais tu ne le penses pas.

— Je pense que c'était *lui*. Il a insisté lourdement sur les coïncidences. Il m'a fait comprendre ce à quoi je devais m'attendre si je ne dégageais pas.

— Il est malin, donc.

— D'après ce que me dit Jaclyn, ce type est un voyou. Il ne se salit jamais les mains, mais délègue tout.

— En envoyant cette femme à l'hôpital, par exemple.

— Par exemple.

— En organisant cette agression contre ta fille.

— C'est ce qui m'inquiète. »

D lui rendit la carte. « J'ai l'impression que tu t'es foutu dans le pétrin, Doc.

— C'est dur à entendre, mais je crois que tu as raison.

— Dur à entendre ou pas, c'est un fait. Un type comme lui peut poser un problème.

— Il sait comment profiter du système.

— Il *est* le système. »

Un silence passa, au cours duquel le colosse, qui avait fait montre jusque-là d'une sérénité quasi bouddhiste, s'anima soudain. C'était semble-t-il dû à l'évocation du *système*. Son visage rosit. La main qui reposait sur l'accoudoir le plus près de Chance se referma en un énorme poing. « C'est de la connerie, finit par répondre D. Ce petit merdeux… Avec son flingue et son insigne… Il joue les durs. J'aimerais bien le voir devant *moi*, quelque part.

— Il y a autre chose.

— Quoi donc ?

— Hier soir… Après le restaurant… Elle est venue chez moi. Il l'a *peut-être* suivie. »

Chance lui parla de la Crown Vic banalisée.

« On va faire un tour. »

Ce n'était pas tout à fait la réponse à laquelle Chance s'attendait. Mais il n'avait pas non plus vraiment posé de questions. Il ne lui demanda pas où, et D ne le lui dit pas. Étant donné la bizarrerie des dernières quarante-huit heures, l'idée d'aller faire un tour avec Big D à 2 heures du matin ne semblait pas plus absurde que ça.

Ils sortirent par l'allée, où l'odeur des poubelles imprégnait la nuit. L'air vicié était un peu frais ; l'hiver attendait dans les coulisses. D portait sa vieille veste militaire, un jean et un tee-shirt noir. Une de ses deux grosses rangers noires était rafistolée avec du gaffer. Chance, lui, portait la même tenue qu'il avait enfilée le matin : pantalon noir, pull jaune clair et mocassins marron. La seule chose qui manquât au tableau, pensa-t-il, pour le couple improbable qu'ils formaient, c'était sa blouse blanche de médecin, avec son nom dessus, accrochée à la porte de son cabinet, plus ou moins comme un accessoire de théâtre ; il la revêtait parfois devant les patients qu'il pensait susceptibles d'être rassurés par un tel signe extérieur de compétence.

L'essentiel de leur promenade se fit en silence. D marchait d'un bon pas, et Chance dut faire un effort pour tenir le rythme. Ils partirent vers l'est dans Market Street, puis vers le nord. Ce n'étaient ni l'heure ni la direction que Chance aurait choisies. « Ce n'est pas le meilleur coin de la ville » : ce fut ainsi qu'il formula son inquiétude. D poussa un grognement et continua de marcher.

Malgré quelques néons çà et là givrés dans l'air humide, les lumières disparurent un moment non loin du Tenderloin. Des silhouettes à peine distinctes glissaient parmi les ombres, comme l'auraient fait des insectes dérangés par la présence de ces deux hommes. Ils finirent par arriver dans une rue où les néons sordides étaient plus nombreux. Il y avait des putes à chaque carrefour, des bars mal éclairés, des hommes buvant sur les perrons d'immeubles miteux, leurs bouteilles cachées dans des sacs en papier. Il y avait aussi, parfois, la flamme d'un réchaud au butane sous la base d'un bong, et des petites bandes de jeunes qui rôdaient.

Chance s'aperçut qu'il transpirait. Les gouttes de sueur se formaient sur son crâne, dans la fraîcheur de cette nuit improbable, plus improbable à chaque pas, d'autant que quelque chose de nouveau, de tout aussi improbable et de profondément troublant, se produisit : D se mit à boiter. Non seulement ça : il commença à tenir son bras droit en l'air, replié au coude, tout en serrant sa main gauche contre son flanc, comme s'il était victime d'une attaque cardiaque, si bien que son corps tout entier semblait participer au subterfuge, si subterfuge il y avait. Le premier réflexe de Chance fut de s'accorder le luxe du doute. Après tout, la nuit succédait à la journée qui elle-même avait suivi la nuit précédente. Il manquait de sommeil, ses nerfs étaient proches de l'effondrement. Malheureusement, D continua de boiter, voire améliora sa claudication, jusqu'à ce que Chance ne puisse plus avoir aucun doute. « Tout va bien ? » demanda-t-il. Il avait un peu peur de la réponse, mais D se contenta de hocher la tête et, toujours traînant la patte et soulageant son bras, entra soudain dans un magasin d'alcools violemment éclairé.

Cela faisait longtemps que Chance n'avait pas mis les pieds dans un magasin aussi pitoyable et fondamentalement inquiétant. Abrité derrière ce que Chance comprit être une paroi de verre blindé criblée d'éraflures et de trous, comme le comptoir en bois plus loin, un gros bonhomme revêche, avec les bras musclés et très tatoués d'un truand vieillissant, les regarda entrer. La paroi comportait une ouverture par laquelle le tatoué pouvait échanger des amabilités avec ses clients, dont plusieurs, tous du coin, du moins en apparence, arpentaient les allées. Chance sentit tous les regards posés sur lui. Là-dessus, Big D se retourna vers lui. « Tu as une carte de crédit ? »

Chance ne comprit pas tout de suite. « Pardon ? »

D regarda un distributeur d'argent coincé entre un présentoir de revues cochonnes et un réfrigérateur rempli à craquer de bouteilles de bière. Le distributeur était fixé au sol par une chaîne que l'on ne pouvait qualifier que de marine.

Dans la lumière crue du magasin, Chance porta de nouveau son attention sur son camarade, puis regretta aussitôt. La promenade et l'air de la nuit avaient rendu le visage de D encore plus rougeaud. Son crâne chauve et tatoué était couvert de sueur. Sa veste militaire était râpée, élimée, et pour la première fois Chance remarqua la présence d'une petite bouteille de bourbon Jim Beam dépassant de la poche. Et puis cette chaussure couverte de scotch noir, celle-là même que le colosse avait traînée tout du long sur le trottoir. Rêvait-il ou D, quand il lui avait demandé sa carte de crédit, avait eu du mal à articuler ?

« Pardon ? » répéta Chance. C'était encore ce qu'il avait de mieux à faire.

« Carte de crédit », insista D, sur un ton un peu sec. Il avait décidément du mal à articuler. « On achète quelque chose ? demanda-t-il.

— On peut dire ça comme ça. »

Chance avisa le malheureux distributeur. « Tu sais… Si tu as besoin de quelque chose… J'ai du liquide. » Il essayait de parler à voix basse, conscient que tout le monde le reluquait.

« Va tirer de l'argent, vieux. »

Mon Dieu, se dit Chance, ils étaient passés de l'autre côté du miroir. Deux propositions exclusives l'une de l'autre semblaient envisageables. Soit D faisait sciemment d'eux des cibles, soit il avait emmené Chance jusqu'ici pour le détrousser – la première hypothèse étant à peine moins inquiétante que la seconde. Quant à savoir laquelle était la plus fondée, il n'en savait foutrement rien. Tout ça était opaque.

Ils auraient pu rester plantés là, à se demander comment utiliser la carte de crédit de Chance et s'il était, oui ou non, la cible d'un braquage, jusqu'à ressembler à des personnages d'une pièce de Beckett avec moult spectateurs. Un petit groupe, pas si petit que ça d'ailleurs, s'était formé au bout d'une des allées, à côté du tatoué et de sa paroi blindée.

Devant la complexité grandissante de la situation, Chance restait pétrifié, un peu comme un lapin pris dans les phares, pendant que D clopinait jusqu'au distributeur. Comment les gens du coin les percevaient-ils ? Chance ne pouvait que conjecturer : un père et son fils prodigue, ou un bonimenteur et son pigeon, ou peut-être quelque chose d'un peu plus scabreux. Il se dit qu'ils se trouvaient dans une partie de la ville où il y avait de tout, où, protégé par sa paroi vitrée, le tatoué avait dû en voir de toutes les couleurs.

Sauf à être happé par les nuages ou téléporté jusqu'au vaisseau amiral, Chance était coincé là. Il y avait peu de risques qu'il tente de s'échapper. Bon courage pour trouver un taxi. Finalement, il choisit la résistance minimale. « Une somme précise ? » demanda-t-il, ayant suivi D jusqu'au distributeur. La question sembla sortir de sa gorge, à peine plus qu'un croassement.

« On fait les choses en grand ou on ne fait rien », répondit D.

Chance sortit trois cents dollars en billets de vingt.

« Merci, chef. » D lui prit les billets des mains et les compta devant lui, exercice aussi absurde que fastidieux vu les récentes difficultés physiques de D. « Les machines t'entubent de temps en temps, ajouta-t-il. Mais ça va. » Il garda vingt dollars pour lui et s'approcha de la vitre blindée. Il acheta un paquet de cigarettes et une mignonnette de mauvais vin Silver Satin, le tout avec sa seule main gauche et l'aide occasionnelle de son coude droit. Mais au moment de ressortir, en une tentative apparente pour remplacer le bourbon par la mignonnette, il se débrouilla pour faire tomber la bouteille de bourbon, qui se brisa par terre, emplissant l'air nocturne de son odeur bon marché. L'homme derrière la vitre cria de manière inaudible. Chance n'avait pas l'intention de demander des explications. Après avoir parcouru plusieurs dizaines de mètres, Chance s'aperçut qu'un Noir dégingandé, d'un âge indéterminé, mais qui avait sans doute moins de trente ans, avait quitté le magasin en même temps qu'eux et les suivait.

« Il y a un type derrière nous », dit Chance. Ils avaient traversé une rue ; le type leur emboîtait toujours le pas. D hocha la tête et voulut ouvrir un paquet de cigarettes avec ses dents, tout en s'enfonçant de plus en plus profondément au cœur du quartier chaud. Un peu moins de deux rues plus loin, le jeune Noir disparut furtivement dans un bar à strip-tease.

Chance éprouva un immense soulagement. Il avait renoncé à établir le diagnostic de l'homme qui marchait à ses côtés. Il comptait l'abandonner à son Jim Beam et à son Silver Satin. Jamais, depuis qu'il avait déménagé, son appartement ne lui avait paru si séduisant. Son euphorie dura peut-être le temps de traverser la rue suivante, jusqu'à ce qu'il se rende compte que le grand Noir était non seulement de retour, mais avec des renforts, deux Noirs et un Blanc qui avaient à peu près la même taille, le même âge et la même dégaine que lui. Trois d'entre eux portaient jean, chaussures de chantier et large chemise canadienne, à la manière des gangs. L'un avait un bandana bleu noué autour de la tête. Celui du magasin d'alcool était vêtu d'un blouson en cuir et gardait les mains dans les poches. Les quatre avaient tous l'air méchants et brutaux, concentrés sur leur proie.

Chance sentit son estomac effectuer plusieurs manœuvres délicates et compliquées. Il regarda D. « Tu vois ce que je vois ? Le type a un collègue.

— Il a trois collègues. »

D remit le paquet de cigarettes, toujours fermé, dans son manteau.

« Je n'aime pas ça, D. Ça ne me plaît pas. Ça sent mauvais.

— Pour eux. »

Ils arrivèrent au coin d'une ruelle.

« Par là, annonça D.

— Oh, bordel. »

La ruelle était sordide et étroite. Au bout de quelques mètres seulement, elle formait un coude à droite. Chance hésita. D, qui s'y était déjà engouffré, s'arrêta et regarda derrière lui. « Reste là si tu veux, mais je ne te le conseille pas. » Chance se rendit compte que son élocution avait changé du tout au tout ; maintenant, plus rien ne lui échappait. D reprit sa marche. Chance le suivit. Il vit que le colosse ne boitait plus et s'avançait d'un pas résolu vers l'angle de la ruelle, que n'éclairait plus la moindre lumière.

Les autres arrivèrent quelques instants plus tard. Apparemment, c'était ce que D avait prévu, mais Chance avait la gorge complètement sèche. Devant lui, passé l'angle droit, la ruelle se terminait sur un cul-de-sac bordé de bennes à ordures et de vieux murs en brique – des fonds d'entrepôts. D balançait désormais tranquillement ses deux bras le long du corps et, arrivés au bout de la ruelle, il s'arrêta soudain pour poser ses deux mains sur les épaules de Chance et le pousser contre le mur, entre deux bennes. « Si quelqu'un commence à tirer, lui dit-il, tu te baisses. À part ça, interdiction de bouger. » D le regarda une dernière fois avant de se planter au milieu de la ruelle, où les quatre types avançaient à sa rencontre.

Chance entendit un petit déclic et vit que le Noir du magasin d'alcools avait dégainé un cran d'arrêt. Il sentit un curieux picotement le long de la cuisse ; il en déduisit qu'il allait se pisser dessus. Ce qui arriva juste après fut à la fois très rapide et très lent, et finalement Chance ne se pissa pas dessus. Décrire la suite des événements, en revanche, eût été plus difficile.

Il parut très vite évident que les apprentis voyous furent déconcertés par la vue du colosse se plaçant face à eux – c'était sans doute ce qu'il comptait faire depuis le début. Il les avait cherchés, il les avait trouvés. Ils eurent un petit moment d'hésitation. Ils flanchèrent. Celui au couteau fit un pas en avant, mais il semblait lui aussi moins déterminé, soudain. « On a besoin de taper un peu de fric », dit-il.

Les dimensions psychologiques de la confrontation étaient phénoménales. Si D avait montré de la peur, les types se seraient jetés sur lui en deux secondes. Chance en était convaincu. Bien que supérieurs en nombre, c'étaient les agresseurs qui mollissaient, le courage évident du loup solitaire soulignant la lâcheté de la meute. Que le loup solitaire en question eût la taille d'une maisonnette aidait certainement. Néanmoins, ce fut le mot *taper* qui les mena à leur perte. Quelqu'un aurait dû les rancarder sur la philosophie de Big D. On fait les choses en grand ou on ne fait rien. Ils auraient été mieux inspirés de partir en courant. Or ils restèrent sur place. Le dégingandé, toujours un peu avancé par rapport aux autres, et manifestement conscient de son rôle de leader, retourna sa main, sûrement pour montrer son couteau, comme si D ne l'avait pas déjà vu, comme si cette démonstration de force pouvait être l'arbitre ultime de cette confrontation. D'une certaine manière, ce fut le cas.

D réduisit la distance entre eux plus vite que Chance ne l'aurait cru possible. Il attrapa la main de l'agresseur avant même que ce dernier puisse brandir son couteau, saisit celui-ci et le retourna pour le lui planter dans le ventre, sous l'abdomen, près de l'aorte abdominale. L'autre recula en titubant, les deux mains sur sa plaie, finit par retirer le couteau et le laissa tomber par terre dans un torrent de sang. D se rua sur ses collègues.

Les quatre lascars étaient arrivés côte à côte, avec l'intention manifeste d'encercler leur proie. Bien que déconcertés par la perte de leur leader, les trois restants n'avaient pas renoncé à leur stratégie initiale. D contrecarra leur plan et s'attaqua à l'épaule de l'homme le plus à sa gauche ; il le frappa à la gorge et lui coupa le souffle tout en le poussant vers son voisin le plus proche. Résultat, les agresseurs se retrouvèrent tous en file indienne devant D.

Et la manœuvre paya. Les types furent incapables de contourner le colosse. S'ils avaient été plus nombreux, peut-être – disons cinq ou dix de plus. Mais les choses se passèrent très vite, et aucun ne sembla rien y comprendre, si bien qu'au moment où celui qui suffoquait recula en titubant, D était déjà sur l'épaule du suivant, le frappant aux yeux. Il n'en restait plus qu'un.

Les apprentis voyous furent battus à plate couture. Le poignardé avait réussi tant bien que mal à s'enfuir ;

il s'éloignait de la ruelle en boitant et en pissant le sang. Les autres furent moins chanceux, mais l'euphorie de Chance devant l'exploit de D fut de courte durée puisqu'il devint soudain témoin, et de près, de l'incroyable violence du colosse. Il n'avait jamais rien vu de tel. D ne se contentait pas de voir ses adversaires détaler, ni même de les battre, comme un sportif. Non, avec lui, c'était la marche de Sherman vers la mer, la cavalerie américaine à Wounded Knee. Il y avait là trois hommes massacrés, dont le plus atteint se trouvait à moins d'un mètre du poste d'observation de Chance : D lui cogna la tête contre le coin d'une benne à ordures jusqu'à ce qu'il n'y ait plus de visage digne de ce nom – mais des dents cassées, des lèvres déchiquetées – réduit en quelques secondes à un tas sanglant et squelettique, déchet parmi les déchets de la ruelle. Sur ce, Chance et D s'en allèrent en courant, tels deux écoliers qui venaient de faire une farce. D arracha Chance au mur et le poussa dans la direction d'où ils étaient arrivés, une éternité plus tôt. Les rues étaient exactement dans l'état où ils les avaient laissées, ni plus ni moins. Les étoiles n'étaient pas tombées, la lune n'était pas sanglante, le brouillard s'installait comme il avait l'habitude de le faire, avec la régularité de la nuit elle-même et chargé de l'odeur capiteuse des plages de la ville. Le lendemain, et les jours suivants encore, Chance éplucherait les journaux locaux de la première à la dernière page, irait même jusqu'à revenir sur les lieux deux fois, en voiture, pour y chercher un mot, un signe… Une scène de crime installée au début de la ruelle… Une couronne de fleurs, peut-être, comme celles que l'on voit en bord de route après un accident mortel… Quelque chose qui indiquerait ce qui s'était passé ici, ce qu'il était advenu des hommes qui avaient voulu les braquer, peut-être les tabasser, voire les tuer, et il s'en souviendrait, il se mettrait bien dans le crâne que c'étaient *eux* qui *les* avaient cherchés. Or il n'y avait rien dans les journaux, rien dans la rue, et il n'y aurait jamais rien, certainement pas de bouquets de fleurs à l'entrée de la ruelle, où il était difficile de croire qu'un ou plusieurs des membres de la petite bande n'avait pas trouvé la mort.

« Il y a deux choses », lui dit Big D. C'était la première fois qu'ils se reparlaient depuis la bagarre. Ils étaient de nouveau derrière le magasin et D avait retrouvé tout son calme, un calme inhabituel, pourrait-on penser, étant donné l'épreuve qu'ils venaient de traverser. Mais peut-être, se dit Chance, que ça n'avait été une épreuve que pour lui, lui et les types qu'ils avaient abandonnés à leur sort. « D'après le vieux, tu cherches le gars qui t'a racheté tes meubles et tu veux revenir sur la vente. Si j'étais toi, je ne ferais pas une chose pareille.

— Quelle chose ? » demanda Chance, qui mettait du temps à retrouver ses marques.

D continua comme si de rien n'était. « Ça pourrait avoir des répercussions négatives sur Carl. Et sur moi, par la même occasion. » Il sortit de sa poche intérieure de veste une enveloppe en kraft et la tendit à Chance. « Voilà ton pognon. Tu peux compter, si tu veux.

— Je ne suis pas sûr de comprendre.

— Qu'est-ce qu'il y a à comprendre ? Quatre-vingt mille dollars. Le message que tu as laissé sur le répondeur a foutu les jetons au patron. Il a annulé le chèque et il a sorti le liquide. »

Chance tenait bêtement l'enveloppe dans sa main. « J'ai mon mot à dire ?

— Tu l'as eu.

— Et tu avais ce fric sur toi... pendant tout ce temps-là ?

— Absolument.

— Mon Dieu, fit Chance. C'était donc pour ça ? »

Il voulait parler du passage à tabac dans la ruelle. « Tu voulais me faire peur ? »

Big D le regarda. « Je voulais être réglo. Ce que tu fais avec, c'est ton problème. »

Chance était un peu perdu. Il n'arrivait pas à savoir ce qui était le plus consternant : ce que D était prêt à faire pour être réglo, ou d'avoir été forcé à prendre l'argent contre son gré, ou que D ait voulu risquer de perdre tout cet argent dans une ruelle de Tenderloin. « Tu m'as dit qu'il y avait *deux* choses, finit-il par répondre. Quelle est l'autre ?

— Le flic. Blackstone. Il y a des moyens de s'occuper de types comme lui. »

Maintenant qu'il avait eu sa dose, D retrouvait son attitude terre à terre. « Parce que, pour le moment, c'est lui l'émetteur.

— Je ne comprends pas.

— C'est embêtant, répondit D avant de réfléchir quelques secondes. Cette connerie dans la ruelle... Comment je me suis démerdé ?

— Je ne sais pas.

— Tu étais là, vieux.

— Ça a été très rapide et très violent. »

D le regarda comme un adulte auquel on demanderait d'expliquer quelque chose de simple à un enfant un peu balourd. « J'ai fait en sorte qu'*ils* réagissent à *moi*. Les gens parlent toujours d'autodéfense. L'auto-défense, c'est de la merde. Si je me défends, je perds. Ce que je veux, c'est que l'autre se défende pendant que j'attaque. Peu importe le nombre de mecs contre lequel je me bats : je veux qu'ils se défendent, tous, parce que ça veut dire que c'est moi qui donne le tempo. Je suis l'émetteur. Tant que je suis l'émetteur, je gagne. Je m'en fous s'ils sont dix. Pour l'instant, ton flic, c'est lui l'émetteur. Et toi, tu es le récepteur. Il faut que tu inverses les rôles.

— Et comment je fais ? »

Chance posa la question plus ou moins à son corps défendant. Une demi-heure plus tôt, il avait été à deux doigts de se pisser dessus. Ensuite il avait été à deux doigts de vomir, puis de ne plus jamais revoir le colosse, et voilà qu'il lui demandait conseil – ce pour quoi il était allé le voir.

« La première chose, répondit D, c'est de recueillir des infos sur cet enfoiré. La fille dit qu'il est véreux. Qu'est-ce que ça veut dire ? Ce n'est pas très difficile de tuer un flic intègre. Ils se mettent en danger tout le temps. N'importe lequel d'entre eux pourrait dévisser. Mais un type véreux ? Toute sa vie est un danger. Il faut juste que tu sois vigilant. Où est-ce qu'il va ? Qui est-ce qu'il fréquente ? Quand est-il le plus vulnérable ?

— L'idée, je crois, serait qu'il se fasse arrêter.

— Pourquoi ?

— Disons que je me sentirais plus tranquille.

— En respectant les règles ? »

Chance haussa les épaules.

« Tu crois que c'est comme ça qu'il voit les choses ?

— Je ne sais pas. Je ne sais pas comment il voit les choses. Mais disons que j'aime bien l'idée de lui balancer quelque chose dans les pattes...

— C'est tordu, mais d'accord.

— Je ne peux pas me mettre à le suivre partout. Il sait à quoi je ressemble.

— Tu pourrais engager quelqu'un pour le faire à ta place.

— Toi ?

— On peut en discuter.

— Et combien ça me coûterait ?

— Je sais que tu as quatre-vingt mille dollars. »

Il n'était pas toujours facile de savoir quand D déconnait ou pas. Comme Chance l'avait appris, l'homme n'était pas dénué d'humour, en tout cas d'un certain humour. « Il faudrait que je réfléchisse à la question.

— Absolument. Mais pendant que *tu* réfléchis, c'est *lui* l'émetteur. Alors réfléchis aussi à ça. »

Chance y réfléchissait encore lorsque deux phares apparurent au bout de l'allée. Son premier réflexe fut de se dire qu'ils avaient été suivis ou démasqués. Il imagina le gyrophare rouge sur le point d'exploser dans l'allée étroite, comme une artère. Finalement, ils eurent droit à la Starlight Coupé jaune citron. Une seconde plus tard, elle arrivait à leur hauteur.

Ils se retrouvèrent devant la portière côté passager. Une vitre s'abaissa pour laisser voir un jeune homme tout en cuir qui n'avait pas plus de vingt ans. Sa chevelure pleine de gel posée sur l'appuie-tête, il avait l'air de s'ennuyer et fumait un joint. Carl Allan était au volant, pimpant, vêtu de ce qui ressemblait à un costume trois-pièces à rayures marron et jaunes. Un doux parfum de marijuana s'échappait de l'habitacle, faiblement éclairé par le tableau de bord.

« Quoi de neuf, patron ? » lança D à Carl. Il se pencha un peu pour regarder à l'intérieur.

Pendant ce temps-là, Carl les scrutait, passant de l'un à l'autre, comme si la vision de ces deux-là ensemble derrière son magasin, à 4 heures du matin, n'était source ni de questionnement ni d'inquiétude, mais plutôt d'une sorte de joie secrète. « Ah, mes garçons », dit-il à la manière d'un proviseur prêt à faire un sermon, ce que renforçait la lueur dans son regard. Mais il s'arrêta là. Il n'avait rien d'autre à dire. La vitre remonta. D et Chance reculèrent. La voiture passa et disparut à l'autre extrémité de l'allée.

D poussa un soupir et suivit des yeux les feux arrière de la Studebaker qui disparaissaient dans la nuit. « Qu'est-ce que je te disais ? Il a remis ça.

— Ces types, dans la ruelle… » finit par dire Chance. Il était au-delà du manque de sommeil. La discussion sur Blackstone attendrait. « Comment est-ce que tu as su qu'ils n'étaient pas *tous* armés ? Qu'ils n'avaient pas de flingues et qu'on n'allait pas *nous deux* être laissés pour morts ? »

D se baissa et remonta l'ourlet de son énorme jambe de pantalon, suffisamment haut pour que Chance aperçoive un pistolet au-dessus de sa chaussure. Le tout sans un mot – il se contenta de lui montrer son arme. Puis il ouvrit sa veste, juste assez pour dévoiler trois lames toutes simples, mais apparemment mortelles, alignées et tenues par un morceau de sangle en Nylon cousu à même le tissu. « La plupart des bagarres sont terminées avant même d'avoir commencé, fit D. Ces types nous ont suivis dans une ruelle. Quel débile va aller courir dans une ruelle pour s'enfuir ? Personne ne fait ça. Mais ils n'y ont pas *pensé*. Ils ont simplement réagi. L'émotion a pris le pas sur la logique, et c'est comme ça qu'ils m'ont permis d'imposer les termes et le cadre de la rencontre. » Il laissa Chance méditer quelques secondes. « Pour le dire autrement, reprit-il, il n'y a pas de victimes. Il n'y a que des volontaires. »

LE PATIENT EN QUESTION

Bien sûr qu'il *y avait* des victimes, nom de Dieu. Chance avait passé la moitié de sa vie à en fréquenter. Qu'était Bernard Jolly sinon une victime, sans protecteurs, fracassé au-delà du réparable, mentalement et physiquement, au point qu'il était devenu lui aussi un prédateur, pas encore assez vieux pour s'acheter à boire mais déjà pris dans l'étau d'une bureaucratie obèse et inerte, énième excrément humain rejeté vers la mer ?

Chance se dit qu'il était peut-être un peu trop littéral. Il se pouvait également que ses propres ruminations sur le sujet, qui frisaient l'obsession après la soirée passée avec Big D, aient été ce matin-là exacerbées par son environnement immédiat. Après tout, il était assis entre sa femme et sa fille sur un canapé de cuir, trois canards au jeu de massacre dans le bureau de la proviseure de l'école Havenwood, et il avait l'impression d'être en tout point un récepteur.

Tout le monde était là. Holly Stein, un proviseur adjoint dont il oubliait toujours le nom, une enseignante… La question du jour était la situation de sa fille. Cela faisait bientôt deux heures qu'ils en discutaient. D'après lui, des progrès, certes douloureux, avaient été faits. Mais la vie était courte et, à l'instant précis où il avait été conclu, *grosso modo*, que Nicole pourrait rester dans l'établissement, quoique pour une période d'essai, Chance décida d'informer ce petit monde que sa fille s'en irait. On entendit les mouches voler. Lui n'entendit que la puissante corne de brume à l'entrée de la baie.

« Je crains de ne pas comprendre, dit Holly après que la corne de brume eut laissé place au silence.

— Qu'est-ce que vous ne comprenez pas ? »

Il se dit qu'il allait tenter de jouer les émetteurs.

« Qu'est-ce que tu *fais* ? lui demanda Carla.

— J'explique la situation. »

Il remarqua que Nicole ne le regardait même pas. Elle ne semblait pas non plus s'intéresser particulièrement à la discussion, ce qu'il perçut comme un mauvais signe. Elle avait les yeux rivés sur une fenêtre derrière le bureau de la proviseure, à travers laquelle on pouvait voir les mâts des bateaux, sur la marina, étinceler à la lumière du matin.

« Écoutez, c'est très simple », leur dit Chance. Il était très content que sa fille ait la possibilité de terminer son semestre. Se posait néanmoins la question pécuniaire. Tant que le divorce ne serait pas consommé et que ses modalités ne seraient pas arrêtées, et tant que le fisc ne le lâcherait pas, l'argent demeurait le facteur décisif. Quand on connaissait Chance, son approche était d'une rare franchise. Lorsqu'il eut terminé, il se leva et quitta la pièce. Il vit leurs visages, aussi vides que les lunes de Jupiter, ou de n'importe quelle autre planète ayant plusieurs satellites. Ils le suivirent du regard pendant qu'il retrouvait la lumière.

Carla était livide, mais elle fut la plus conciliante. Pour la faire taire, Chance dut simplement lui expliquer qu'elle pouvait laisser Nicole à Havenwood si cela lui chantait. Elle n'avait qu'à raquer. « Peut-être que Machin Chose pourrait t'aider », suggéra-t-il.

Nicole offrit plus de résistance. Elle partageait plus de choses avec Bernard Jolly que les autres, victime elle aussi de l'ineptie et de la folie de ses parents. Ils marchèrent sur une étendue de pelouse bordée d'arbres, avec vue sur Marin County, ses collines aussi vertes que l'Irlande, couronnées de brouillard derrière les tours rouillées du Golden Gate Bridge, et la ville en contrebas derrière eux. De là, tout n'était que lumière blanche et surfaces miroitantes – une beauté sensuelle. San Francisco, bordel. « Je vais descendre à UCLA pour une présentation, lui dit Chance. Quand je reviens, je trouve un appartement à Berkeley. Les écoles sont meilleures là-bas.

— Tu dis toujours ça.

— Je viens d'y réfléchir, Nicole. Ça prendra du temps, mais je me débrouillerai. Fais-moi confiance. En attendant, je ne veux pas que tu rentres de l'école à pied toute seule. D'ailleurs, je refuse que tu ailles où que ce soit toute seule. Tu me suis, sur ce coup-là ?

— Papa... Tout va bien. »

Il s'arrêta et l'obligea à s'arrêter à son tour. Il posa les deux mains sur ses épaules. « Je suis sérieux, Nicky. On ne sait pas pourquoi tu t'es fait agresser. C'est peut-être un pur hasard. Sans doute, d'ailleurs. Mais on ne sait jamais.

— Qu'est-ce que ça *aurait* pu être d'autre ? »

Son père ne répondant pas tout de suite, elle ajouta : « Tu crois encore que c'est ma faute, que j'étais partie quelque part... pour essayer d'acheter de la drogue ?

— Non… Je te crois sur parole. »

Elle ne parut pas convaincue. « Donc quoi, alors ?

— Donc quoi, alors… Je veux que tu me fasses confiance. Je veux que tu me jures de toujours faire en sorte d'être avec d'autres gens. »

Elle poussa un soupir résigné, meurtrie par la simple idée que son père doute d'elle – en tout cas c'est l'impression qu'elle voulut donner. Ces derniers temps, elle affectionnait ce genre de postures théâtrales. « Pendant combien de temps ? fit-elle.

— Jusqu'à ce que je te dise que ça va. »

Elle secoua la tête et regarda ailleurs.

« Fais-le pour toi, Nicole. Si ça ne te suffit pas, fais-le pour moi. Mais je veux que tu me le promettes. Promets-moi. »

Dans les yeux de sa fille, il y avait eu un sous-entendu : « Sinon quoi ? » Elle ne l'avait pas dit, et Chance lui en sut éternellement gré. Il partit le lendemain pour Los Angeles, où il fut logé dans un grand hôtel près d'un centre commercial et de l'hôpital Cedars-Sinai. C'était un quartier moche de la ville, même si à ses yeux L. A. était généralement moche, avec ses collines surplombant Sunset Boulevard avalées par la pollution. Sans doute pour prévenir les défenestrations, les constructeurs de l'hôtel avaient fait en sorte que toutes les fenêtres soient hermétiquement fermées.

Ce soir-là, devant plusieurs dizaines de personnes, dans une des nombreuses salles de conférences de l'université équipée de sièges de théâtre pliants, il fit une présentation PowerPoint de ce qui était conçu comme une approche rapide et nouvelle de l'évaluation des fonctions cognitives. C'était aussi une sorte de campagne publicitaire pour une méthode de tests que Chance avait en partie mise au point, à une époque qui lui paraissait remonter à une éternité. Ses confrères, un neurologue et un neurochirurgien basés à Seattle, avaient pensé qu'une conférence à UCLA permettrait de raviver l'intérêt pour leur projet. San Francisco étant nettement plus proche de L. A. que Seattle, Chance s'était vu solliciter pour faire le voyage ; il l'avait fait ; il était là. En vérité, il trouva dans cet exercice une diversion bienvenue – le retour à un sujet qui l'avait jadis intéressé, l'énumération, devant un public vaguement curieux, des facteurs susceptibles d'entretenir des états délirants en plus d'une véritable démence neurologique, rendant par conséquent celle-ci beaucoup plus difficile à diagnostiquer. Ensuite, il se retira dans sa chambre et se bourra de somnifères. Il se réveilla quelques heures plus tard, après un sommeil agité, et découvrit qu'une grande enveloppe en kraft avait été glissée sous sa porte.

Elle l'avait visiblement suivi vers le sud, puisqu'elle avait d'abord été adressée à son cabinet de Polk Street. Le pli comportant la mention « urgent », Lucy avait décidé de l'envoyer à son hôtel. L'enveloppe n'indiquait aucune adresse d'expéditeur. En tee-shirt et caleçon, à moitié endormi, Chance la ramassa et s'assit au pied du lit. Elle contenait des photocopies de documents officiels, en l'occurrence un rapport d'arrestation et une mesure d'éloignement, tous deux établis dans l'État de l'Arizona. S'y ajoutait la copie d'un rapport d'admission dans un hôpital psychiatrique, toujours dans l'Arizona. Tout cela remontait à des années. Chance s'était souvent vu demander de consulter ce genre de documents avant de commencer l'évaluation d'un nouveau patient. Dans ce cas précis, le patient s'appelait Eldon Chance, et toutes *ses* questions portaient plutôt sur l'identité de l'expéditeur.

Un coup de fil à Lucy ne donna rien. L'enveloppe lui avait été déposée par un messager – un type bizarre en combinaison grise, dit-elle. Il n'y avait rien eu à signer, ni reçu, ni trace d'un quelconque passage à l'exception du pli lui-même. D'après Chance, et sauf erreur de sa part, il n'y avait que deux personnes dans son entourage actuel qui fussent au courant de cette histoire-là. La première était Janice Silver. L'autre était Jean-Baptiste Marceau. Même à sa femme, il n'en avait jamais parlé. L'enveloppe contenait aussi un message lui demandant d'allumer son ordinateur ; c'est là qu'il découvrit les images pédophiles. S'ensuivirent plusieurs crises de panique, calmées à grands coups de Valium et d'alcool. Tout bien réfléchi, il se dit que ce n'était pas plus mal si les fenêtres de sa chambre avaient été condamnées pour empêcher les défenestrations.

Il lui restait encore à endurer la présentation finale de son travail. La chose se passa dans un véritable brouillard. Le nombre de personnes présentes, de même que leur niveau d'enthousiasme, était sans importance, et par conséquent indéterminé, puisque le simple fait de détacher les yeux de ses notes pour croiser ceux du public, exploit qu'il avait accompli sans peine la veille, fut rendu ce soir-là impossible par la certitude que tous ces gens avaient son numéro. Dans la foulée de sa première présentation, il avait été question d'un dîner à la faculté. Désormais, cela était nul et non avenu : transpirant l'alcool, il s'enfuit de la salle de conférences, du campus, et même de la ville, et atterrit à l'aéroport international de San Francisco vers minuit. Il rejoignit directement Market Street et Allan's Antiques. Vu les événements qui s'étaient déroulés après sa première visite, on aurait pu croire le choix de cette destination arrêté après une longue réflexion et, même dans ce cas, non sans une bonne dose d'appréhension, mais ç'eût été oublier la capacité de la panique à l'emporter sur le doute, et sur tout le reste.

LE SYNDROME DE CLÉRAMBAULT

« Quoi de neuf, vieux ? » demanda D. Non seulement celui-ci était toujours là, mais il était toujours debout, avec son éternel pantalon de toile plein de poches remplies de toutes sortes de choses et ses vieilles rangers noires ouvertes en haut, la plupart du temps dénouées, les lacets défaits.

« Tu ne dors jamais ? répondit Chance.

— C'est pour ça que tu es venu ? Pour voir si je dors ? Putain de marchand de sable. Tu n'es pas censé te promener avec ton sac de sable ? »

Quarante-huit heures ne s'étaient pas écoulées depuis sa dernière visite. Ils se retrouvaient comme la dernière fois, l'un dans le magasin, l'autre dans l'allée. « Désolé. J'ai besoin de parler. Je suis dans la merde. »

Sans surprise, D l'invita à entrer.

Trop ébranlé pour parler de la pluie et du beau temps, Chance s'installa directement sur un fauteuil Eames et montra rapidement les images pédophiles sur son ordinateur portable avant de s'attaquer aux documents incriminants. D voulut savoir si tout ça était légal.

« Les images pédophiles ? Tu es en train de me demander si les images pédophiles sont légales ? Je n'ai jamais vu de pires saloperies de toute ma vie.

— Reprends-toi, Doc. Je parlais du reste. Ce qu'on vient de regarder.

— Tu as déjà vu ce film qui s'appelle *L'Ange bleu* ?

— Pas vraiment.

— C'est un vieux film. Avec Marlene Dietrich. Elle est danseuse dans un cabaret. L'histoire se passe à Berlin. Il y a un vieux professeur qui est complètement obnubilé par cette fille. Je ne vais pas te soûler en te racontant toute l'histoire, mais disons simplement que cette obsession le mène à sa ruine. C'est un peu comme ça que ça s'est passé pour moi, sauf que je n'étais pas professeur et qu'on n'était pas à Berlin, mais à Boston. Je faisais une résidence en psychiatrie et j'étais un peu plus jeune qu'elle. Mais elle était danseuse aussi. Et une de mes patientes, par la même occasion…

— Est-ce que tu es en train de m'expliquer que le rapport d'arrestation et la mesure d'éloignement sont authentiques ? »

C'était peut-être la deuxième fois que Chance voyait D exprimer un semblant de surprise. Il poursuivit : « Un soir, alors que j'étais de garde, elle est arrivée aux urgences psychiatriques. Elle avait mis la main sur de l'ecstasy frelatée, ou quelque chose dans le genre, et elle est repartie toute seule deux heures plus tard. Mais il a suffi de ça. J'avais vu quelque chose en elle, l'oiseau à l'aile brisée, et je savais où la trouver. Au départ, je croyais être tombé amoureux. Et puis c'est devenu un peu plus bordélique. Il y a eu des rendez-vous oubliés, des travaux rendus en retard, des notes de plus en plus mauvaises. Mes parents avaient économisé pour mes études… Elle adorait les cadeaux. J'adorais en offrir. J'étais pris à la gorge.

« Je buvais un peu, à l'époque. Je me lançais dans de petites expériences pharmacologiques. Mais rien de plus que ce que l'âge semblait exiger. Avec elle, tout ça s'est aggravé, évidemment. Pendant un moment… J'ai cru que c'était bon, que si je pouvais plaquer tout ça, je pouvais la plaquer aussi. Sauf qu'avec elle c'était différent, et bien sûr j'étais persuadé qu'elle ressentait la même chose. Plus tard, on m'a dit que c'était une variante du syndrome de Clérambault, de l'érotomanie délirante. Je n'étais pas forcément d'accord, mais c'était le nom qu'on donnait à ça. Les gens préfèrent quand on peut nommer les choses. Mais je m'éloigne du sujet. Est arrivé un moment où *elle* a voulu qu'on parte pour l'Arizona. Alors c'est ce qu'on a fait, aux dépens de *ma* famille, de *mes* amis, de *mon* travail, de *mes* études… Manque de bol, dès que je me suis retrouvé fauché, elle s'est barrée. Visiblement, depuis le début elle avait un autre type dans l'Arizona, un type dont je ne savais rien. Je l'ai assez mal pris, d'où la mesure d'éloignement et l'arrestation. J'ai ensuite connu ce qu'on appellerait aujourd'hui une sorte de dépression nerveuse. J'ai toujours pensé qu'au bout du compte… la vraie victime de cette affaire, tout bien considéré, ça a été ma relation avec mon père. C'était un enseignant et un homme de religion. Je l'avais toujours admiré. J'avais toujours été très attentif à ce que je faisais… Très soucieux de son regard sur moi. On ne s'est plus parlé. Il est mort d'une crise cardiaque moins d'un an plus tard. Je m'en suis voulu. Pour finir, je me suis remis sur pied, je me suis installé sur la côte Ouest et j'ai ouvert un cabinet. Mais il ne l'a jamais su. Il est mort en pensant que j'étais un raté incurable. Quant à tout ça… » Chance regarda les documents. « Disons qu'il m'est arrivé de mentir. Entre nous, si quelqu'un te demande si tu t'es déjà fait arrêter par la police, et ça n'arrive pas si souvent, c'est assez facile de dire que non. Et bien entendu, plus un simple incident remonte loin dans le temps… »

Un silence passa.

« Et aujourd'hui, si tout ça remontait à la surface… Qu'est-ce que ça ferait ? Tu n'aurais plus le droit d'exercer ? Tu serais radié ?

— Non, non… Mis à part que je serais extrêmement embarrassé, je resterais médecin. Mais ça changerait du tout au tout la nature de ma pratique. Aujourd'hui… Ce que j'ai bâti… L'essentiel de mon travail se fait en lien avec les tribunaux. On me convoque en tant qu'expert. Les gens qui m'emploient ont des contraintes ; il y a de l'argent en jeu. Ils ne veulent surtout pas de vagues. Devant la simple possibilité d'un problème, devant le moindre *indice* d'un début de dérapage, passé ou présent, ils engageront quelqu'un d'autre. »

Le visage de Leonard Haig lui vint à l'esprit, avec son sourire narquois. « Il faudrait que je recommence tout, de zéro, alors que j'ai déjà du mal à joindre les deux bouts. Ce ne serait pas beau à voir. »

Ils restèrent assis en silence quelques instants.

« Et je ne te parle même pas des images porno, reprit Chance. Si on ajoute ça, c'est cuit. Affaire classée. Au suivant. » Il aurait pu continuer, mais ça ne le soulageait pas pour autant. Il inspecta ses mains posées sur ses genoux, comme deux objets trouvés, plus adaptés, se dit-il, à la fouille des fonds marins.

« C'est dingue, fit remarquer D.

— Malheureusement, oui. Comment est-ce possible ?

— Une bombe à retardement. »

Chance le regarda sans un mot.

« Tu as accès à l'ordinateur de quelqu'un, soit en le piratant, soit en mettant la main dessus, et tu y installes des informations qu'ensuite tu caches et que tu programmes pour qu'elles ressortent à une date précise. Le jour dit… le fameux dossier s'ouvre et envahit l'ordinateur. Tu peux aussi faire en sorte qu'il se mette dans ta boîte mail. Du coup, tous les gens que tu connais peuvent se retrouver avec ce truc-là. Ça passera pour une erreur, bien sûr, mais les gens penseront que c'était une erreur de *ta* part. Ils se diront que c'est avec ça que le Dr Chance prend son pied. Et ce seront toutes les personnes avec lesquelles tu as échangé des mails.

— Putain », fit Chance. Il se sentait menacé par une nouvelle onde de panique.

« Tu as regardé tes messages envoyés ? »

Ils vérifièrent ensemble. Il n'y avait rien d'anormal.

« Tu as toujours ton ordinateur avec toi ? Il était dans ta voiture, l'autre soir, à Berkeley ?

— Je n'avais pas ma voiture. J'y suis allé à pied.

— Du coup, je dirais que tu t'es fait pirater. Je ne suis pas spécialiste, mais c'est possible si le type est un peu doué.

— Je pense que le type était un peu doué.

— Blackstone ?

— Qui d'autre ?

— Pourquoi pas quelqu'un de ton cabinet ? Quelqu'un que tu aurais énervé au tribunal. Un patient complètement fou.

— C'est lui, D. Il veut m'écrabouiller. Et puis il y a autre chose… »

Il lui parla des Jolly. Avant de partir pour Los Angeles, il avait remis son évaluation de Bernard au bureau du procureur.

« Putain, Doc. Avec toi, il y a toujours autre chose. Tu y as pensé tout seul, à celle-là ? »

Chance reconnut qu'il y avait pensé tout seul.

« Eh bien… si tu as raison à propos de Blackstone… je ne sais pas ce qui l'a mis dans cet état… Il ne veut pas t'écrabouiller, mais te faire comprendre qu'il *peut* t'écrabouiller. Il y a une différence. » D semblait s'échauffer devant ce foutoir généralisé ; ses joues rosissaient, son grand crâne chauve luisait sous les ampoules au néon. « Mais il fait aussi autre chose… à condition qu'il soit bien derrière cette saloperie avec ta fille… Et maintenant ça ? C'est un indice. C'est comme quand tu te bats. Chaque fois que tu donnes un coup, tu risques d'en recevoir un autre en retour. Te tomber dessus *aussi* violemment ? Il joue peut-être au con avec toi mais en même temps il s'expose. Et il n'est pas débile. Il pense peut-être que tu n'es pas capable de réagir, mais il sait ce qu'il fait. Ce que je me demande, c'est pourquoi.

— Parce qu'il peut se le permettre. »

D secoua la tête. « S'il est le truand que ta copine décrit… il pourrait t'éliminer. Fin de l'histoire. Au lieu de ça, il essaie de te faire peur. Encore un indice. À mon avis… tu lui fais peur, un peu, voire beaucoup, mais c'est justement ça qu'il faut que tu élucides. Il faut que tu en saches plus. Que tu trouves son lac gelé.

— C'est déjà fait, apparemment. »

Un camion-poubelle passa dans l'allée, activa ses bras mécaniques sur les bennes, le raz-de-marée des déchets de la ville, puis disparut.

« L'autre soir… Tu m'as dit qu'il était devant chez toi.

— Je t'ai dit que je *pensais* que c'était lui.

— Mettons que c'était lui. Une Crown Victoria, c'est facile à braquer. Tu casses le feu arrière avec un tournevis… Ça te donne accès au coffre. Avec une chignole, tu te retrouves sur la banquette arrière. Il faudrait que tu fasses un peu de surveillance. Que tu le suives pendant quelques jours. Il ne doit pas être bien difficile à retrouver. Tu sais où il travaille. Il a peut-être des bars où il aime traîner. Ce serait bien que tu le chopes à son retour du boulot, parce qu'il aura sans doute son ordinateur portable avec lui, et c'est ce qui t'intéresse. Tu prends une clé USB et tu télécharges ses dossiers. Il ne s'apercevra jamais de rien et toi, tu auras peut-être quelque chose sur lui. Toi qui voulais *l'emmerder* un peu… Tu pourrais lui rendre la monnaie de sa pièce, lui coller une bombe à retardement en pleine face. Mets-lui des trucs pédophiles. Ou alors… Tiens, pourquoi pas des conneries d'islamistes radicaux ? Ça, ce serait fabuleux. De balancer ça dans ses mails. Pas mal. Excellent, même. Du coup, il aura sans doute une enquête sur le dos. » D était déchaîné. Chance n'avait qu'une crainte : qu'il lui propose d'aller faire un tour à pied.

« Je ne veux pas *l'emmerder*, répondit Chance. Ce n'est pas un jeu. L'idée, ce serait de *récupérer* quelque chose et de le faire circuler… Un tuyau anonyme… Je n'ai pas envie de me rendre dingue à cause de ça. »

Un instant, il eut peur d'avoir froissé D. Or ce dernier rigola. « OK, répondit-il. Mais laisse-moi te dire une bonne chose. Il y a des tas de gens qui pensent que le monde est un truc qui tourne rond, que si les choses dégénèrent ils peuvent toujours aller voir les flics, engager un avocat… Ce sont *eux* qui pensent que c'est un jeu. Ils croient même qu'il y a des règles. Va chez les flics avec ce que tu as pour l'instant et vois un peu ce que ça donne. Les règles favorisent ceux qui les ont écrites. La seule fois où ces enfoirés s'intéressent à nous, c'est quand il faut récupérer de la chair à canon ou des bulletins de vote. Je ne dis pas que c'était mieux avant. Le monde fonctionne comme ça. L'armée, ça te fait voir les choses autrement... à propos de devenir dingue. Alors, bien sûr, il y a des gens auxquels il n'arrive jamais rien de merdique... Qui passent leur vie entière dans une bulle de bonheur, ce qu'on appelle la civilisation. Mais en fait... pour moi... quand tu élargis un peu le cadre, putain, ça ne fait pas grand monde. Des gens comme toi, peut-être, et ne le prends pas mal : les médecins, les avocats, ce genre-là. Je dirais aussi les chefs indiens, mais je pense que ces salopards connaissent la musique depuis le début. »

Chance repensait à ses patients et à ce qui leur était arrivé – le feu rouge qu'ils n'avaient pas vu, le klaxon qu'ils n'avaient pas entendu, l'impasse, la vague surprise, la cellule mutante – laminés en un clin d'œil, et sans un nuage dans le ciel. Il n'avait jamais connu la guerre, mais il avait eu un aperçu de la fragilité des choses et était prêt à concéder que D avait, sur ce point, raison.

« Bon », fit ce dernier. D'un air absent, il était en train de faire craquer ses doigts. « On est prêts à parler chiffres ? »

VOYEZ-MOI CETTE PAUVRE ALICE

Les chiffres donnaient quelque chose comme ceci. Avec cinq mille dollars, il pouvait avoir l'ordinateur portable de Blackstone. Avec dix mille, il pouvait le passer à tabac, ne serait-ce que pour le principe. Enfin, pour vingt mille dollars, il pouvait éliminer Blackstone.

« On part donc sur cinq mille, c'est ça ? » demanda Chance. Il estimait plus judicieux de ne même pas entendre les autres options.

« Si tu y réfléchis un peu, c'est ce que tu *essayais* de faire avec ton histoire de procureur. Ça va mettre des siècles, si tu veux mon avis. Mais mettons que tu arrives à approcher quelqu'un chez eux… Il faudrait quand même que tu lui donnes quelque chose en échange. Sinon, ce serait ta parole contre la sienne, et je ne te le conseille pas. »

En effet, se dit Chance. « J'aimerais bien y réfléchir cette nuit.

— Dix nuits, si tu veux. Mais voilà le deal. Ce type t'a montré de quoi il est capable. Je pense que… qu'il espère encore te faire reculer. Il ne va sans doute plus bouger en attendant de voir ta réaction. Qui se résume, en gros, à deux choses : soit tu tournes les talons et tu t'assures qu'il l'a bien vu, soit tu mets tes couilles sur la table et tu le mets au pied du mur.

— J'ai un peu de temps, donc, à ton avis ?

— J'aimerais t'offrir quelque chose. »

Sur ce, D s'approcha d'une étagère qu'il avait fabriquée à l'aide de dalles et de planches de bois. Il en revint avec trois livres dans les mains.

Sans surprise, l'un était un texte de Nietzsche. « J'ai déjà lu *Zarathoustra* », dit Chance.

D hocha la tête et mit le livre de côté. « Personne ne naît guerrier ; personne ne naît esclave. On devient ce que l'on est.

— Oui… La vie comme exercice littéraire. Dans quelle mesure écrivons-nous notre propre scénario ou le laissons-nous être écrit par d'autres ? Question intéressante.

— Soyons honnêtes, lui dit Big D. Ce type avait des couilles. On fait les choses en grand ou on ne fait rien. »

Chance supposa qu'ils parlaient toujours de Nietzsche. « Tu auras l'argent demain à midi, dit-il soudain. Les cinq mille. » Précision superflue, de toute évidence, mais Chance avait l'impression d'avoir couru deux kilomètres en altitude.

Quelque part entre le magasin et son appartement, une nouvelle et plus acceptable manière de voir l'ensemble de la situation se présenta. Entre engager D ou engager un détective privé, où était la différence ? Certes, Chance n'avait jamais engagé personne, mais d'autres l'avaient fait, y compris de *nombreux* professionnels comme lui, des citoyens honnêtes. Et si D n'était pas tout à fait un enquêteur privé *homologué*, c'était assurément un garçon capable, un ancien soldat entraîné comme peu d'autres. Après tout, se dit-il, c'était presque comme s'il avait choisi la voie de la prudence.

Peu de temps après, il rentra chez lui dans un brouillard tellement épais qu'il ne vit pas le bouchon de radiateur de son Oldsmobile sur près de deux kilomètres, se gara lentement et se dirigea vers l'escalier de son appartement, où l'attendaient plusieurs choses. L'une était une petite enveloppe à son nom, scotchée à la porte en acier qui ouvrait sur son escalier. Il la décacheta sur-le-champ. Elle renfermait un bout de papier où le mot *trouillard* avait été écrit, d'une main qu'il jugea féminine, à côté d'une petite tache bizarre qu'on ne pouvait pas ne pas prendre pour du sang. L'identité de l'auteur de cette lettre ne faisait aucun doute. Chance regarda dans la rue, mais le brouillard à couper au couteau l'empêchait d'y voir quoi que ce soit. Au loin, un invisible clochard s'était mis à taper sur un lampadaire en acier à l'aide de ce qui devait être un tuyau métallique. Chance prit l'escalier et monta. Un deuxième message l'attendait sur son répondeur. C'était Carla, lui annonçant que Nicole avait un petit ami et qu'elle avait apparemment déjà passé une nuit avec lui, hors de la maison et sans permission. Troisième message, son avocat fiscaliste lui disait que le fisc avait proposé un chiffre. Ça faisait beaucoup d'argent, reconnaissait-il, mais au moins il y avait un chiffre. Enfin, Chance trouva un mail de Big D dans son ordinateur, le même qui contenait les images porno de Raymond Blackstone.

C'est chose joyeuse que la guerre. On s'entr'aime tant à la guerre. Quand on voit sa querelle bonne et son sang bien combattre, la larme en vient à l'œil. Il vient une douceur au cœur... Cela nous ravit tant que celui qui n'a pas ressenti cette chose ne peut dire comme elle est belle. Croyez-vous qu'un homme qui ressent cela craigne la mort ?... Il est si endurci, si heureux, qu'il ne sait où il est. Il n'a vraiment peur de rien.

Jean de Bueil, 1465.

« Mon Dieu », dit Chance à personne en particulier. L'euphorie flottante qu'il venait de connaître l'avait presque entièrement abandonné. Il était en train de regarder le petit miroir de son armoire à pharmacie, dans lequel il était venu chercher de quoi préparer un cocktail de médicaments assez puissant pour l'assommer. « Voyez-moi cette pauvre Alice. » Il se faisait de nouveaux amis, et ils savaient tous où le trouver. Dans la rue nappée de brouillard, le clochard invisible continuait de signaler sa présence – il rédigeait son propre scénario, indéniablement. Chance se dit que d'ici peu de temps quelqu'un appellerait les autorités compétentes, et que les autorités compétentes viendraient, comme elles étaient venues pour cet autre fou dont les cris résonnaient peut-être encore, malgré les brumes du temps, sur la Piazza Carlo Alberto de Turin. Car c'était ça, le plus étrange avec les autorités compétentes… À tort ou à raison… Elles n'étaient jamais aussi loin, ou aussi compétentes, qu'on l'aurait souhaité.

LE MYSTÈRE S'ÉPAISSIT

Parmi les autres livres de D que Chance emporta chez lui, l'un s'intitulait *Les Vertus de la guerre*, par Steven Pressfield – l'histoire d'Alexandre le Grand racontée par lui-même. Il remarqua que D avait souligné certains passages. Parmi eux, la volonté de mourir et, partant, la valorisation de la volonté de tuer figuraient en bonne place, ainsi que toute célébration de la gloire du combat et de ce que l'auteur considérait être « la pulsion fondamentale du sang humain ».

Le deuxième livre, *N'écoutez personne*, par Hugh MacLeod, était un recueil de dessins accompagnés d'aphorismes sur la nature de la création, principalement le besoin de tracer son propre chemin, comme un éloge des sentiers parallèles. Un peu avant le lever du jour, Chance posa les livres et s'endormit tout habillé, bien que d'un sommeil agité, sur le canapé de son salon, la lampe allumée.

Réveillé par le bruit de la circulation dans la rue, il se rendit directement à sa banque, où il retira cinq mille dollars en liquide, la rémunération de Big D – et interdiction de revenir en arrière –, et se présenta à son cabinet en retard. On pouvait dire que ça devenait une habitude.

« Comment ça s'est passé ? demanda Lucy. Du nouveau sur celui ou celle qui vous a envoyé ces trucs ? »

Il mit un petit moment à comprendre qu'elle parlait de sa présentation à Los Angeles et du mystérieux paquet qu'elle lui avait fait suivre à son hôtel. Il était en train de réfléchir à ce qu'il venait de faire – avoir mis Big D sur le coup, et « *le besoin fondamental du sang humain, aussi indéracinable chez l'homme que chez le loup ou chez le lion, et sans lequel nous ne sommes rien* ».

« Aïe. Si mal que ça ? » demanda Lucy.

Chance s'aperçut qu'il ne lui avait toujours pas répondu. Pétrifié entre Lucy et son propre bureau, il avait devant les yeux la vieille folle chère à Jean-Baptiste, pleine de superbe, totalement perdue dans ses pensées. « Rien de nouveau concernant le paquet, lui dit-il. Quant à la présentation… Disons que j'avais un peu la tête ailleurs.

— Avais ? »

Chance se dit qu'elle faisait allusion à son comportement actuel, mais préféra ne pas relever. Pensant au manque de sommeil, il se demandait si c'était comme ça que tout avait commencé, la première fois, toutes ces années auparavant, avec la danseuse rousse. Il y avait eu une escapade à Martha's Vineyard sous drogues, ensemble, avec l'argent de la famille, plusieurs jours sur la route. Ça, il s'en souvenait. Il s'approcha du bureau de Lucy, prit un stylo et commença à écrire le nom de l'ancienne psy de Jaclyn. « Voyons ce qu'on peut trouver sur elle, dit-il. Elle travaillait quelque part dans la région, et elle est morte depuis. » Comme D allait bientôt entamer sa surveillance, Chance estimait qu'il était temps de se pencher sur le destin de Myra Cohen et les dossiers qu'elle avait forcément laissés quelque part.

Lucy le fixa longuement. « Qu'est-ce que vous voulez savoir ?

— Tout ce que vous trouverez. Est-ce qu'elle avait des collègues ? Les bureaux sont-ils toujours là ? Peut-être quelque chose sur les causes de sa mort. »

Lucy acquiesça, mais Chance sentit qu'elle le regardait lorsqu'il traversa la pièce jusqu'à son cabinet, où il passa la matinée à lire le livre sur Alexandre le Grand et à somnoler, assailli régulièrement par un souvenir intrusif du Tenderloin, le visage d'un homme massacré près d'une benne à ordures. Il y vit le signe d'un stress post-traumatique, mais la gloire du combat lui échappait totalement.

Son premier coup de fil de la journée, il le passa à sa femme. Elle n'avait pas grand-chose à ajouter : Nicole avait un petit ami et elle n'en savait pas plus. Elle ne l'avait jamais rencontré. Elle ne connaissait pas son nom. Il était censé être plus âgé et vivait à San Rafael. Tout cela, elle l'avait appris par la mère de Shawn, qui elle-même l'avait su par Shawn et avait jugé bon de prévenir Carla.

« Qu'est-ce que Nicole en dit ? demanda Chance.

— Elle refuse de m'en parler. Je ne sais pas quoi faire.

— Où est-elle ?

— Au collège.

— Et quand est-ce qu'elle a découché ?

— Le soir où tu es parti.

— Tu étais où, toi ?

— J'étais ici.

— Et tu ne l'as pas entendue partir ?

— Elle commence à faire des cachotteries, Eldon. Je n'aime pas ça.

— Moi non plus. Je lui ai pourtant dit de ne pas s'éloigner. Elle m'a donné sa parole.

— Eh bien voilà le résultat. »

Chance ajouta qu'il lui parlerait.

« Génial », répondit Carla avant de raccrocher. Toutes ces accusations, tous ces non-dits – ce n'était pas pour rien qu'ils n'étaient plus ensemble.

Son deuxième coup de fil fut pour Janice Silver. Les rendez-vous avaient été fixés ; il avait hâte de savoir comment les choses se passaient, deux semaines après.

Janice décrocha tout de suite. « Il y a eu un incident », dit-elle avant même qu'il ait demandé quoi que ce soit. Puis elle observa un silence marqué.

« Vraiment ?

— Oui, vraiment. Elle a volé quelque chose.

— Et tu comptais attendre combien de temps avant de me le dire ?

— Je ne savais pas comment te l'annoncer.

— Tu es sûre que c'est elle ? »

Nouveau silence. « Non, finit par répondre Janice. Je lui ai posé la question. Elle a nié, mais tous les indices la désignent. » Encore un silence. « C'est du liquide qui a disparu, ce qui est difficile à prouver ou à retrouver. Pour des raisons que, j'en suis convaincue, tu peux comprendre, je n'ai pas voulu prévenir la police.

— Quelle somme, au juste ?

— Un peu plus de deux mille dollars. La fille à laquelle elle donnait des cours… Son père est chef d'entreprise. Il gagne beaucoup d'argent et il en garde toujours un paquet sur lui, en liquide. Il y avait cinq mille dollars qui traînaient dans la cuisine. La moitié a disparu. Ils s'en sont rendu compte juste après une de nos séances...

— Et personne d'autre n'a pu faire le coup ? Le personnel de maison, des copains de la fille, la fille elle-même ?

— La femme de ménage travaille pour la famille depuis quinze ans. La fille n'a pas d'amis. Pour les dissuader d'appeler la police, j'ai dû leur dire que je discuterais avec elle. Heureusement que le père est plein aux as. Ce n'est pas une grande perte pour lui, mais moi je jette l'éponge. Fini les subterfuges. Je n'aurais jamais dû te laisser me convaincre. Cette affaire est plus compliquée qu'on ne le pensait, toi et moi. Aujourd'hui, je me dis qu'on a été irresponsables.

— Tu voyais une autre méthode ?

— Je n'en sais rien, Eldon. La seule chose que je peux te dire, c'est que ça ne marchera pas.

— Redis-moi... Qu'est-ce que t'a raconté Jaclyn, exactement ?

— Elle m'a expliqué qu'elle n'avait rien à voir avec cette histoire de vol.

— C'est peut-être vrai.

— Peut-être, oui, Eldon. Peut-être que Jaclyn n'a rien à voir avec ce vol, mais peut-être que Jackie, elle, a tout à voir avec. Il se peut que Jackie ne veuille pas que Jaclyn aille bien. Et il se pourrait même qu'il y en ait d'autres qui attendent quelque part, cachées dans les coulisses, des femmes que ni toi ni moi n'avons encore rencontrées, si tu as envie de tabler sur des personnalités multiples. Tu savais qu'elle se tailladait les veines ?

— Tu me l'apprends. »

L'idée l'écœura.

« Je suis allée la voir à propos de l'argent…

— Tu es allée chez elle ?

— En effet.

— Un peu risqué. Pour elle comme pour toi.

— Oui, et j'y reviendrai. J'ai pensé qu'il fallait que je le fasse. Je voulais voir sa tête. Elle était en train de repeindre un de ses meubles, en tee-shirt et en jean. Et c'est là que j'ai vu les cicatrices sur ses bras. Elle ne m'attendait pas. Certaines étaient toutes récentes. D'autres, plus anciennes. On passe à un autre niveau, cher ami.

— Qu'est-ce qu'elle a dit ?

— Qu'elle ne sait pas toujours ce qui lui arrive, qu'il y a des périodes dont elle ne garde aucun souvenir. Il est possible que tu aies touché du doigt quelque chose de sérieux avec ton test olfactif improvisé… Si ça peut te réconforter. Mais tu sais quoi ? Ce genre de cas, ce n'est pas mon fort. »

Elle laissa passer un silence. « Et ce n'est pas le tien, non plus. Bordel, Eldon, tu vois à peine des patients, et certainement pas en tant que psy.

— Et le reste ? Comment ça s'est passé ?

— Comme on peut s'y attendre de la part d'une patiente atteinte d'une forme de trouble dissociatif de l'identité, avec des périodes d'amnésie. Jaclyn était très en colère. Très en colère ou alors excellente comédienne. D'un autre côté, ça fait toujours partie du jeu avec ce genre de profil, n'est-ce pas ? Et c'est bien pour ça que des gens se spécialisent.

— Qu'est-ce que tu en penses ?

— Est-ce que le terme *borderline* te dit quelque chose ?

— Comme véritable diagnostic ou comme solution de facilité ?

— C'est injuste et tu le sais très bien. »

Ils ne dirent rien pendant un moment.

« Je pense qu'elle a besoin d'un autre psy et d'une autre forme de thérapie. Je crois qu'elle a besoin de voir quelqu'un qui soit spécialisé dans les cas difficiles et prêt à la prendre en charge. Pourquoi est-ce qu'on ne s'arrêterait pas là pour préserver notre amitié ?

— Et comment crois-tu qu'elle va faire ça ?

— Je ne crois rien du tout, Eldon. Je serais très contente de l'aider à trouver quelqu'un, mais il va falloir qu'elle en ait envie et qu'elle accepte d'aller voir la personne que je lui aurai présentée. On arrête de courir dans tous les sens.

— Retour à la case départ, donc.

— Il y a autre chose, dit Janice. Tu m'as demandé si c'était dangereux ou pas d'aller à son appartement et je t'ai dit que j'y reviendrais. Quand je suis repartie de chez elle, j'ai découvert que quelqu'un avait forcé ma voiture, volé un appareil photo et crevé mes deux pneus arrière.

— C'est troublant.

— C'est un euphémisme.

— Soit ça n'a rien à voir, soit l'autre fait surveiller leur appartement.

— Ce qui semblerait correspondre à son style.

— Tu saurais me dire ce qu'elle a fait après ton départ ?

— Pas la moindre idée. Je suis désolée, Eldon. Vraiment. On a essayé. Je pense qu'on ne peut pas faire plus. »

Chance ne répondant pas, elle poursuivit : « Je dis *on* exprès. Tu ne devrais pas fréquenter cette personne. Est-ce que je suis assez franche avec toi ? »

Chance répondit qu'il avait compris. Janice lui dit au revoir.

Lucy passa le voir avant de s'en aller. Elle avait trouvé quelque chose d'intéressant. Myra Cohen n'était pas morte de sa belle mort. Elle avait été violée, mutilée et assassinée par un cambrioleur qu'on n'avait jamais retrouvé.

« Bordel de Dieu, dit Chance.

— Est-ce que le mystère s'épaissit ? »

Chance la regarda sans rien dire.

« Pardon. » Lucy s'apprêta à partir, puis se retourna. « J'ai été gentille avec Jean-Baptiste aujourd'hui, dit-elle, apparemment pour lui remonter le moral. Je l'ai autorisé à apporter encore quelques-unes de ses horribles photos. »

CHANCE ET L'*HAPPY HOUR*

Avant d'être violée, mutilée et assassinée par un inconnu, Myra Cohen avait travaillé à deux pas de San Pablo Avenue, au nord-ouest de Berkeley, dans un petit immeuble qu'elle partageait avec deux autres médecins. Lorsque Chance se rendit à l'adresse en voiture, il ne trouva qu'un terrain vague. Après avoir interrogé le propriétaire d'une maison voisine, il apprit que l'immeuble avait été réduit en cendres presque deux ans plus tôt, jour pour jour. Il réussit à retrouver la trace d'un des médecins qui avaient travaillé à ses côtés. Il exerçait désormais dans un cabinet de South Berkeley, près de l'hôpital. Chance lui téléphona de sa voiture. Il demanda à parler au Dr Miller, de la part du Dr Chance. Pour finir, le Dr Miller n'avait pas grand-chose à raconter. Il connaissait très mal les patients de Myra, et le nom de Jaclyn Blackstone ne lui disait rien. Les circonstances de la mort du Dr Cohen étaient en effet terribles. Concernant les dossiers… Les anciens bureaux avaient été entièrement détruits. Quant à savoir si Myra avait pu conserver des archives ailleurs, le Dr Miller n'en avait aucune idée. D'après ce qu'il savait, Myra vivait seule et sa maison avait été vendue peu de temps après sa mort. Chance lui demanda s'il savait qui avait procédé à la vente, si elle avait de la famille quelque part. Miller répondit qu'il était désolé, mais il n'en savait pas plus. Chance le remercia et raccrocha.

Il aurait pu retourner en ville. Il avait de quoi faire, après tout. Pour commencer, et bien qu'il trouvât la perspective terrifiante, il avait promis à Carla qu'il aurait une discussion avec Nicole. Sa fille grandissait, et le monde allait l'emporter. Que diable avait-il à lui offrir, sinon des mots, alors que sa propre vie était en train de s'écrouler sous les yeux de sa fille ? Ensuite, il y avait son cabinet, Lucy Brown derrière son bureau, les tonnes de paperasse nécessaires à chaque expertise qui s'entassaient d'heure en heure, et lui déjà à la traîne. Il aurait dû s'en inquiéter, mais il était toujours garé devant le terrain vague, avec Chet Baker et son « Let's Get Lost » qui s'envolait par la vitre dans l'air poussiéreux de l'été.

Le jour était inondé d'une lumière vive, rendue encore plus dure par les collines noircies qui semblaient à présent dominer le paysage à l'est de la baie. Les maisons qui bordaient le terrain vague étaient d'un style que Chance en général appréciait, le style espagnol, bien entretenues, construites avant la guerre. Ce jour-là, pourtant, avec cette lumière désagréable, il trouva leurs murs chaulés pénibles à regarder. Il s'assoupit. Lui qui dormait mal la nuit, il se rendait compte qu'il pouvait, à n'importe quel autre moment de la journée, s'endormir à peu près partout, et à toute heure, en pleine journée, dans une rue bondée… l'effervescence des lieux lui offrant l'anonymat que lui interdisaient les quatre murs de son appartement obscur. Pour finir, il y avait la vérité dans toute sa crudité. S'il n'était pas dans la rue où elle habitait, il était en tout cas de son côté de la baie, près d'un

lieu qu'elle avait dû fréquenter régulièrement avant...
Mais avant quoi ? Telle était la question. Avant que
Raymond Blackstone en ait vent et fasse fermer le
cabinet du Dr Cohen, d'une manière qui ferait de
lui, assurément, une sorte de Prince des Ténèbres ?
Chance ne pouvait exclure cette possibilité, mais il
ne pouvait pas non plus s'y résoudre. Tout cela allait
quand même trop loin. Il se dit qu'il pouvait poser
la question à Jaclyn, mais autant demander à une
schizophrène victime d'hallucinations si quelqu'un la
suit. Faute d'une activité plus productive, il décida
de tenter sa chance dans ce qu'il savait être l'*happy
hour* chez Spenger's Fresh Fish Grotto.

L'établissement existait depuis le début du siècle,
un vrai restaurant de poissons à l'ancienne, avec son
bois sombre verni, ses objets de marine en cuivre
qui brillaient sous la lumière tamisée et aux murs
ses vieilles photos de navires, de quais débordant de
poissons étincelants, devant les hommes qui les avaient
pêchés et tués – des vrais hommes, nom de Dieu, des
hommes qui à coup sûr savaient ce que voulait dire la
pulsion fondamentale du sang humain, contrairement
à la foule qui fréquentait maintenant l'établissement
sous les yeux de Chance, assis au bar. En effet, ce
n'était plus la population estudiantine de ses premières
années à San Francisco, mais un triste ramassis de
touristes ivres habillés pour l'observation des baleines.
Tandis que les ombres s'allongeaient derrière la
porte ouverte, il enchaîna les Martini et décida, un
peu avant le coucher du soleil, d'aller dans la rue de
Jaclyn. Il trouva son quartier sombre et sans intérêt.
Prêt à considérer l'expérience vécue par Janice comme
la preuve que l'endroit était surveillé, prêt en vérité
à croire à peu près tout et n'importe quoi, il se gara

le plus loin possible tout en réussissant à garder un œil sur l'immeuble. Il était un peu ivre.

Si ses actes, conclut-il, frisaient la démence, ils n'étaient pas non plus totalement absurdes. Il espérait la voir quitter son immeuble, la suivre de loin, en tout cas d'assez loin pour être sûr d'être seul à la suivre et ensuite saisir la bonne occasion pour l'approcher. Il pensait qu'ils avaient besoin d'avoir une petite discussion, sur ce qu'il s'était passé chez l'élève, sur ce qu'il avait appris concernant Myra Cohen. Ils avaient besoin de parler, et en privé, et c'était un peu ce qui justifiait sa présence là, au volant de sa vieille voiture, au bout de la rue, dans le noir. C'était la partie qui s'expliquait sans difficulté, ou en tout cas mieux que l'autre, celle qui n'était pas loin du comportement obsessionnel-compulsif et ne se justifiait en rien.

Il s'aperçut qu'à une époque pas si ancienne il aurait pu miser sur le système, aller voir la police, raconter son histoire, du passage à tabac de Jaclyn jusqu'à la mort de Myra et tout le reste. Il était quand même un membre respecté de la communauté médicale. Il réussit même à croire, un bref instant, que c'était le cas. Mais ses espoirs disparurent avec le dernier rai de lumière au pied des collines ravagées. Le passé qu'il avait pensé dissimuler s'était frayé un chemin jusqu'à lui. Ajoutez à cela un divorce fielleux, ses démêlés avec le fisc, les problèmes de drogue de sa fille à l'école... Et même son mobilier français bidon et les garçons d'Allan's Antiques. Sa respectabilité était maintenant derrière lui – il ne fallait pas se mentir, et aucune de ses démarches actuelles n'allait la redorer. Fort de ce constat, un individu plus équilibré aurait peut-être choisi de rentrer chez lui. Chance, lui, resta sur place. Sa montre indiquait 20 heures.

Aux alentours de 20 h 30, il la vit quitter son appartement. Elle était dans sa voiture, une petite Honda grise, ordinaire au point d'en être presque invisible. Il la suivit jusqu'au campus, où elle se gara, descendit et marcha. Il se gara à son tour. Rien ne semblait indiquer qu'elle avait été suivie par quelqu'un d'autre. Après avoir attendu ce qui lui parut un délai raisonnable, il sortit de sa voiture et lui emboîta le pas.

Il tomba sur elle devant le bassin des carpes, dans une partie du campus connue sous le nom de Jardin oriental. Seule sur un petit pont, elle contemplait l'eau sombre. Elle portait un jean et un haut à manches longues. Il l'observa quelques instants, puis traversa le jardin, éclairé par quelques petites lanternes accrochées aux branches des arbres, et monta sur le pont. Elle se retourna et ouvrit de grands yeux. Il marcha jusqu'à elle et prit ses mains dans les siennes. Il aurait aimé les retourner pour voir les cicatrices. Au contraire, il s'excusa platement pour ce qui s'était passé avec Janice, s'excusa de se présenter à elle comme ça, à l'improviste. « Je veux que tu saches que je ne t'abandonne pas, dit-il.

— Tu ne peux pas venir ici, lui répondit-elle, sa surprise laissant place à quelque chose qui ressemblait plus à de l'affolement. Il a ma fille...

— Comment ça ?

— Elle est introuvable. Elle n'est pas allée à l'école, mais je sais que c'est lui. Il la garde quelque part. Ou *eux*.

— *Eux* ?

— La pègre. La mafia roumaine. Appelle ça comme tu voudras. Je t'avais dit qu'il était véreux, qu'il avait des amis, qu'il pouvait déléguer... S'il découvre que tu es toujours dans les parages...

— Tu es venue chez moi. »

Elle ne releva pas. « Tu as entendu ce que je viens de te dire ? »

Il lui serra les mains. « Je veux que tu fasses une chose pour moi. Je veux une lettre de ta part qui me permette d'accéder aux archives de Myra Cohen. »

Le nom ne lui était pas inconnu. « Elle est morte.

— Je sais.

— C'était horrible…

— Je veux tenter quelque chose.

— Tu as déjà tenté quelque chose.

— Cette fois, c'est différent. Je ne connais aucun psy qui ne conserve pas ses archives. Je veux savoir qui a vendu sa maison. Sans doute quelqu'un de sa famille. Il y a peut-être un moyen… »

Elle mit fin à la discussion en s'avançant vers lui. Elle posa sa joue sur son torse, ses cheveux frôlèrent ses lèvres, son parfum envahit son visage. « Tu es si gentil », dit-elle. Lorsqu'elle se détacha de lui, elle avait les larmes aux yeux. « Mais tu ne peux rien faire. Je suis à lui. Je sais que tu as envie de m'aider. Tu n'es pas assez fort. Personne n'est assez fort.

— Tu mérites mieux que ça.

— C'est ce que tu as envie de croire.

— Il faut bien commencer par avoir envie. On peut trouver un moyen. Il y a toujours un moyen.

— J'ose espérer que tu n'es pas aussi naïf. »

Il y avait surtout de la tristesse sur son visage, ça et quelque chose comme de la pitié, qui fendait le cœur.

« Parle-moi de Myra Cohen.

— Tu sais déjà tout.

— Je ne sais pas de quoi vous discutiez. Je ne sais pas s'il savait. Je ne sais pas pourquoi elle est morte. Je ne sais pas si c'est un hasard ou non. Je te demande de me dire ce que toi, tu en penses. »

Jaclyn gardait la même expression. « Quelle importance ? Tu ne peux pas réparer les dégâts et tu ne peux pas me réparer. Je suis trop abîmée.

— Il n'y a pas de victimes, Jaclyn. Il n'y a que des volontaires. »

La phrase qui l'avait tant fait enrager semblait soudain tomber à point nommé. Jaclyn lui rit au nez avant de se ressaisir. « Ce n'est pas ça qui te fera changer d'avis. » Elle lâcha ses mains et recula.

Il voulut répondre, mais elle s'éloignait déjà. Lorsqu'il fit un pas vers elle, elle sembla l'entendre et se mit à courir. Une partie de lui voulait la rattraper – quant à savoir pourquoi, c'était une autre question. Il repartit dans la direction d'où il était venu et croisa un jeune homme qui pouvait être un étudiant. Il en avait l'âge. Pourtant, il y avait quelque chose… La silhouette athlétique et souple, les vieilles fringues branchées… Chance eut la certitude, soudaine et jalouse, qu'en tombant sur elle comme il venait de le faire il avait empêché un rendez-vous galant et clandestin. Il en était tellement persuadé qu'il fit demi-tour et commença à courir après Jaclyn. Peu importe si elle lisait clair dans son jeu. Comme mû par une force mystérieuse, il courut tête baissée jusqu'au bassin des carpes et constata qu'elle n'était plus là. Aucune trace de l'homme non plus.

La nuit s'étant achevée ainsi, il se retrouva chez Allan's Antiques le lendemain, en fin d'après-midi. Presque deux jours s'étaient écoulés depuis qu'il avait engagé D. Au vu de la désastreuse expédition à East Bay, on aurait pu croire Chance découragé. Mais comme disait l'autre, il y a un temps pour tout sous le ciel. Il envisagea la possibilité d'être victime d'hypomanie, exacerbée à n'en pas douter par le manque de sommeil, mais pourquoi s'attarder là-dessus ? Il envisagea également celle de prendre une demi-douzaine de somnifères. D'un autre côté, il avait très envie de voir si D avançait dans ses recherches. Il n'aurait pas été surpris de le trouver attelé à la tâche, quelque part dans les rues de la ville. Il le trouva dans l'allée, en train de s'activer sur la Starlight Coupé.

« Oui… fit D, donnant au mot le temps de souffler après que Chance eut évoqué le sujet. Il fallait que je termine deux ou trois trucs ici.

— Ça fait deux jours. »

D acquiesça. « Tu me passerais cette clé à douilles ? » Il lui montra une boîte à outils qui se trouvait à ses pieds.

Chance lui tendit la clé. « Je crois que je ne comprends pas. Je pensais que tu étais partant. »

D examina une bougie d'allumage, puis la fixa dans le moteur et la serra avec la clé. « On commence tout de suite si ça te branche ?

— Je ne suis pas sûr de comprendre, insista Chance. Je croyais qu'on *avait* commencé. »

D le regarda sans rien dire.

« Je t'ai donné l'argent.

— Oh oui… Pas de souci là-dessus… C'est juste que je n'ai pas de bagnole pour le moment, et le vieux a la grippe. »

Chance mit quelques secondes à assimiler les nombreuses implications de ce qu'il venait d'entendre. « Tu es en train de me dire que tu ne conduis pas ?

— Je n'ai pas dit ça. Je conduisais tout le temps, avant.

Simplement, ça s'est mal passé. »

DANS CES RUES SORDIDES
S'AVANCERA UN HOMME...

C'est pour cette raison que les journées de Chance
suivirent un cours nouveau et jusqu'ici inimaginable. Il s'avéra que D n'avait non seulement pas
de bagnole, mais pas de permis de conduire, puisqu'il
ne l'avait pas renouvelé depuis son retour de l'armée.
Il avait fait des bêtises au volant, mais pas seulement.
Les choses commencèrent comme ça. Chance travaillait jusqu'à la fin de l'après-midi puis se rendait dans
le quartier de Mission et passait prendre Big D. De là,
ils se lançaient à la poursuite de Raymond Blackstone.

À plusieurs reprises, ils prirent l'Oldsmobile. Une
fois, la Studebaker. D'autres fois, ils louaient une
voiture pour ne pas se faire repérer. Sur cette question,
et apparemment sur toutes les autres, Chance s'en
remettait entièrement à Big D. Ensuite, généralement
après un dîner ingurgité dans un des restaurants lourds
et bon marché qu'affectionnait D, ils regagnaient le
vieux magasin pour évoquer les découvertes de la
journée, ou leur absence de découvertes.

Ces discussions pouvaient se prolonger tard dans
la nuit. Souvent, Big D faisait de longues digres-
sions sur un nombre indéterminé de sujets, de l'esprit
du guerrier jusqu'aux origines des ferronneries qui

avaient été appliquées aux meubles de Chance, en passant par la composition chimique de tel bain acide ou les moyens grâce auxquels les traces laissées jadis par l'éponge naturelle pouvaient être imitées. Ces tirades accouchaient parfois à leur tour d'un laïus de vingt minutes sur la meilleure façon de préparer des sandwichs grillés au fromage.

Carl, une fois rétabli, était souvent là, plongé dans ses registres ou procédant à des calculs. Il les entendait arriver et débarquait au bout de quelques minutes. Chance ne mit pas longtemps à comprendre que les deux hommes n'avaient aucun secret l'un pour l'autre, même si c'était plutôt le vieil antiquaire qui, après les avoir rejoints un moment, partait le premier. « Il peut continuer comme ça toute la nuit, dit-il une fois, parlant de Big D. Il ne dort jamais. » Et c'était vrai, d'après ce que constatait Chance. Il ne fut jamais question de ses meubles, ni du message qu'il avait laissé sur le répondeur de Carl, ni de la réponse de ce dernier. D'ailleurs, il ne fut jamais question du fait que Chance avait remplacé Carl dans une de ses missions, celle d'être le chauffeur de Big D, mais cela ne posait visiblement aucun problème. C'était le repaire de Big D, et Chance faisait partie de la bande.

Au cours de cette période, il ne parla à sa fille qu'une seule fois. Il la trouva contrite, mais pour le moins désagréable. Malgré tout... d'après Carla, il n'y avait pas eu de nouveaux incidents. Elle allait à l'école. Si elle fréquentait toujours son petit ami, en tout cas elle dormait à la maison. Chance lui avait demandé de n'être jamais seule, mais il aurait tout aussi bien pu pisser dans un violon. À la lumière des événements récents, et futurs, l'héberger chez lui était inconcevable, même si, dans le cadre de leurs incursions de l'autre côté de la baie, Chance s'était mis à explorer des quartiers situés du bon côté de la carte scolaire. Il s'arrêtait parfois pour noter le numéro de téléphone d'une maison à louer, puis écoutait les critiques de Big D, très calé sur l'évaluation des risques en matière de cambriolages et de vulnérabilité en cas de loi martiale. De même, la possibilité d'une apocalypse zombie ne devait pas être prise à la légère. Le colosse accordait une attention toute particulière à la hauteur des fenêtres, à la disposition des portes et aux angles de vue. Les clôtures étaient importantes, ainsi que la proximité des câbles électriques et des arbres.

L'absurdité de tout cela, l'incongruité absolue de la situation ne lui échappaient pas. D lui faisait une ristourne parce que Chance acceptait d'être son chauffeur. « On ne sait jamais de quoi on est capable tant qu'on n'a pas découvert de quoi on est capable », aimait-il à dire. Et c'était vrai. En réalité… il trouvait une forme de satisfaction dans son travail, non pas à son cabinet mais ici, au volant de la vieille Oldsmobile, avec Charlie Parker à la radio et Big D sur le siège passager. Il avait l'impression de faire quelque chose. Certes, *ce* qu'il faisait était un peu confus, un peu dingue, voire possiblement dangereux. D'un autre côté, il échappait à l'ennui de sa propre compagnie, échappait aussi à de nouvelles expéditions calamiteuses en solo. À cet égard, le colosse, avec ses histoires d'émetteurs, de récepteurs et de lacs gelés, était une sorte de substitut aux tranquillisants qu'il avait jusqu'à présent déclinés.

Certes, il ne dormait plus que trois heures par nuit. Mais cela présentait tout de même quelques avantages. Son acuité lui semblait renforcée. Il était plus affûté, plus à l'écoute des patients qui continuaient d'aller et venir. Les matinées passaient vite, en attendant l'après-midi. Les après-midi passaient dans un brouillard aux tons sépia, et les ombres s'étiraient jusqu'à devenir la nuit. Il ne se rappelait plus si ça avait été la même chose la première fois, l'ascension jusqu'à la démence totale, digne d'un diagnostic de bipolaire 1 se terminant dans les flammes et le sang, avec surveillance de suicidaire pendant près d'un mois. En même temps, il n'y prêtait plus beaucoup d'attention. Il n'y avait pas de temps à perdre, et ces épisodes d'angoisse existentielle, au cours desquels il était saisi par sa propre incapacité à s'expliquer ce qu'il faisait, devenaient de plus en plus rares, de plus en plus espacés. Le frisson de la traque s'était emparé de lui – la pulsion fondamentale du sang humain.

Au troisième jour de la deuxième semaine, ils eurent un coup de chance. Du moins D parla d'un coup de chance. Comment Chance aurait-il osé dire le contraire ? Son cher William James disait vrai : tout était question de foi ou de peur. Ce jour-là, l'inspecteur Blackstone ne regagna pas directement l'appartement où il vivait. Il ne s'arrêta pas non plus au bar de flics qu'il fréquentait de temps en temps, non loin du bord de mer, dont le parking était proche de la rue, et toujours bondé. Au lieu de ça, il rejoignit la banlieue d'Oakland, en direction de l'aéroport, un paysage d'immeubles bas, de zones commerciales et de stations-essence, où la plupart des panneaux étaient rédigés en coréen. Il finit par arriver à une série de petites boutiques particulièrement sordides, dont une affublée du nom pour le moins incongru de « Massages européens », en anglais et en coréen, sur une vitrine noire. Il longea l'ensemble avant de tourner dans une allée située à l'arrière des bâtiments.

Estimant peu judicieux de le suivre, Chance préféra se garer non loin de là et laissa D partir à pied. Moins de dix minutes plus tard, ce dernier revint avec de bonnes nouvelles. « Cet enfoiré s'est garé derrière le salon de massage et il est entré. » Il regarda en direction de l'immeuble. « Il doit s'en passer de belles, là-dedans, reprit-il. Il y a un petit parking à l'arrière, six ou sept bagnoles, toutes de luxe. Impossible à soupçonner d'ici.

— Ça fait peut-être partie du charme de la chose.

— Peut-être.

— Donc soit Blackstone travaille sur une affaire, soit il s'envoie en l'air.

— Oui. J'ai vu une femme qui le laissait entrer. Il connaît l'endroit. J'en suis sûr. On va voir combien de temps il y reste. Si c'est plus d'une heure, je dirais que c'est un client. Ce qui signifie qu'à un moment ou à un autre il y retournera. Et là, on attaque. Putain, ce parking est parfait. »

L'inspecteur fut absent pendant une heure et vingt-deux minutes. « Il doit avoir la queue qui sent mauvais », commenta D. Chance se tourna vers lui pour voir s'il souriait – pas le moins du monde. Les joues du colosse étaient de nouveau rouges. Il scrutait l'allée tel un rapace à l'affût d'un mulot, sans compter qu'il faisait craquer ses doigts, une main, puis l'autre, tout en ayant l'air de ne pas s'en rendre compte.

Le lendemain, Blackstone était de retour, même heure, même endroit. « À l'attaque, dit Big D. J'y vais. »

Chance le laissa descendre à une rue du bar, équipé d'un tournevis, d'une perceuse électrique portative et d'une clé USB vide, le tout rangé dans un sac à dos en Nylon, puis roula jusqu'à un grand parc, à moins de trois kilomètres de là, et attendit. Environ une heure plus tard, D reparut. Chance le vit à travers les arbres, à l'autre extrémité du parc, à une centaine de mètres de lui, avec en son centre une belle fontaine et un bassin. Il était bientôt l'heure de dîner. Dans les rues, les voitures commençaient à allumer leurs phares. En regardant à l'est, vers les collines d'Oakland, on pouvait distinguer la ligne des incendies grâce à la frontière entre les maisons éclairées et les maisons éteintes. Plus proches de Chance, la fontaine et le bassin étaient particulièrement bien éclairés ; les jets d'eau s'élevaient en un feu d'artifice de lumière blanche, puis retombaient comme des étincelles sous un ciel de plus en plus noir.

Cette partie du plan avait fait l'objet de discussions. Assis dans le QG de D, à l'arrière du magasin, Chance avait préconisé un point de rendez-vous plus proche. « Non, ça vaut mieux comme ça, avait rétorqué Big D. S'il y a le moindre problème, je veux avoir du temps pour m'éloigner de la scène avant qu'on se retrouve, toi et moi.

— Il me semble préférable d'être plus proche de toi s'il y a le moindre pépin. »

La perspective d'un pépin lui paraissait tellement, inconcevablement, dingue, qu'il avait même du mal à l'énoncer. Le vieux Carl avait voulu dissiper ses craintes. « Vous auriez du mal à y croire, lui dit-il en regardant D comme aurait pu le faire un père fier de son fils. Mais il sait se rendre invisible.

— Ça fait partie de mon entraînement, précisa l'intéressé. Quand j'étais dans les commandos… on faisait des entraînements… Un type se fait déposer quelque part dans une ville, en général à San Diego… C'est là que j'ai suivi ma formation de base, mais ça pourrait être n'importe où. Enfin... tout ça pour dire... le reste de l'équipe a pour mission de retrouver ce type, et ce que *lui* doit faire... c'est rejoindre un lieu convenu d'avance sans se faire repérer. Tu apprends à te déplacer, à te servir des ombres, des angles, des lignes de fuite, et dans n'importe quel lieu... Les repérages, on appelait ça...

— Jamais vous ne vous diriez qu'un type de sa taille puisse y arriver, mais je l'ai vu faire.

— Parfois, j'emmène Carl pour lui montrer des trucs.

— Il me fait travailler sur mon parcours de neuf. »

Le vieil homme sortit de sa poche un couteau à lame fixe et l'agita en l'air, comme s'il le plantait dans trois cibles différentes. « Pour l'instant, je n'en ai que trois. Trois sur neuf. » Il frappa les cibles invisibles une deuxième fois. « Rapide, hein ? »

Chance ne comprenait pas ce que lui racontait le vieil homme, mais il fit part de son admiration, lui demandant seulement s'il transportait l'objet dans sa poche comme ça, sans rien pour couvrir la lame.

Carl sortit alors un étui en cuir et autorisa Chance à le regarder de plus près. « Vous voyez ces petits fils de fer ? » Il y avait en effet quatre fils de fer très fins, enroulés pour former de petites griffes, qui sortaient de quatre emplacements différents sur l'étui. « C'est D qui les a fixés là. Ils s'accrochent à la doublure de la poche et maintiennent l'étui en place pour que je puisse dégainer le couteau. » Il se sentit obligé de réitérer, une fois de plus, sa démonstration.

Chance l'avait encouragé à continuer.

« Vous pouvez compter sur moi », lui avait répondu Carl.

Et ce fut à peu près tout. Le lieu de rendez-vous avait été maintenu au parc où à présent Chance attendait. Il caressait toujours l'espoir que toutes les simulations de repérages effectuées par Big D pendant sa formation se révéleraient définitivement superflues.

Il regarda D entrer dans des toilettes publiques, où il resta un moment avant de reprendre sa marche vers la voiture. Le parc était relativement animé à cette heure. Des joggeurs faisaient leurs tours, quelques adolescents s'étaient rassemblés autour de la fontaine, écouteurs fichés dans les oreilles, et prenaient des photos avec leurs portables. Ici et là, des mères poussaient des landaus en tandem, suivies par des bambins. Nombre d'entre elles se retournèrent au passage de D. En temps normal – c'est-à-dire quand il n'était pas en train de faire des repérages –, avec sa grande carcasse et son crâne rasé tout blanc sous les arbres, il ne passait pas inaperçu. Derrière lui, enfants et pigeons s'égaillaient.

Chance se demanda ce que les gens pouvaient bien penser de ce type. Le prenaient-ils pour un clochard ? Savaient-ils qu'il ne dormait jamais ? Pouvaient-ils imaginer une seule seconde qu'il s'était battu pour son pays dans les coins les plus terribles et les plus dangereux de la planète, qu'il avait vu et vécu des choses comme peu d'autres ? Deux petites filles noires semblaient enchantées de le voir. Pendant un bon moment, elles sautillèrent en rigolant derrière lui, le long de la pelouse desséchée, pareilles à deux poissons-pilotes autour d'une baleine. D ne leur prêtait aucune attention. Les feuilles mortes dansaient autour des ourlets de son pantalon de treillis. Son blouson ouvert flottait de chaque côté de sa large taille, accentuant sa silhouette massive.

Une fois que D eut rejoint la voiture et se fut hissé à l'intérieur, Chance constata que son tee-shirt et son pantalon étaient trempés. Son visage, encore plus rouge qu'à l'accoutumée, était mouillé, ruisselant. Sous le peu de lumière qu'il restait, on aurait cru qu'il avait pleuré. « Comment ça s'est passé ? » demanda Chance. La question absurde sembla jaillir de sa gorge toute seule, empreinte d'une fausse gaieté.

« Ce serait peut-être une bonne idée que tu nous fasses décoller d'ici », répondit D.

Ses épaules étaient si larges que les deux hommes, assis à l'avant de l'Oldsmobile, se touchaient presque. Chance eut l'impression d'être en mer, sur un frêle esquif, à côté d'un énorme paquebot : si ce dernier sombrait, il l'emportait par le fond avec lui. Peut-être est-ce pour cette raison qu'il baissa sa vitre, comme un désir inconscient de s'échapper. « Nom de Dieu. » Il n'avait pas encore démarré.

Les yeux de D se posèrent sur le contact. Chance actionna la clé. Le moteur s'alluma. « Qu'est-ce qui s'est passé ?

— C'est *toute* une histoire. Mais je t'ai pris ça, au cas où ça t'intéresserait encore. »

De son sac à dos, il sortit la clé USB et la brandit sous le nez de Chance.

Il hésita à la prendre. « Pourquoi est-ce que ça ne m'intéresserait plus ? » Il ne comprenait toujours pas bien comment, au juste, l'objet avait été récupéré, et ça l'effrayait. Apparemment, D voulait déguerpir avant d'en dire plus.

Chance passa la première, regarda dans les deux rétroviseurs, comme n'importe quel autre habitant du monde réel, et s'inséra dans la circulation.

« La mission a été compromise », dit D.

Chance pensa qu'il était peut-être malade. Un silence. « Mais tu as ses dossiers », dit-il. Deuxième silence. Il eut une autre idée. « Ah, c'est pour ça que tu m'as demandé si je les voulais encore ? Ils ne contiennent rien ? Tu n'as pas eu le temps de les transférer ? » Éventualité relativement heureuse, pensa-t-il, en comparaison de toutes les autres éventualités susceptibles de compromettre une mission.

« Je n'ai pas dit que la mission avait été annulée, insista D. J'ai dit qu'elle avait été compromise. Il y a eu des dégâts collatéraux. Mais tout est sous contrôle. »

Chance inspira aussi profondément que possible. La route qu'ils avaient empruntée faisait le tour du parc avant de croiser la rue qui les emmènerait vers l'autoroute. Mais il manqua l'intersection et repassa devant l'endroit où il avait attendu Big D. « Qu'est-ce que tu veux me dire, au juste ?

— Tu tournes en rond, putain. »

Chance jugea nécessaire de s'arrêter. Ils étaient à présent du côté opposé du parc, mais toujours sur la route de ceinture. « Qu'est-ce que tu racontes, D ?

— Qu'est-ce que tu ne comprends pas dans les mots "dégâts collatéraux" et "sous contrôle" ?

— Tout. Ni de près ni de loin. Je n'y comprends rien parce que tu ne m'as rien expliqué. »

D le regarda sans rien dire.

Si Chance n'avait pas su ce dont son camarade était capable, il aurait pu envisager de lui mettre son poing en pleine face. Cette option étant exclue, il fit de son mieux. « Je veux que tu me l'expliques avec des mots simples, D. Je suis directement concerné. J'ai besoin de savoir ce qui s'est passé.

— En fait, non.

— En fait, si.

— Plus tu en sais, plus tu es dans la merde.

— J'ai envie de te répondre que je suis déjà bien dedans.

— Va sur l'autoroute, tu veux ?

— Tu es en train de me dire que tu as tué ce type.

— Si par "ce type", tu entends Blackstone, alors non, je ne l'ai pas tué. Du moins pas que je sache. Je lui en ai collé une dans le torse, mais je ne pense pas que ça l'ait tué. Ce serait bien si tu traversais le pont. Je ne dis pas qu'il y aura un barrage, mais on ne sait jamais… Un des leurs s'est fait ramasser. »

Cette fois, Chance oublia de regarder ses rétroviseurs. La perspective d'un barrage devant le pont l'avait affolé. Il fit une queue-de-poisson à la Prius grise d'une minuscule dame aux cheveux gris, à peine assez grande pour voir au-dessus du volant.

Dieu seul sait combien de temps la suite des événements leur fit perdre. Chance et la vieille dame, ancienne professeure d'anglais dans un lycée d'Oakland à l'époque du cinéma muet, échangèrent paroles aimables et attestations d'assurance. L'Oldsmobile s'en tirait sans trop de dégâts. La Prius, en revanche, avait besoin d'un nouveau pare-chocs et d'une nouvelle aile. « Pas d'inquiétude pour ma voiture », lui dit Chance. Tout était sa faute. Ces foutus angles morts, mais rien de grave. Et pas besoin d'en parler aux flics ou aux assurances, avec leurs malus et tout le reste…

« Les modèles récents sont équipés de petites caméras », dit la dame. Elle regardait avec un dédain manifeste la Cutlass de Chance.

« Emmenez votre voiture où vous voulez, répondit-il. Demandez à celui qui fera les réparations de se mettre en contact avec moi et je m'en occupe.

— Il y avait des angles morts.

— Oui, je comprends. C'est parfaitement exact. Mais franchement… Tout se passera bien. Et vous avez mes numéros de téléphone. Vous pouvez me joindre sur n'importe lequel, à n'importe quel moment. »

Elle jeta un nouveau coup d'œil à la scandaleuse Oldsmobile. « Vous ne croyez vraiment pas qu'on devrait prévenir la police ? »

Chance supputa qu'elle devait avoir bien plus de quatre-vingts ans, qu'elle souffrait apparemment d'un début de Parkinson et qu'elle ne roulerait sans doute plus très longtemps. Signaler un accident n'était probablement ni dans son intérêt ni dans le sien. Il s'était retenu de le lui dire, craignant de lui briser le moral, mais il espérait tout de même que le message était clair, qu'elle comprenait ce qu'il voulait dire. « Eh bien, fit-il. Vous connaissez les policiers et vous connaissez les assureurs. » Il arbora alors son plus beau sourire, ce qui, au vu des circonstances, n'était pas un mince exploit.

En fin de compte, elle accepta. Peut-être avait-elle compris le message. Peut-être était-ce dû à la carte de visite de Chance ou au fait que, d'après ce qu'elle en disait, il avait une tête honnête. Au moment de finir d'écrire ses coordonnées, il entendit le bruit d'une sirène et vit que sa main tremblait. « C'est bon, c'est bon… » le rassura la vieille dame. Elle alla même jusqu'à lui donner une tape gentille sur le bras. Elle s'appelait Delores Flowers et habitait Alameda. « Heureusement, personne n'a été blessé. »

Chance regagna sa voiture. D, dont le crâne rasé reposait sur l'appuie-tête, regardait fixement la garniture de toit de la voiture, légèrement déchirée près du pare-brise. « Bien joué, Doc. »

Certes, le Bay Bridge aurait été la route la plus directe jusqu'à Allan's Antiques. Mais ils choisirent un trajet de retour plus tortueux. Pour être plus précis,

D choisit un trajet de retour plus tortueux. Le nombre de kilomètres était le cadet des soucis de Chance lorsque enfin le Richmond-San Rafael Bridge se profila devant eux. Par bonheur, il avait l'air ouvert. Chance disposait d'un badge sur son pare-brise, ce qui signifiait qu'ils ne seraient pas obligés de s'arrêter au péage. Mais D allongea le bras et arracha le petit appareil. « Avec ce truc, il y aura une trace de ton passage ici.

— C'est peut-être déjà le cas, vu ce qui vient de se passer et la façon dont elle a réagi.

— Je croyais qu'elle était zen.

— Sur le moment, oui. Mais demain ? »

Ils arrivèrent devant la cabine de péage. Chance tendit un billet de cinq dollars à une femme obèse affublée d'une casquette de machiniste et redémarra.

« Je vois bien que cette petite vieille t'inquiète, dit Big D. On va faire demi-tour et régler ça tout de suite. Tu as son adresse, j'imagine. »

Chance n'eut pas le courage de lui demander s'il plaisantait. Le pont se dressait devant eux. San Francisco apparut sur leur gauche. Chance s'accrochait au volant. Bientôt, ils apercevraient la prison fédérale de San Quentin. Lui vint alors à l'esprit qu'un type comme D pourrait très bien s'y retrouver et, avec un peu de temps, en devenir le taulier. Il évalua sa propre espérance de vie dans un tel établissement à environ six minutes et demie. Il essaya de chasser ces idées noires en se concentrant sur le ruban de béton qui se présentait devant eux, se déroulant jusque dans la nuit.

LE LOUP ET LE CHIEN

Une lune rousse déchira les nuages pour éclairer la baie. Au-dessous d'elle, rendue vaporeuse par la nuit mouillée, San Francisco semblait flotter, en suspens sur les eaux noires, apparemment détachée de la terre et donc des contraintes quotidiennes.

La ville ne manquait jamais de décevoir. Il en était ainsi depuis le jour où Chance avait posé le regard sur elle pour la première fois, vingt ans plus tôt, fraîchement débarqué de la côte Est, espérant laisser son passé derrière lui… La danseuse rousse, la mort de son père, le désastre que sa vie menaçait de devenir. Il était arrivé là comme tant d'autres avant lui, pour échapper au passé, et il s'était longtemps dit qu'il y était parvenu. Il aurait dû se méfier. Il repensait au commentaire d'un de ses professeurs sur un devoir important qu'il avait écrit en classe. C'était vers la fin ; la fille lui avait déjà mis le grappin dessus, la spirale descendante avait commencé. « C'est plus difficile que ça », avait noté le bonhomme.

« Bon alors ? » dit Chance. Ils roulaient en silence depuis dix bonnes minutes.

D passa un bras derrière son siège et se tortilla, apparemment à son aise. « Un connard est sorti de la boutique, finit-il par expliquer.

— Du salon de massage ?

— Non, vieux, du Mongolian Grill. Un nabot avec des plats à emporter. »

Un silence passa. Ils avaient entamé la descente. Chance, s'aperçut qu'il s'était mis à accélérer et se força à lever le pied. Les flics surveillaient le pont. Les amendes pour excès de vitesse s'en donnaient à cœur joie.

« Mais oui, reprit D. Du salon de massage. Un crétin qui travaillait là-bas, à mon avis. Il était tout équipé. »

Chance fut bien obligé de lui demander ce qu'il entendait par « tout équipé ».

« Une bombe lacrymo, un Taser. Il avait peut-être un flingue sur lui, mais je n'ai rien vu. Cet enfoiré m'a chopé au moment où je ressortais de la Crown Vic de Blackstone. C'était peut-être un flic aussi, mais je pense plutôt à un vigile, avec une gueule des pays de l'Est. Les Russes sont à fond dans les salons de massage. Les Roumains, aussi. C'est la traite des Blanches. Ils expédient les femmes. Un sale truc. En tout cas, ce type connaissait la voiture et il savait que ce n'était pas la mienne ; il est venu directement vers moi. Mais comment est-ce qu'il savait ? Soit il travaille avec Blackstone, soit il bosse pour le salon. Ce qui *m'inquiète*, c'est comment est-ce qu'il a eu *l'idée* de sortir ? C'était peut-être un pur hasard, par exemple pour aller fumer une clope ou faire sa ronde, parce que c'est son boulot. *Ou alors…* » D observa un silence. « Ils disposent d'un système de surveillance. Si c'est le cas, putain, ça doit être un truc chiadé, parce que j'ai fait le tour et je n'ai rien vu. Mais il ne faut pas exclure cette possibilité. » Il regarda à l'ouest, vers l'océan lointain. « Ce serait une mauvaise nouvelle, reprit-il. Ce serait extrêmement merdique. »

Chance attendit d'avoir parcouru presque un kilomètre pour demander en quoi, au juste, la situation serait extrêmement merdique. Le colosse leva la main. Il portait à son pouce une grosse bague que Chance n'avait pas vue quand D était sorti de la voiture à l'entrée de l'allée. Dans la lumière sourde, l'anneau ne brillait pas. Il avait l'air d'être en argent mat, assez large, au point qu'il paraissait gros même sur la main de D – et les paluches de D étaient grosses comme des pelles.

D retourna sa main. Chance regarda de plus près. Il s'avérait que la bague faisait partie d'une lame, d'apparence exotique, plaquée contre la paume de D. Un second mouvement déplaça la lame, de sorte qu'elle dépassait d'environ dix centimètres du poing fermé et s'incurvait comme le croc d'un animal prédateur. « Ça s'appelle un karambit, expliqua D. Tu peux t'en servir de plein de manières différentes… Pour accrocher, poignarder, découper… Parfait pour maîtriser un adversaire. » Il fit quelques gestes en l'air. « Tu peux perforer une articulation, séparer deux vertèbres… C'est une arme très efficace et facile à dissimuler. Presque impossible de désarmer un mec qui sait bien s'en servir. Si tu veux… je t'apprendrai, un jour.

— C'est gentil, répondit Chance. Je suis sûr que je serai au niveau.

— C'est triste de réagir comme ça, Doc. »

Chance préféra ne pas répondre.

« Il y a trois catégories de gens.

— C'est reparti.

— Les moutons, les loups et les chiens de berger. Les moutons ont peur des loups, mais ils n'aiment pas beaucoup les chiens non plus. Si tu te places du point de vue du mouton, le chien ressemble beaucoup au loup. Il a des crocs, comme le loup. Il grogne, comme le loup. Il a l'odeur du loup. La seule fois où les moutons apprécient le chien de berger, c'est quand le loup arrive. *Là*, ils l'adorent. Le reste du temps… Ils n'ont aucune envie de penser à lui, et encore moins de le voir. Tu comprends ce que je veux dire ?

— C'est un peu comme la dichotomie entre le guerrier et l'esclave.

— Pas un peu. Entièrement. Tu apprends à te servir de la lame ou tu attends le chien, en espérant que le loup n'arrivera pas en premier. »

Chance y vit l'occasion d'avoir une discussion plus large sur le libre arbitre, mais il préféra ne pas aller sur ce terrain-là.

« Cet enfoiré m'a aspergé de lacrymo, finit par reprendre D.

— Ce qui explique pourquoi tu as les yeux si rouges. Je me suis dit que tu avais peut-être pleuré.

— Absolument. C'est vraiment ce que tu t'es dit ?

— C'était une tentative d'humour noir.

— C'est bien, Doc. Tu m'as eu.

— Donc il t'a aspergé de gaz lacrymo et ensuite ?

— Et ensuite, rien. Ensuite, ses problèmes ont commencé. Bordel… J'étais dans les commandos. On s'aspergeait les uns les autres de gaz lacrymo pour rigoler. Ce truc, c'est pour les filles. Elles promènent ça dans leur sac à main pour se sentir protégées quand elles vont à un premier rancard ou je ne sais pas quoi. Après ça, le mec a sorti un Taser. S'il avait dégainé un flingue et s'était mis à tirer, il aurait pu avoir une petite chance. Mais il n'avait que sa lacrymo et son Taser. »

D réfléchit un instant. « Peut-être qu'il voulait juste me paralyser… Pour pouvoir me défoncer la gueule et se sentir fort. Il était mastoc. » Il s'interrompit encore et secoua la tête. « Le problème avec le Taser, c'est qu'il en faut deux pour être efficace. Et même avec ça, on peut s'en sortir, si on sait comment faire. Ces types n'ont aucune formation. C'est lamentable, quand on y pense. Ce soir… je me suis servi de ça pour abréger la discussion. » Il lui montra de nouveau la lame avant de la faire disparaître dans son poing fermé. « Je me suis approché suffisamment pour l'accrocher par les orbites et lui casser la nuque.

— Oh, bordel », fit Chance. Il lui fallut un moment pour recouvrer un semblant de ce qui aurait pu passer pour du sang-froid. « Et tu parlais de *maîtriser* ton adversaire ? »

D ne l'écouta pas. « C'est là que les choses sont *vraiment* devenues intéressantes. Ce connard de Blackstone a débarqué. L'autre avait dû le biper ou un truc dans le genre. Je le vois débouler au coin de l'immeuble, comme s'il était sorti par l'avant et avait fait le tour…

— Mon Dieu ! Il t'a vu ?

— Franchement, je n'en sais rien. Il a dû voir quelque chose. Il faisait suffisamment sombre pour que l'éclairage fonctionne, aux deux coins de l'immeuble. Je le voyais assez bien, mais là où j'étais il n'y avait pas beaucoup de lumière. Il tenait quelque chose dans la main. Un portable, peut-être. Ou un flingue. J'avais la vue un peu bousillée par la lacrymo. La seule chose dont j'étais sûr, c'était que je ne voulais pas qu'il se rapproche de l'endroit où je devais aller, c'est-à-dire au bout de l'allée. C'est là que je lui ai collé la fameuse balle dans le torse et que je suis parti.

— Tu lui as tiré dessus ?

— Ça faisait déjà trente secondes que j'étais dans une situation compromise, Doc. Le dernier truc dont j'avais besoin, c'était qu'il y ait du bruit. Tu as vu mes lames. J'aurais pu tenter un coup mortel, mais encore une fois...

— Tu n'y voyais rien.

— Je n'ai pas dit que je n'y voyais rien. Sinon... on ne serait même pas là en train de discuter. J'ai vu qui c'était, j'ai vu que je l'avais touché et j'ai vu qu'il était tombé. Pas le temps de poursuivre le combat. Ce que je n'ai pas pu savoir, c'est ce qui s'était dit entre lui et l'autre abruti... Peut-être rien... Peut-être un appel... Peut-être des renforts en route, et encore une fois...

— Ça faisait déjà trente secondes.

— Il était temps d'y aller.

— Nom de Dieu. Je n'arrive pas à y croire... Je ne trouve pas les mots. Un homme est mort.

— Ça arrive. C'était qui, à ton avis ?

— Aucune idée.

— C'était un soldat. Il était armé. Il avait le choix. Il n'a pas fait le bon.

— Et il n'y avait pas d'autre moyen ?

— Si tu en vois un, je suis tout ouïe.

— Le désarmer. L'assommer.

— Tu as assommé beaucoup de gens dans l'exercice de tes fonctions ? Après les avoir désarmés, bien sûr. »

Chance ne répondit pas.

« CQFD », fit l'autre.

Ils prirent l'autoroute vers le sud et, une fois de plus, roulèrent en silence. Le passage du temps semblait n'avoir pas grande importance et le monde changeait. Ils arrivèrent devant le tunnel de Waldo et le Golden Gate Bridge. San Francisco s'étendait au loin, disparaissant en même temps qu'ils la regardaient, avalée par un brouillard digne de l'Apocalypse selon saint Jean, si bien que, parvenus au milieu de l'immense pont, ils perdirent de vue leur objectif et pénétrèrent dans une vaste, une impénétrable obscurité. C'était ainsi, se dit Chance, méditant sur l'origine des choses, c'était ainsi que tout avait commencé et que, dans un avenir peut-être pas si lointain, tout finirait. Dans ces conditions, comment donner un sens aux événements de la soirée ? Quelle différence y aurait-il une fois que la messe serait dite, que l'entropie et les ténèbres auraient eu le dernier mot ? C'était, certes, du très long terme. Mais enfin c'était le long terme qui l'intéressait, le court terme ayant été bousillé au-delà de l'imaginable.

LA GRANDE CHASSE
À LA CRÈME GLACÉE

Ils étaient maintenant dans la ville, même s'ils avaient beaucoup de mal à s'en rendre compte. Les essuie-glaces de la voiture balayaient le pare-brise et couinaient bruyamment à chaque passage, mais sans vraiment améliorer la visibilité.

« Quand tu y réfléchis deux minutes, dit Big D, ce n'était pas si mal. Je portais des gants en latex. Le flic ne m'a jamais bien vu et je n'ai rien laissé à moi sur place. L'un dans l'autre, je dirais que ç'a été du boulot assez propre. Pas parfait, mais assez propre quand même. La sortie a été un peu bordélique, mais c'est ta faute, mon vieux. »

Chance ne se sentait pas de répondre. Il essayait d'imaginer un peu la scène, un homme accroché par les orbites.

« Tu sais ce que j'aimerais ? poursuivit D. J'aimerais un putain de lait malté. À l'ancienne, avec de la poudre de malt, et pas seulement du lait et de la glace. » Un ange passa. « C'est ma mère qui m'a fait découvrir ce truc-là. Il y avait un endroit en ville où elle m'emmenait toujours. Tu sais où on pourrait trouver ça ? »

Chance s'aperçut que c'était la première fois que D faisait référence à une quelconque relation familiale. Jusqu'à présent, il aurait très bien pu penser que l'homme à ses côtés n'avait pas de parents au sens strict, mais qu'il était sorti casqué de son propre front, fruit de quelque mystérieuse bizarrerie. Cela dit, Chance était *plus* que partant pour se lancer dans une telle expédition, et nulle corvée n'était trop absurde. En vérité, il était soulagé que D ait trouvé de quoi les occuper. Hormis de nouvelles effusions de sang, il aurait accepté n'importe quoi, tout pour échapper à l'appartement vide qui l'attendait quelque part dans le brouillard, ou plutôt, pensa-t-il, tapi tel l'animal en pleine jungle, prêt à bondir.

La grande chasse à la crème glacée, puisque c'est ainsi qu'il nomma la chose, commença non loin du Fisherman's Wharf, alors que le soir venait juste de tomber. Elle se termina dans un endroit qui s'appelait Ruby's, tout au bout d'Ocean Beach, où l'on avait le sentiment que beaucoup d'autres choses s'y étaient déjà terminées. L'air y sentait le sable mouillé et le varech mourant. Des vagues invisibles grondaient derrière la Great Highway. Un certain nombre de boissons prétendument maltées avaient été achetées et consommées en chemin, mais aucune ne fut du goût de D. Ce qui ne l'empêcha pas de les consommer jusqu'à la dernière goutte. Il préférait le goût fraise. Chance avait insisté pour continuer et dégotter une boisson digne de ce nom, mais il n'avait rien trouvé avant Ruby's.

Ruby's, c'était ce qu'on pouvait faire de mieux, l'authentique service intégral, tout en vieux plâtre et en Formica ébréché. Le sol en lino dessinait un damier ringard, vert et noir. Des tas de petits souvenirs couvraient les murs – en assez grand nombre, en tout cas, pour suggérer que l'endroit existait déjà avant la grande inondation. Une pendule noire, avec des aiguilles blanches et une sorte de Mickey Mouse en son centre, indiquait minuit pile lorsqu'ils entrèrent par la porte qui donnait sur l'autoroute et les plages derrière. Ils repartirent sur le coup de 2 h 30. Entre-temps, ils s'assirent l'un en face de l'autre sur une banquette en similicuir rouge, comme n'importe quel autre couple de noctambules. Après les boissons vint la nourriture, du moins pour D, qui commanda deux cheeseburgers au bacon, des frites et un grand Coca Light. Chance, une bière Rolling Rock entre les mains, le regarda manger. « Mon Dieu », finit-il par dire. Peut-être était-ce parce que D avait évoqué sa mère, et qu'il était lui-même un peu ivre, que Chance s'autorisa à s'adresser de la sorte au colosse, comme s'il n'était qu'un simple mortel de plus sur la planète. « Tu n'as jamais peur d'avoir du diabète ? » Il était en train d'observer la nourriture et les restes qui s'étalaient sur la table devant lui.

« Je prends des médicaments pour ça, répondit Big D, très pragmatique.

— Ah. Et ton cholestérol ?

— Côté cholestérol, tout va bien. Côté pression artérielle, tout va bien. »

Sur ce, D se lança dans un éloge élaboré du sel comme facteur d'élimination des graisses. Sa théorie reposait sur l'idée qu'il était prouvé que le sel consti-tuait un agent de nettoyage efficace pour enlever le gras des poêles. Il poursuivit sur sa lancée, ajoutant sans arrêt du sel sur son assiette, mais Chance avait du mal à le suivre. Il ne lui vint pas à l'esprit, non plus, de demander à son acolyte s'il parlait sérieusement. Quatre ans de médecine, un internat, deux résidences dans des hôpitaux prestigieux, des références longues comme le bras… Qui était-il pour avoir des doutes ? C'était lui qui s'était tiré avec la danseuse schizophrène, lui qui avait piqué l'argent de la famille et brisé le cœur de son père, lui le mauvais mari, le mauvais père, désormais complice en cavale après un meurtre et un braquage dégueulasse dans la banlieue d'Oakland – voilà qui il était.

Le peu de sommeil auquel il eut droit cette nuit-là lui tomba dessus alors qu'il était au volant de l'Oldsmobile, dans le petit garage au-dessous de son appartement ; il inclina son siège au maximum et se couvrit d'une veste. Il avait peur de rentrer chez lui. Pour mille raisons.

Il fut réveillé le lendemain matin par l'informaticien venu chercher sa voiture dans le garage. Chance ignorait si ledit informaticien l'avait vu dormir au volant. Les deux hommes ne s'étaient pas reparlé depuis l'incident avec Jackie Black et étaient même allés jusqu'à éviter de croiser leurs regards quand, en d'autres temps, ils auraient échangé deux ou trois phrases polies. S'il rejetait davantage la faute sur l'informaticien, il voulait quand même rester en bons termes. Quand ce dernier eut enfin réussi à sortir la Toyota de son espace microscopique et que la porte se referma derrière lui, Chance monta prendre une douche et se rasa. Il prit ensuite le bus jusqu'à son cabinet, où l'attendaient des hommes en costume-cravate.

BOB MARLEY

Ils étaient au nombre de trois. Chance ne pouvait pas dire qu'il était surpris, mais cela ne rendait pas la situation plus simple pour autant. En passant du couloir à la salle d'attente de son cabinet, il se rappela qu'il avait en sa possession la clé USB de Big D avec les dossiers de l'inspecteur Raymond Blackstone, dérobés sur son ordinateur portable le même jour que le meurtre. Il lança à Lucy, derrière son bureau, ce qui dut ressembler à un regard de terreur absolue. Elle répondit en haussant un sourcil, puis se leva pour procéder aux présentations.

Un des trois hommes, le plus jeune, était un sténographe habilité par l'État de Californie. Les deux autres étaient des avocats : M. Berg, qui défendait les intérêts du plaignant, en l'occurrence un certain M. Chad Dorsey, habitant Eugene, dans l'Oregon ; et M. Green, avocat du Dr William Fry, à la retraite. Des accusations de maltraitance sur personne âgée et d'abus d'influence étaient enfin portées contre Lorena Sanchez, et l'institution qui l'avait envoyée auprès du Dr Fry. Pour protéger les nombreux comptes bancaires du Dr Fry, M. Dorsey, un neveu éloigné, voulait obtenir du tribunal une décision qui déclarerait l'ancien dentiste en incapacité de rédiger un testament et, par conséquent, donnerait procuration à ses héritiers, à savoir ledit M. Dorsey. Le Dr Fry avait décidé de se battre. Chance, à son grand désarroi, avait donc été sollicité par le plaignant en tant qu'expert. Les choses étant ce qu'elles étaient, l'ensemble de la procédure, entamée au moins deux semaines auparavant, lui avait échappé.

« Tout va bien ? » lui souffla Lucy, qui se tenait tout près de son épaule. Il venait de faire entrer les trois hommes dans son cabinet. Depuis quelque temps, la question semblait être devenue rituelle. Vu sa situation, toute manifestation d'un intérêt pour sa santé physique et mentale, d'où qu'elle vînt, était plus que bienvenue. « Je suis d'attaque, répondit-il. Mais merci. Merci de me poser la question. » Un silence. « Vous avez changé vos cheveux, reprit-il. Ils sont plus rouges.

— Euh… Ça fait déjà deux semaines, environ.

— Ah bon ? Désolé de ne pas l'avoir remarqué. »

Lucy le regarda sans un mot. Elle semblait tiraillée entre l'envie de rire et celle d'appeler les secours.

« J'aime bien. Je vous l'ai dit, ça ?

— Vous venez de le dire. »

Chance hocha la tête.

« Docteur… » Lucy regarda en direction de la salle où attendaient les trois hommes.

« Eh bien, dit Chance. C'est très joli. »

Une audition était déjà en soi une chose terrible – la réponse pénible aux mêmes questions pénibles qui étaient devenues son pain quotidien, la barrière qu'il avait dressée pour se protéger de toutes les Jaclyn Blackstone de l'univers. Celle-là fut encore plus terrible, car Chance assista rapidement à une sorte de concours de crachats entre les deux avocats. D'après

Green, et avec tout le respect qu'il devait au Dr Chance, il y avait une différence entre un expert consultant et un expert compétent. De toute évidence, il espérait garder certains des premiers commentaires de Chance, figurant dans son premier rapport adressé à la famille et concernant une possible maladie neurodégénérative, hors du tribunal. Berg, lui, n'avait jamais entendu parler d'une chose aussi grotesque. Il ne comptait toujours pas en entendre parler. Et ainsi de suite. Au bout de trois heures, Chance n'en avait toujours pas fini avec son audition. « Une petite question, dit-il. Vous me permettez de passer cinq minutes aux toilettes ?

— Bonne idée », répondit M. Green, et ils y allèrent tous ensemble. Chance termina sa petite affaire en premier. Il laissa M. Berg et M. Green, ainsi que le sténographe assermenté, dont les moindres gestes, y compris celui d'uriner, semblaient se dérouler dans un silence complet, débattre des mérites de certains parcours de golf au sud de la ville. Ces deux-là étaient apparemment de vieux amis.

En regagnant la salle d'attente, Chance vit Lucy lui faire signe de s'approcher. « Elle n'arrête pas d'appeler, dit-elle.

— Qui ça ? »

Il s'aperçut qu'il l'avait interrompue.

Elle lui jeta un drôle de regard avant de consulter son calepin. « Delores Flowers. Elle dit qu'elle doit absolument vous parler. Elle dit que vous savez de quoi il s'agit. »

Il se demanda si son soulagement était visible. « Ah… oui… Mme Flowers. On a eu un petit accident près du pont. Vous pouvez lui répondre que vous êtes ma responsable administrative et que vous avez mon entière confiance. Tout ce qu'elle souhaite me dire, elle peut vous le dire. C'est une histoire de facture pour des petites réparations sur sa voiture. » Il lui donna sa carte de crédit. « Qu'elle demande à son garagiste ou je ne sais qui de téléphoner ici et de me facturer sur ce compte-là. Si ça ne suffit pas, dites-lui que je la rappellerai après le travail. »

Il passa le reste de la journée en compagnie de MM. Berg et Green. Tout bien considéré, ce fut la plus longue, la plus pénible de toutes ses auditions. Seul point positif : les deux avocats semblaient ne rien connaître de ses antécédents, exhumés pourtant quelques jours plus tôt. Il put se dire que, sauf à être inculpé pour complicité de meurtre, sa carrière d'expert témoin était encore préservée.

Une fois ces trois messieurs partis, enfin seul, il s'allongea au pied de son bureau pour observer, à travers les merveilleuses vitres anciennes de ses fenêtres, le jour déclinant entre les nuages. « "Seigneur, il est temps…" », dit-il à voix haute, passant directement du début à la fin : « "Qui n'a point de maison ne s'en bâtira plus. Qui est seul maintenant le restera encore longtemps." » Autrefois il connaissait le poème en entier par cœur, et en version originale. « "*Wer jetzt kein Haus hat*…" » Sa déclamation fut interrompue par Lucy, qui l'appela à la réception. « Il faudrait que vous veniez, dit-elle.

— Delores Flowers ?

— Non, autre chose. »

Il sortit et trouva Jaclyn Blackstone vêtue d'un jean et, sous sa veste de cuir noire, d'un tee-shirt rouge à l'effigie de Bob Marley. Ses cheveux étaient savamment ébouriffés et coupés de frais. Elle était en grande discussion avec le tragique Jean-Baptiste, qui, peut-être enhardi par l'attitude plus amicale de

Lucy, était venu en plein jour accrocher une autre de ses terribles photos. On aurait pu voir dans ce geste la marque d'une sorte d'anticambrioleur.

Chance s'empressa de les séparer et s'excusa auprès de Jean-Baptiste de devoir interrompre une conversation qu'il ne voulait même pas imaginer. Puis il prit Jaclyn par le coude et la mena dans le couloir. Il ne savait absolument pas par où commencer. Elle lui sauva la mise en se lançant la première. « Raymond est blessé, dit-elle. Il a surpris quelqu'un qui essayait de forcer sa voiture. Hier soir. » Elle prit une longue inspiration. « Le type a sorti un couteau. Il est à l'hôpital avec un poumon perforé. Un autre homme a été tué.

— Un policier ?

— Une sorte de videur qui travaillait là où ils étaient, un salon de massage à Oakland. Je crois que Raymond a des intérêts là-bas.

— Tu en es sûre ?

— Je ne suis sûre de rien, avec lui. Personne, d'ailleurs. Et je ne dirais jamais ça à quelqu'un d'autre. S'il pense un instant que je l'ai pensé, je suis mal.

— Mais tu le *penses*.

— J'entends des choses ici ou là.

— Où en est l'enquête ? Il y a des suspects ? »

Il s'aperçut qu'il se montrait peut-être un peu trop curieux, et la réponse tarda. « Je ne sais pas vraiment grand-chose, mais je ne crois pas. » Nouveau silence. « En tout cas, il dit qu'il s'en charge. »

Chance sentit quelque chose bouger sous lui, peut-être le sol, le carrelage sous ses pieds. « Se charge de quoi ?

— D'enquêter, de se venger… Je n'en sais rien. C'est tout ce qu'il m'a dit. J'étais avec lui hier soir, et ce matin aussi, avant d'aller au travail. Il va falloir que j'y retourne, d'ailleurs. Il explique qu'il réglera le problème lui-même quand il sortira.

— Eh bien… »

Mais Chance ne savait pas trop où il voulait en venir.

Elle lui prit la main. « Viens avec moi », murmura-t-elle.

Chance hésita.

Elle serra plus fort.

« Va au café. Laisse-moi vingt minutes. »

En regagnant son cabinet d'un pas un peu chancelant, il croisa Lucy qui sortait. « Ne me dites rien, fit-elle. Vous l'avez envoyée au café. » Il aurait pu lui répondre, mais elle était déjà partie et, avec sa main aux ongles écarlates, lui adressait un petit salut par-dessus son épaule.

Lorsque Chance retrouva la salle d'attente, Jean-Baptiste était en train d'y installer sa nouvelle photographie. Cela faisait un certain temps qu'il ne l'avait pas vu. Il savait que sa santé s'était dégradée et qu'il avait été remplacé pour garer les voitures au sous-sol. « Quelle femme remarquable, lui dit tout de go Jean-Baptiste. Celle avec laquelle je viens de discuter. C'est une patiente ? »

Jean-Baptiste mesurait à peine plus d'un mètre cinquante et il était presque aussi gros que petit. De ce point de vue-là, on pouvait dire qu'il était parfaitement proportionné. Chance devinait qu'il devait avoir moins de cinquante ans, soit à peu près le même âge que lui. Le Français était affublé d'épaisses lunettes à monture en écaille et possédait une impressionnante tignasse de cheveux noirs, zébrés de gris, qu'il portait en une queue-de-cheval descendant jusqu'à la taille. C'était sa peau qui le faisait paraître plus vieux qu'il

235

n'était – la texture parcheminée, ce teint légèrement jaunâtre qu'on associait souvent à la maladie.

« Professionnellement parlant, répondit Chance, je l'ai vue une fois, pour une évaluation, et je l'ai envoyée chez une psychothérapeute, Janice Silver.

— Une fois, c'est déjà pas mal.

— Une fois, ça reste une fois. »

Jean-Baptiste resta un moment à le regarder. « C'est à *moi* que vous parlez ? Ou à vous-même ? À un de vos ennemis de l'intérieur, peut-être ? » Sa question fut suivie par un petit clin d'œil. De Jean-Baptiste, on disait qu'il avait fait forte impression auprès des dames lors de son arrivée à San Francisco.

« Aux deux, je dirais, répondit Chance. Je l'ai envoyée au café du coin.

— Bravo.

— Vous voulez que je me fasse radier ?

— Pas le moins du monde. Une petite tape sur les doigts, et *encore*... si quelqu'un se plaint. J'imagine que, au moment de votre seule et unique évaluation, vous ne lui avez pas fait l'amour à même le sol de votre cabinet.

— Loin de là.

— Dommage. C'est une belle femme. Et intelligente, attirante.

Elle est folle à quel point ?

— Je ne sais pas. Des trous de mémoire, au moins une deuxième personnalité...

— Ah, oui », dit Jean-Baptiste, sur le ton de quelqu'un songeant avec tendresse à une autre époque de l'humanité.

Chance le savait sceptique à l'égard des conventions, mais il n'avait pas envie de se chamailler. D'ailleurs, ses propres vues en la matière n'étaient pas tout à fait claires, même pour lui. « Elle est prise au piège d'une relation extrêmement angoissante et violente. Très néfaste. Si elle pouvait s'en libérer…

— L'autre pourrait disparaître. »

Chance haussa les épaules.

« Ou pas.

— Ou pas, admit Chance.

— Et vous essayez de l'aider.

— Quelque chose comme ça, oui.

— C'est comme Orphée et Perséphone dans la ville froide et grise, comme disait le poète. Mais qui peut vous le reprocher ? Moi, je suis absolument pour.

— Pour quoi ?

— Allons ! Cette femme est folle de vous. Ça se voit comme le nez au milieu de la figure. Et vous êtes fou d'elle. Ça fait combien de temps que vous n'avez pas baisé ? »

Lucy étant partie, ils étaient tout seuls – avec les tristes portraits de Jean-Baptiste. Celui qu'il venait d'accrocher montrait un homme qui ne devait pas avoir plus de soixante-dix ans, manifestement victime de la maladie d'Alzheimer ou d'une autre forme de démence. Il portait ce qui ressemblait à une grosse couche en tissu et une écharpe en travers du torse sur laquelle il était écrit « CAPTAIN AMERICA » en grosses lettres noires. Juché sur une chaise en bois, devant une longue table vide, on aurait dit qu'il s'apprêtait à se pendre dans une sorte de réfectoire. Ce qui rendait la photo particulièrement saisissante, c'était le regard de cet homme, à la fois dément et éclairé de ce que l'on aurait pu décrire comme une lueur féroce, implacable.

« Savoir qu'on va bientôt mourir autorise certaines libertés », disait Jean-Baptiste. Chance était fasciné par l'homme debout sur sa chaise. « Notre dernier geste… Et sans attendre une vie après la mort…

— Je pensais que vous étiez du genre à ne pas croire aux derniers gestes, l'interrompit Chance. Je croyais que c'était un de vos trucs.

— Je vais vous le dire comme je le pense. Sans autre possibilité de devenir. Il n'y a que ce que vous êtes. *Vous* devriez penser comme votre cher Nietzsche. L'éternel retour. »

Chance parvint à détacher son regard des yeux du vieux fou. « Janice Silver a l'air de penser qu'elle est peut-être *borderline*.

— Oui, eh bien… Il y a toujours ça. Et je suis sûr qu'elle est bien placée pour le savoir. Qu'en dites-vous ?

— Je n'en sais rien.

— Naturellement. Qui peut savoir ? Mais ce n'est pas une mauvaise piste. »

Chance le regarda.

« Si elle *est borderline*, vous ne pouvez rien faire, ni vous ni personne. Elle est ce qu'elle est, le résultat des débuts tragiques et des circonstances de merde dans lesquelles elle a eu le grand malheur de naître. Quelle est la phrase de Beckett, déjà ? "Mon Dieu, quelle planète", c'est ça ? Un conseil : faites-lui l'amour tant que vous le pouvez encore. Faites-lui l'amour avec fougue, avec passion, et passez à autre chose. Au suivant, comme on dit. Mais racontez-moi tout, vous voulez bien ? Les détails, s'il vous plaît. » Chance ne répondant pas, Jean-Baptiste poursuivit sur sa lancée : « Vous savez, on dit souvent que vieillir, c'est se contenter de moins. La vérité est beaucoup plus terrible que ça, cher ami : vieillir, c'est regarder la Faucheuse en face et refuser de baisser les yeux. »

Chance jeta un dernier coup d'œil sur le vieillard avec sa couche, Captain America. Il venait d'avoir un nouvel éclairage sur le travail de son vieil ami. « C'est ce qu'il fait ? demanda-t-il.

— Oh, aucun doute là-dessus.

— C'est ce que vous recherchez... chez tous ces gens... »

Son œil se posa sur le portrait préféré de Lucy, la vieille dame à la coiffure indienne.

« Cette petite étincelle, oui... L'immédiateté de la chose. Le stoïque, on pourrait dire, je crois.

— Et quelle est la différence entre le stoïque et la folie pure ?

— Ah... fit Jean-Baptiste, emballé. Telle est la question, cher ami. Mais je laisse le spectateur en décider. Franchement, cet aspect-là ne m'intéresse pas tant que ça. C'est la lumière que je recherche, tel l'insecte qui s'approche de la putain de flamme. Ça et quelques incursions par procuration sur le territoire des vivants. C'est ça qui reste, et je compte sur vous pour me raconter. »

Chance lui sourit malgré tout. C'était plus fort que lui. Si c'étaient des détails qu'il voulait... Chance en avait des tonnes à lui donner.

« "Redescends, jeune homme" », dit Jean-Baptiste. Voilà qu'il citait l'homme dont le buste trônait sur le bureau de Chance, le héros de Big D. Bordel, pensa Chance, impossible d'échapper à cet enfoiré. Mais Jean-Baptiste levait les yeux au ciel et sa voix avait pris une tonalité théâtrale et grave. « "J'aime celui dont l'âme est profonde, même dans la blessure... J'aime tous ceux qui sont comme de lourdes gouttes qui tombent une à une du sombre nuage suspendu sur les hommes : elles annoncent l'éclair qui vient, et disparaissent en visionnaires." »

— Oh, bordel de Dieu, dit Chance.

— Exactement », répondit Jean-Baptiste.

LA VILLE FROIDE ET GRISE...

Tho the dark be cold and blind,
Yet her sea-fog's touch is kind...

George Sterling,
« The Cool, Grey City of Love »

Elle l'attendait au petit café. C'était la femme qu'elle avait presque toujours été en sa présence, celle de la librairie de Berkeley, qui l'avait envoûté au point qu'il avait failli l'inviter quelque part. L'effet fut tel qu'ils ne parlèrent même pas de Raymond Blackstone, ce qu'il n'aurait jamais imaginé, et qui pourtant arriva : dans les grandes largeurs, comme aurait dit Doc Billy, c'était un moment hors du temps. Blackstone était toujours à l'hôpital, à East Bay, et la nuit leur appartenait. Une bouteille vide de cabernet de la Napa Valley sur la table pour seule trace de leur passage. Ils s'en allèrent à travers les rues, arpentèrent sans doute la moitié de San Francisco, rendue magique par la simple présence de cette femme, sous un ciel sans étoiles mais baigné d'une luminosité sublime et comme omniprésente, qui n'était rien d'autre que les nuages réverbérant les lumières de la ville.

Ils s'arrêtaient parfois pour admirer en vitrine des objets qu'ils n'achèteraient jamais, et la moitié de leurs phrases commençaient par : « Si un jour j'avais *un paquet de fric...* » Et ils riaient, et ils repartaient. Au bout d'une petite rue, non loin d'Allan's Antiques, ils trouvèrent une boutique minuscule spécialisée dans les beaux pianos européens, où, sur un Bechstein d'avant-guerre en palissandre, Chance réussit à jouer une version un peu hésitante d'un nocturne de Chopin. Il ne comprenait pas comment un lieu aussi magique avait pu lui échapper jusque-là. D'un autre côté, il avait l'impression que beaucoup de belles choses lui avaient échappé jusque-là.

Non par lassitude, mais saisis d'une frénésie grandissante, ils finirent par prendre un bus. Chance fit le trajet sans établir le moindre diagnostic, sinon celui de la femme assise à ses côtés sur le siège en plastique. Elle prit sa main, la déplaça vers l'intérieur de sa cuisse chaude sous le jean qui semblait lui coller comme une deuxième peau ; le dos de la main de Chance frôla la couture tout près de son sexe. Pendant ce temps, tout au long de la descente vers la Great Highway, la lune fendait les nuages avec une lumière à couper le souffle. Descendus du bus, ils entendirent le bruit des vagues et humèrent l'air chargé de sel. Chance crevait de désir pour cette femme. « J'aime celui dont l'âme déborde au point qu'il s'oublie lui-même, et que toutes choses soient en lui ; ainsi toutes choses deviendront son déclin... » Enfoiré de Jean-Baptiste.

Il ne savait pas trop comment cela se passerait dans le feu de l'action, quand cette action finirait par arriver... Jackie Black, peut-être, avec des fouets et des godemichés, une sorte d'expérience limite sado-maso digne d'un Michel Foucault – après tout, c'était *sa* ville de l'amour, le lieu où le grand penseur, nietzschéen aussi, avait mené son propre questionnement des limites par la transgression et orchestré sa fin à travers les saunas et les bars gays. Et soyons honnêtes : ce n'était pas comme si Chance n'avait jamais envisagé ça avec Jackie Black, dans la vacuité de son appartement, dans le calme de la nuit, dans les profondeurs de son obsession, ce n'était pas comme s'il n'avait jamais caressé le fantasme, en la baisant, de jouer sa propre version du flic véreux, la possédant parce qu'il en avait la possibilité, parce que c'était bien l'objet des fantasmes, toujours le pouvoir et la souffrance, l'humiliation et la domination. Mais en définitive ce ne fut pas ça non plus. Cela ne ressembla à rien de connu. Il n'y eut pas de place pour autre chose, pas d'espaces vides et plus de bons mots sur lui étant son chevalier ou parlant comme un médecin. Il n'y avait qu'elle, sans mots, et elle était là, avec lui, plus présente que quiconque avant elle, le rencontrant à chaque tournant, le trouvant d'une manière, puis d'une autre, jusqu'à ce qu'il devienne très difficile de savoir où l'un terminait et où l'autre commençait – et combien de fois dans sa vie peut-on dire cela ? Il était lessivé, indifférent, il avait encore son goût dans la bouche, nu en travers du lit, en infraction des règles les plus élémentaires de sa profession, vivant comme jamais.

Ils avaient peut-être un peu dormi. Difficile à dire. Arriva le moment où elle se leva pour partir. « Tu peux rester », lui dit-il.

Elle eut un petit sourire. Elle était debout à côté du lit de Chance, toute nue, caressée par la lumière diffuse. Mon Dieu, se dit-il, jamais il ne se lasserait d'elle. « Je me lève tôt. J'ai un avion. Je pars quelque temps dans le nord pour aller voir ma fille.

— Elle va bien, donc ? Tu sais où elle est ?

— Oui.

— C'est lui qui te l'a dit ?

— Quand je suis allée le voir à l'hôpital. »

La phrase fit remonter tout ce dont ils n'avaient pas parlé, le caractère absolu de leur petite escapade. « Cette histoire, comme quoi il s'occupe de tout…

— Je crois… dit-elle avant de marquer un long silence. Je crois qu'il serait bon pour nous deux qu'on ne se voie pas pendant un petit moment. »

Il la regarda sans un mot.

« Je ne sais pas ce qui s'est passé ni comment il va réagir. Tout ce que je peux dire, c'est que je le connais assez pour savoir qu'il va vouloir que ça saigne. Je te conseille de ne pas croiser sa route. »

Appuyé sur un coude, il la regardait s'habiller. Elle ne mit pas de sous-vêtements ; son soutien-gorge et sa petite culotte étaient au fond de son sac à main. En voyant le jean remonter sur ses fesses nues, il n'eut qu'une envie. Elle jeta un coup d'œil vers l'armoire qui contenait ses parfums, puis regarda par terre. « Tu sais, lui dit Chance, on pourrait réessayer… »

Elle releva la tête. Sur son visage, le même sourire qu'à la librairie de Berkeley, doux et intelligent, un peu pervers. « Réessayer quoi ? demanda-t-elle. Tout ?

— Oui. Mais je voulais dire… On pourrait réessayer les parfums. »

Elle acquiesça.

« C'est un oui ou un non ?

— Je ne sais pas.

— Pas maintenant, bien sûr.

— Je ne pensais pas que je pourrais être ta patiente.

— C'est impossible. Mais on peut trouver quelqu'un d'autre. On trouvera ce qu'il y a de mieux.

— Il sort très bientôt. »

La musique d'une voiture qui passait se fraya un chemin depuis la rue – une voix aiguë en espagnol, soutenue par des accordéons.

« Je ne sais pas ce qu'il va faire. Je ne vais peut-être plus jamais te revoir.

— C'est pour ça que tu es venue ? »

Elle ne répondit pas tout de suite. « J'avais envie, dit-elle. J'en ai envie depuis le jour où on s'est vus au café, en bas de ton cabinet.

— Moi, j'en ai envie depuis le jour où on s'est vus à la librairie. »

Elle lui lança une petite œillade. « Ça aurait été pour le moins prématuré.

— J'ai failli t'inviter quelque part. Pour boire un café ou autre chose.

— Qu'est-ce qui t'en a empêché ? Le fait que je sois folle ?

— D'après mon expérience… les vrais fous sont rarement ceux qui se considèrent fous. Mais pour répondre à ta question, oui. Ça et les contraintes de mon métier. »

Elle sourit. « Eh bien… Visiblement, rien de tout ça ne t'a freiné ce soir.

— Je me suis mis à ta merci. »

Elle continuait de s'habiller. « Je ne suis pas certaine qu'on puisse s'arrêter, dit-elle.

— Moi non plus. N'empêche que tu as raison… Ce *serait* mieux de s'arrêter, mais seulement quelque temps, et ça n'a rien à voir avec lui…

— Avec qui, alors ?

— Tu as connu une longue période de trauma-tisme. Il y en a peut-être eu d'autres auparavant, des choses encore cachées. Il y a encore beaucoup de travail. Tu dois être libre pour pouvoir le faire. »

Elle sembla vouloir répondre mais ne le fit pas ; elle s'assit à côté de lui, se pencha en avant et posa les doigts sur son poignet. Il comprit alors qu'elle l'avait démasqué, parce qu'il s'était tailladé les veines une fois, bien des années auparavant. Les cicatrices étaient encore visibles, anciennes, estompées, mais la lumière avait dû les mettre en valeur. Tout à coup, elle fit glisser ses doigts dessus, puis tourna son propre bras de manière à ce que Chance distingue d'autres cicatrices, beaucoup plus récentes celles-ci. Il les avait déjà remarquées, quand, sous lui, elle avait tendu les bras au-dessus de sa tête et plaqué ses mains contre le mur.

« Eh bien, dit-elle.

— C'était il y a longtemps.

— Quand même… On n'est peut-être pas tant faits l'un pour l'autre.

— Ce serait très triste, répondit Chance, pour qui c'était, à cet instant précis, sans doute *la* chose la plus triste au monde. Il est sûrement encore trop tôt pour nous projeter aussi loin. Tu ne crois pas ? »

Elle ne dit rien. Mais pendant qu'elle était là, penchée au-dessus de lui, elle ouvrit de grands yeux en découvrant le livre à côté du lit – *Les Vertus de la guerre*, que lui avait prêté D. Elle le ramassa. « Je connais ce type.

— Personnellement, ou son œuvre ?

— Son œuvre, gros malin. Un de ses livres, en tout cas. Il en a écrit un qui s'appelle *Les Murailles de feu*, sur la bataille des Thermopyles.

— Exact. Et celui-là parle d'Alexandre le Grand – ses confessions, on pourrait dire. Je n'en suis qu'à la moitié. C'est un ami qui me l'a prêté. »

Elle reposa le livre, embrassa Chance sur la bouche et se releva. Elle prit sa veste en cuir posée sur une chaise de la salle à manger et l'enfila par-dessus son tee-shirt Bob Marley, cachant les cicatrices qui zébraient ses avant-bras comme ceux d'une junkie. En comparaison, Chance était un petit joueur.

« Tu sais que ta voiture est garée sur le parking de mon cabinet, oui ? »

Elle se figea et le regarda. « Oh, merde. Putain, tu as raison. » Elle attendit, le temps qu'il sorte du lit et qu'il enfile une vieille veste pour couvrir ses bras. « Toi et moi, dit-elle, on fait une fine équipe. L'aveugle et l'aveugle. »

Ils commencèrent à se chauffer sur la route. Pour Chance, c'était lié au fait qu'elle ne portait pas de sous-vêtements et qu'il le savait. Ils remirent le couvert sur la banquette arrière de l'Oldsmobile, dans le parking souterrain en face de son cabinet, presque désert à cette heure de la journée. Il y avait forcément un responsable quelque part – peut-être ce vieux charlatan de Jean-Baptiste –, mais en tout cas il ne se montra pas. Plus tard, Chance découvrirait les traces de pieds de Jaclyn sur la lunette arrière de la voiture, parfaitement dessinées, comme si on lui avait demandé de faire des moulages, séparées par une distance qu'on ne pouvait qualifier que de provocante, à telle enseigne que parfois, les jours suivants, il se sentirait attiré par elles, comme par des pierres de lune ou par les vestiges d'un monde perdu, et se retrouverait encore tout émerveillé.

Ce soir-là, elle lui laissa un petit quelque chose en plus – cadeau ou flèche du Parthe, il se poserait longtemps la question. « Ce livre qui est chez toi par terre », dit-elle. Ils avaient terminé leurs ébats et elle reboutonnait une fois de plus son jean. Ses cheveux étaient en bataille, une boucle blonde tombait sur le haut de sa joue, ses yeux pétillaient. « Celui qui est à côté de ton lit. Le type qui l'a écrit est l'auteur préféré de Raymond. C'est pour ça que je l'ai remarqué.

— Ah, répondit Chance après un silence peut-être un peu trop long.

— Bizarre, non ?

— Mon Dieu, quelle planète. »

UN FESTIVAL DE MONSTRES

Après cela, il dormit. Pour la première fois depuis plusieurs jours. L'odeur de Jaclyn planait dans la chambre, rappelant la chaleur de son corps. Il coupa son téléphone portable, débrancha sa ligne fixe, s'emmitoufla dans tout ce qu'elle avait laissé et dormit du sommeil des purs. Le jour finit par paraître derrière les persiennes. Il y avait du bruit dans la rue, les gens qui vaquaient à leurs affaires. De bonnes et de mauvaises choses, à n'en pas douter, des instants de beauté fluide et des dégradations aussi indicibles que rapides. Bientôt arriveraient les sublimes premiers rayons du soleil sur les vagues d'Ocean Beach. Il y aurait aussi les cellules mutantes et les virages sans visibilité, les comportements scandaleux et voraces… De nouveaux patients à chaque coin de rue. Certains trouveraient même le moyen de frapper à sa porte. Il ferait ce qu'il pourrait, et ce ne serait jamais assez. La lumière sur les fines lamelles métalliques crut et décrut. Les bruits de la rue s'amplifièrent, puis disparurent. Le gros informaticien s'engueula et fit l'amour avec son invisible compagne. Pour finir, Chance se demanda s'il n'avait pas dormi pendant vingt-quatre heures d'affilée. L'idée ne lui déplaisait pas, mais il se rappela qu'il avait passé de longs moments au lit, à d'autres

248

périodes de sa vie, et commença à redouter d'être là pour la simple et bonne raison qu'il n'avait plus envie de se lever. À y regarder de plus près, il devint clair que, sans même s'en rendre compte, il s'était mis en position fœtale. Avec le temps, l'inquiétude laissa place à une sorte de peur panique. Une bonne partie du problème reposait sur son incapacité à déterminer ce que, précisément, il *ferait* lorsqu'il quitterait son lit – si tant est qu'il *finisse* par le quitter.

Il n'aurait pas su dire combien de temps dura cette période d'inertie, jusqu'à ce qu'enfin se présente une tâche d'une nécessité telle qu'il ne comprenait pas ce qui, jusque-là, l'avait empêché de la voir. Il se leva, prit une longue douche très chaude, s'habilla et sortit, non sans retrouver un objet que Jaclyn avait oublié sur la commode, une boucle d'oreille en or sertie d'une pierre d'ambre. Il quitta son appartement plein d'une euphorie aussi soudaine qu'inattendue, conjuguée à un désir insupportable, le constat de l'impossibilité absolue des choses.

Pour arriver à son garage, il fallait d'abord sortir. Dehors, la rue bourdonnait d'activité… Toutes sortes de gens, partout, oubliant le ciel boueux, comme si la météo bizarre était motif à célébration. Chance crut qu'il s'agissait du surlendemain et était prêt à concéder la perte de la veille. Il méditait encore là-dessus lorsque son portable se mit à vibrer contre la doublure de son pantalon.

C'était Janice Silver. Elle lui demanda s'il avait appris la nouvelle. Chance estima plus judicieux de jouer les imbéciles. « Où est-ce que tu étais caché ? demanda Janice. C'est dans tous les journaux. Ça fait des jours que j'essaie de te joindre.

— De quoi est-ce que tu parles, au juste ?

— Raymond Blackstone. Il s'est fait poignarder derrière un salon de massage. Je pensais que si tu n'avais pas été au courant, elle t'aurait peut-être prévenu.

— Pas moi », répondit Chance, sans trop savoir pourquoi il continuait de mentir. Il n'y avait pas de raison valable. Il risquait de se faire griller. La culpabilité est une drôle de chose, conclut-il. Elle engendre toujours plus de culpabilité. « Et avec toi ? demanda-t-il.

— Pas un mot.

— Quel est le pronostic ? Il va survivre ?

— Malheureusement, oui. C'est terrible à dire, mais bon.

— Je peux comprendre. On sait qui a fait le coup ?

— Je n'ai rien vu là-dessus.

— Et pas de pistes ?

— En tout cas la police n'en dit rien. Pourquoi ? Tu penses à quoi ?

— À rien. À rien du tout. C'était pour savoir. »

Il y eut un long silence.

« Eh bien, maintenant tu sais, au moins. Elle va peut-être te contacter.

— C'est possible. Dans ce cas, je te tiens au courant.

— Je veux bien, fit Janice. Je sais qu'on tourne autour du pot avec elle, mais j'aimerais savoir ce qui se passe. Ma proposition de t'aider à trouver quelqu'un pour s'occuper d'elle tient toujours. » Chance la remercia, sortit l'Oldsmobile du garage et se rendit directement au magasin d'antiquités, comme il en avait eu le projet en se levant. Raymond Blackstone avait expliqué qu'il prendrait les choses en main, qu'il savait quoi faire. Chance n'avait toujours pas transmis l'information à Big D ; à cet égard, il faisait preuve d'une négligence coupable. Il lui semblait que les paroles de Blackstone n'étaient peut-être que du bluff, histoire de faire bisquer Jaclyn. Il lui semblait également possible que, par paresse et manque de discernement, il arriverait après la bataille.

C'est alors que, à son grand désarroi, il trouva le magasin dans un désordre inhabituel.

La porte d'entrée était ouverte, comme à l'accoutumée, mais quelque chose clochait. Il le sentit tout de suite, avant même de trouver Carl au fond du magasin. La porte qui donnait sur l'atelier de D avait été laissée entrebâillée, et le vieil antiquaire, d'ordinaire si calme, s'affairait comme s'il cherchait un objet égaré. Ses joues étaient mangées par une barbe grise de trois jours et ses yeux noirs et enfoncés étaient comme hantés. Le bureau, d'habitude si bien rangé, était jonché de papiers. En regardant par la porte entrouverte, Chance vit qu'un des fauteuils Eames avait été renversé, que le lit était défait et qu'un grand nombre de livres traînaient par terre. Plus troublante encore, la présence au pied du lit d'un flacon en plastique ouvert, dont les pilules étaient éparpillées partout. « Mon Dieu », dit Chance, sentant ses jambes flageoler. Le vieux Carl aussi semblait flancher, comme sur le point de perdre l'équilibre.

Chance l'installa sur une chaise. Carl gardait les yeux levés, telle une bête acculée face à une mort certaine. « Vous étiez où ? demanda-t-il d'une voix frêle et tremblante.

— Oui… Je sais, je suis désolé. J'étais injoignable…

— J'ai essayé de vous appeler. »

Chance ne put que hocher la tête. D'abord l'audition, ensuite Jaclyn, ensuite le sommeil, et son portable coupé pendant tout ce temps-là. Il voyait bien le tableau.

« Il est à l'hôpital. Il a eu une sorte d'attaque…

— Le diabète. »

Carl considéra la pièce. « Il était là quand je suis arrivé. Je l'entends toujours fourgonner. » Il s'interrompit ; il essayait de dompter sa voix et de retenir ses larmes. « S'il n'y a rien à faire pour la boutique, il travaille sur ses lames et ses tomahawks. Il ne dort jamais, vous savez. Je lui ai dit plusieurs fois que ce n'était pas bon pour lui. » Carl regarda Chance. « C'est vrai, tous les jours on découvre quelque chose de nouveau qui prouve à quel point on a besoin de sommeil pour garder la santé. "Tu n'es pas un surhomme", je lui ai dit. » Il s'interrompit encore et secoua la tête. « Vous savez, il se prend pour un surhomme. C'est ce qu'il pense. C'est *forcément* ce qu'il a pensé, j'imagine, si vous y réfléchissez un peu. »

Chance ne voyait pas tout à fait ce à quoi il devait réfléchir, mais le vieil homme poursuivit sans l'attendre : « Ce matin… quand je suis arrivé… je n'entendais pas un bruit. J'ai attendu deux secondes et j'ai frappé à sa porte. Rien. Alors je suis entré. Je l'ai retrouvé sur le lit, mais il était couché bizarrement, avec un bras qui traînait par terre… » Sa voix se fêla. Il essaya une fois de plus de se ressaisir. « Je n'ai pas réussi à le réveiller, dit-il. Il devenait tout bleu. J'ai appelé les urgences. »

Craignant l'imminence d'une crise, Chance s'appuya sur le rebord du bureau encombré. Il voyait très clairement ce qui avait pu se produire. Après avoir pris le dessus sur le vigile du salon de massage et sur l'inspecteur Blackstone, après avoir survécu à un coup de Taser, à la bombe lacrymo et à un accident de voiture, le colosse avait été terrassé par la crème glacée. « Comment était-il ? demanda Chance. Quand les secours l'ont emmené, je veux dire. Il était conscient ? »

Carl secoua la tête. « Ils lui ont fait une prise de sang…

— Sans doute pour voir si le coma était hypoglycémique ou hyperglycémique. Ils lui ont fait une piqûre ?

— L'aiguille était grotesque.

— Hyperglycémique, donc. Mais il bougeait ? Il était lucide ?

— Je ne sais pas. J'avais du mal à voir. En tout cas, ils lui parlaient quand ils l'ont emmené.

— Bonne nouvelle, dit Chance. Ça signifie que le médicament agissait, qu'il n'était pas trop tard. J'ai l'impression que c'est une très bonne chose que vous l'ayez trouvé à ce moment-là. »

Il vit que le vieil homme était une fois de plus au bord des larmes. « J'ai failli venir plus tard, dit ce dernier. Il aime avoir des donuts le matin. D'habitude, je passe chez Bob's lui en acheter, mais je n'avais plus beaucoup d'essence et je suis venu directement ici. » Il s'essuya un œil du revers de la main. « Je n'arrête pas de lui dire d'y aller doucement. Il ne m'écoute pas toujours.

— Non. »

Chance repensait à la théorie de D sur les vertus médicinales du sel. « Et c'était quand, ça ? Avant-hier matin ? Vous savez où ils l'ont emmené ? » Il fut surpris d'apprendre que Carl l'ignorait, ce qui ne fit qu'aggraver son désarroi. « Tout va bien, le rassura Chance. Je vais passer quelques coups de fil. Je devrais pouvoir trouver ça sans trop de mal. J'ai ma voiture là. On ira ensemble, voir comment il va. »

Carl ne bougea pas.

« On n'a aucune raison de désespérer, insista Chance. Ce que vous m'avez décrit est encourageant. Du moment que le cœur n'a pas été abîmé. » Il sortit son portable. « Je suis sûr qu'il est à l'UCSF, mais on peut téléphoner en chemin. Je connais la plupart des médecins et des infirmières là-bas. » Il s'était déjà retourné vers la porte. Carl, lui, semblait décidé à ne pas bouger, toujours avec cet air de bête acculée. « Il y a un problème ?

— Certainement pas de *mon* côté », répondit Carl, victime soudaine de crimes encore non déterminés.

Chance le regarda sans rien dire. Carl le fit attendre. « J'imagine qu'*ils* seront là-bas, finit-il par lâcher.

— Qui ça, *ils* ? »

Chance pensa aux forces de l'ordre de San Francisco, à l'éclat des écussons dorés au milieu d'un océan de bleu, mais le vieil homme eut tôt fait de lui remettre les idées en place. « Ce qui passe pour être la famille de ce pauvre garçon », dit-il. Sa voix s'était rétablie, au point qu'il put enfin abandonner son affolement pour un ton outré. « Des monstres, expliqua-t-il. Des monstres absolus. Mettez-en plus d'un au même endroit et au même moment, et vous avez un festival de monstres. » Il se redressa de tout son long et regarda Chance droit dans les yeux. « Naturellement, vous imaginez bien qu'ils ne vous portent *pas tout à fait* dans leur cœur. Vous allez devoir vous débrouiller tout seul. »

DARIUS LE MÈDE

Chance était ressorti, et sur le point de remonter dans sa voiture, lorsqu'il lui vint à l'esprit qu'il avait oublié l'évidence même. Il était tellement habitué à appeler son ami D, ou Big D, voire parfois Heavy D, qu'il ne s'était jamais fait la réflexion que, malgré tout ce qu'ils avaient vécu ensemble, il *ne connaissait pas* son véritable nom, ni son prénom, élément pour le moins précieux s'il voulait s'enquérir de sa santé et de sa situation auprès des *autorités compétentes*, institution dont il s'était de plus en plus éloigné au cours des dernières semaines.

Au vu des circonstances, que ce nom puisse surprendre n'aurait pas dû être si surprenant, et pourtant Chance fut surpris. « Darius ? » Il était encore devant la porte du magasin, où Carl l'avait raccompagné. « Comme Darius le Mède ?
— Comme lui. Son père était professeur à l'université. Il l'est toujours, que je sache. Darius Pringle. Dieu seul sait ce qui est passé par la tête de cet abruti. »

Darius Pringle avait en effet été emmené au Moffitt Hospital, dans le centre médical de l'UCSF, au-dessus de Parnassus Avenue. Le Dr Eldon Chance, toujours répertorié comme professeur de clinique associé au sein du département de psychiatrie de la faculté de médecine, y était encore un personnage respecté ; il fut accueilli en conséquence, avec droit de se garer dans le parking du personnel, y compris ce jour-là, où il portait la blouse blanche, avec badge à son nom, qu'il gardait dans le coffre de sa voiture précisément pour ce genre d'occasions. À l'intérieur, il fut salué par plusieurs infirmières et un jeune médecin dont il avait oublié le nom depuis longtemps, mais qui avait fait sa résidence sous sa houlette. On lui donna du « docteur Chance », et il s'aperçut que cela faisait un moment qu'on ne l'avait pas appelé ainsi avec autant de gentillesse : les patients étaient incités à l'appeler par son prénom, paraît-il pour les mettre à l'aise ; les avocats l'appelaient « docteur », mais se débrouillaient souvent pour le dire d'une manière qui avait quelque chose d'un peu péjoratif. Ici, les gens avaient l'air de l'apprécier et de le respecter. Il aurait pu errer dans les couloirs pendant des heures, pour se repaître de cette chaleur, à la recherche, peut-être, du jeune homme prometteur qu'il lui plaisait de croire qu'il avait été, comme si une chose pareille n'était qu'un objet chéri mais mal rangé. Ces gens bienveillants ignoraient bien sûr pourquoi il était là et d'où il arrivait ; ils ne savaient rien de son errance dans le monde, de ses va-et-vient.

Ayant appris par téléphone que D venait d'être transféré de l'unité de soins intensifs à une chambre standard, Chance alla aussitôt voir l'infirmière en chef à l'étage en question, une dame charpentée d'origine irlandaise, aux cheveux gris, répondant au nom de Gooley, qui travaillait dans cet hôpital depuis fort longtemps, avant même le passage de Chance. Ils s'appelaient par leurs prénoms.

« Et qui est-on venu voir aujourd'hui ? » demanda-t-elle, comme si la présence de Chance à son poste était une chose plus ou moins quotidienne, alors qu'il n'y avait pas mis les pieds depuis plusieurs mois. Il lui indiqua le nom et eut droit à un bulletin médical. Pendant qu'il le lisait, Gooley regardait par-dessus son épaule. Ses soupçons furent confirmés, et en pire : diabète de type 2 conjugué à de l'obésité, apnée obstructive du sommeil (sévère), neuropathie périphérique diabétique (légère) et prolapsus mitral. Un bref rappel indiquait que le patient avait subi, enfant, un traumatisme crânien suivi d'un coma, ainsi qu'une fracture du fémur droit et deux autres opérations chirurgicales. Il y avait encore beaucoup de choses, mais Chance eut juste le temps de voir tout cela sur la première page. Les médications comportaient du Cymbalta, du Valium, du Modiodal, de la metformine et du Nexium.

« Est-ce que ce monsieur est un de tes patients ? demanda Gooley.

— J'ai l'intention de faire en sorte qu'il le devienne, répondit Chance, effaré par ce qu'il lisait mais s'efforçant de ne pas le montrer. Ce monsieur m'a rendu service, récemment, et je le considère comme un ami.

— Je comprends. Tout est dans ses antécédents. » Chance la regarda sans comprendre.

« Quelqu'un a demandé à se faire communiquer ses dossiers. Alors j'ai jeté un coup d'œil.

— Des dossiers qui venaient d'où ?

— De Fort Miley et de Napa State, pour n'en citer que deux. »

Fort Miley abritait le San Francisco VA Hospital. Napa State était un hôpital psychiatrique réservé aux fous dangereux ; ce n'était pas une bonne nouvelle. Chance espéra encore une fois dissimuler son appréhension, qui frisait l'affolement, en répondant par un hochement de tête faussement entendu. « Le patient était lucide ? » Il voulait savoir si D avait réagi aux questions posées par les médecins des urgences.

« Je n'en sais rien, dit Gooley. Sa famille n'arrête pas de passer. Ce sont peut-être eux qui ont demandé à voir son dossier. Visiblement, ils n'avaient plus de contacts avec lui depuis un moment, et le paternel est un ponte de l'autre côté de la baie… à ce qu'il paraît.

— Quel genre de ponte ?

— Berkeley, laboratoire national de Livermore… Je crois qu'il est dans le nucléaire. Physicien ou quelque chose dans le genre.

— Ah. »

C'était la réponse classique de Chance quand il n'avait rien de plus intelligent à dire. Il la donnait souvent, ces derniers temps, et cette mauvaise habitude commençait à l'agacer. « J'aimerais regarder tout ça, dit-il. Ses antécédents médicaux. » Consulter un dossier sans la permission du médecin référent ou du patient lui-même allait à l'encontre du protocole, mais Gooley et lui étaient suffisamment proches pour qu'il puisse le lui demander, et elle le lui transmettre. « Repasse ici quand tu auras terminé. Je t'en ferai une copie. Mais je ne te l'ai jamais obtenue.

— Évidemment. Et la famille de M. Pringle, elle est toujours là ?

— Oh, je crois bien. Du moins une partie. Encore une fois, il y a eu beaucoup d'allées et venues. Tu aurais dû voir ça, le premier jour. On se serait crus à la gare de New York.

— En même temps, répondit Chance, tu as l'habitude. »

Gooley confirma. « Ce dossier t'intéressera. J'ai l'impression que ce jeune homme aurait bien besoin d'avoir quelqu'un à ses côtés. »

« Comme tout le monde, non ? » pensa Chance, mais il ne le dit pas. Car la journée, pourtant à peine commencée, charriait déjà son lot de mauvaises nouvelles. Si mauvaises que Chance, en reprenant le long couloir, avec ses odeurs de désinfectant, son sol briqué et ses portes ouvertes, était convaincu que toutes ses récentes manigances seraient découvertes, montrées pour ce qu'elles étaient et fracassées, frêle esquif sur les rochers d'une réalité inflexible et impitoyable.

Et ce n'était que le début. Car ladite réalité se révélerait à coup sûr si indiscutable, si visible, y compris à l'œil le moins entraîné, et l'aveuglement de Chance si inexplicable, que ce ne serait même pas la peine d'essayer, et que le restant de ses jours, s'il ne le passait pas derrière les barreaux, serait sans doute consacré à l'exécution d'une tâche subalterne, en échange d'un maigre salaire ponctionné indéfiniment par un fonctionnaire intraitable, agent d'un centre fédéral des impôts gigantesque, impersonnel et d'une ineptie criminelle. Moyennant quoi, ce fut le fantôme de son malheureux père qui finit par lui donner, sinon du réconfort, du moins un peu de compagnie, à l'occasion de la montée de son fils unique vers le gibet, l'escortant dans ces couloirs sombres et étincelants, leurs lumières crues et leurs odeurs lourdes, leurs portes ouvertes qui étaient autant de petites lucarnes sur les diverses saloperies qui faisaient le monde. Voûté et chenu, exactement comme Chance s'en souvenait, son paternel lui glissait à l'oreille : « Tu vois comment c'est », sur un ton familier et autoritaire, mi-tristesse, mi-mépris. « S'Il avait voulu que tu voles, Il t'aurait donné des ailes. »

Le festival de monstres annoncé par Carl Allan faisait peine à voir. L'illustre père, aperçu pour la dernière fois aux aurores, discutant avec le personnel, médecins et autres responsables hospitaliers, s'était depuis retiré dans son bastion de l'autre côté de la baie. En l'absence du grand homme, Chance tomba sur une beauté fanée, d'un âge indéterminé, qui avait de toute évidence subi de lourdes opérations de chirurgie esthétique. Elle s'appelait Norma Pringle. Elle s'empressa de lui faire savoir que le cachalot échoué sur le lit tout proche n'était pas le fruit de sa chair, mais bien le fils de son mari, ce dont elle semblait tirer une satisfaction telle que Chance y décela de la méchanceté pure.

Il y avait quelqu'un d'autre dans la chambre, un jeune homme d'une vingtaine d'années, assez indolent. Chance associa spontanément sa tenue et sa coiffure au mouvement gothique des années passées, dont on lui apprendrait plus tard qu'il s'était transformé en autre chose, sous un nom qui lui échapperait toujours. Quant à l'identité de ce jeune homme, mystère : il ne se leva pas pour se présenter et ne montra aucune intention de le faire. Norma l'ignorait totalement. Chance fit de même. Il n'y avait pas de médecins. Il avait espéré se retrouver un moment seul avec D, mais il comprit assez vite que ce ne serait pas possible. Apparemment, malgré son badge et sa blouse de médecin, il devait être dûment approuvé par le père absent, qui avait pris le contrôle des opérations et les dirigeait depuis un lieu proche du laboratoire Lawrence Livermore, tout à l'est de la ville.

« Et vous êtes ? » C'était la question à laquelle Norma semblait s'accrocher. Il l'entendit sous plusieurs formes différentes, parfois annoncée par un laïus de Norma, aussi fallacieux que méprisant, pour s'excuser d'avoir déjà oublié la réponse qu'il venait de donner à la même question. Elle n'y arrivait pas. Lui non plus. Un ami d'ami, un associé en affaires, une connaissance inquiète – il essaya toutes les formules, et dans toutes les combinaisons imaginables, jusqu'à épuiser les possibilités mathématiques. « Mais vous n'êtes *pas* un de ses médecins ? » fut plus ou moins la réaction inévitable. Chance aurait pu croire que le simple fait d'être à la fois ami et médecin aurait pu faire l'affaire. D'expérience, il savait que la plupart des personnes confrontées à la maladie d'un être cher auraient accueilli une telle attention personnelle et professionnelle à bras ouverts. Les bras de Norma Pringle, eux, étaient résolument fermés.

Pour ce qui était de D, il semblait plongé dans un sommeil profond, peut-être dû aux médicaments. Pendant toute la durée de la visite de Chance, il resta inerte sur son lit, relié à un goutte-à-goutte et à une batterie d'instruments de monitoring, notamment un masque en caoutchouc noir qui lui couvrait presque entièrement le visage pour oxygéner ses poumons et lutter contre l'apnée obstructive dont Chance avait découvert l'existence dans son dossier. De petites lumières clignotaient de temps en temps ; elles accompagnaient un faible sifflement mécanique qui constituait le seul bruit dans la chambre, Norma Pringle étant une femme glaciale et de peu de mots, et son maussade compagnon d'encore moins de mots, c'est-à-dire d'aucun.

Quant à l'état inconscient de D, Chance ne fut jamais en mesure de dire s'il était réel ou simulé. La déterminée et impressionnante Mme Pringle ne le lui permit pas : il ne figurait pas sur la liste des médecins de D. Son mari n'était pas joignable, et elle était décidée à suivre à la lettre ses instructions. C'était aussi simple et aussi dingue que ça. Certes, la situation pouvait encore évoluer, mais ce serait au prix d'un rude combat, et d'un long combat. Chance n'eut donc guère d'autre choix que de procéder à un repli tactique, au cours duquel il s'arrêta au poste de Gooley, le temps de récupérer le dossier médical de D. Il quitta enfin l'hôpital. À son grand désarroi, sinon à sa grande surprise, il constata que le dossier en question était à peine plus court que l'annuaire de San Francisco.

Il commença à le lire alors qu'il se trouvait encore dans le parking souterrain, posant parfois les pages sur le volant de sa voiture ne serait-ce que pour empêcher sa main de trembler. Lire tout le dossier, au cas où on lui demanderait de donner son avis, exigerait des heures et des heures, et il se dit qu'avec le temps il finirait peut-être par y arriver. Pour le moment, il était prêt à découvrir ce que l'on pourrait nommer, par euphémisme, les points essentiels. Ils pouvaient se résumer comme suit, dans un style auquel il était maintenant habitué, celui de ses propres rapports :

Darius Pringle, 32 ans, gaucher, blanc. Cadet de deux enfants, avec un frère de trois ans plus vieux. Son père est docteur en physique théorique. Sa mère, aujourd'hui décédée, était une violoniste classique qui a énormément joué et enregistré en Europe et aux États-Unis. À l'âge de huit ans, Darius, avec sa mère et son grand frère, a été percuté par un chauffard ivre alors qu'ils traversaient un passage piéton dans le centre de San Francisco. Sa mère et son frère sont morts sur le coup. En plus d'une fracture du fémur droit, Darius est resté dans le coma douze jours. Les scanners ont révélé la présence d'un hématome sous-dural frontal droit. Le patient a passé au total quatre semaines au San Francisco General Hospital. À sa sortie, Darius a été envoyé chez sa grand-mère paternelle, Ruth Morris, ancienne professeure d'anglais, mariée à l'époque à un certain James Morris, son troisième époux, pasteur laïc à l'Église de l'Enfant Jésus. Cette décision était justifiée par les effets dévastateurs de la mort de sa femme et de son fils aîné sur Sanford Pringle, le père de Darius ; incapable de surmonter sa peine, il a quitté le pays sans véritable intention de revenir et ne s'est senti ni la capacité ni la volonté de voir son fils survivant.

Mme Morris explique qu'à partir de la sortie de Darius de l'hôpital, c'était comme si elle et son mari « avaient dû élever un bébé ». Plus précisément, il était incapable de se nourrir seul. Sa jambe était plâtrée. Son mauvais sens de l'équilibre l'obligeait à porter un casque de protection. Après plusieurs mois dans le plâtre, il a commencé à marcher avec des béquilles et, très lentement, à recouvrer une bonne partie de sa mémoire et de son langage. C'est à peu près à la même période que James Morris a installé deux fils d'un précédent mariage à la maison, à Oakland. Peu de temps après, Paul, l'aîné des deux fils de James Morris, s'est mis à torturer et à violer Darius. Ces abus se sont poursuivis pendant environ cinq ans, jusqu'à ce que Sanford Pringle rentre de l'étranger en compagnie de sa nouvelle femme, Norma, qui avait vingt ans de moins que lui. Darius a alors réintégré le foyer paternel, tout en continuant de faire de longs séjours chez sa grand-mère dès que Sanford et Norma quittaient la ville. Pendant ces séjours, à en croire Darius, les violences reprenaient. Il a expliqué aussi que sa grand-mère était au courant mais lui avait demandé de ne jamais en parler ; elle le punissait parfois à coups de cravache, puis le ligotait avec des câbles électriques et l'enfermait dans un placard. Darius rapporte que son père était gentil avec lui, les rares fois où ils se retrouvaient ensemble, mais qu'il était extrêmement soucieux de sa carrière professionnelle et de sa nouvelle famille, puisque Norma avait entre-temps donné naissance à un petit garçon. La seule fois où Darius a tenté de lui raconter ce qui se passait, c'était « comme si son père regardait à travers lui et était incapable d'entendre un seul mot de ce qu'il disait ». Après cela, son père a continué de confier Darius à sa mère dès qu'il s'en allait, souvent avec Norma et leur jeune fils.

À quinze ans, Darius connaissait déjà des périodes de troubles de l'humeur, avec des comportements psychotiques par intermittences. Il s'intéressait aussi aux livres sur la guerre, à l'étude des arts martiaux, en particulier un ouvrage intitulé *Découvrez vos pouvoirs cachés*. À plusieurs reprises, chez sa grand-mère, il est devenu violent, au point que par deux fois Ruth a appelé la police. Ce comportement a connu son paroxysme lors du passage à tabac de James Morris. M. Morris a dû en effet passer une nuit en observation dans un hôpital d'Oakland à la suite d'une commotion cérébrale. Il avait également le nez, quatre côtes et un doigt de la main droite cassés. Arrêté par la police d'Oakland, Darius a alors été envoyé à l'hôpital psychiatrique de Napa, où il est resté trois mois, avant d'être confié à son père et de se faire prescrire des cours de maîtrise de la colère et un traitement psychiatrique.

Aucun de ces traitements n'a été mis en place, cependant, et quelques jours après son retour à la maison Darius s'est enfui. Il avait alors seize ans. Pendant trois ans, il a vécu dans la rue, d'abord à Oakland, où il a compris qu'il pouvait gagner de l'argent comme « homme de main » d'un dealer de crack, puis à Palo Alto, où il a fait amitié avec nombre de soldats de retour de mission. Beaucoup de ces hommes avaient combattu en Irak et en Afghanistan. Certains étaient eux-mêmes des sans-abri. D'autres avaient des liens avec l'hôpital pour anciens combattants de Palo Alto. Ils étaient souvent toxicomanes, et Darius pouvait les ravitailler en drogue grâce à ses contacts chez les dealers d'Oakland. C'est également au cours de cette période que Darius a commencé à consommer un grand nombre de drogues, au point de devenir, de son propre aveu, un problème. Il a fini par demander de l'aide à l'hôpital pour anciens combattants de San Francisco, où, après avoir réussi à se procurer une fausse carte militaire, il a été admis au service des urgences et soigné pour consommation de drogues multiples, idées et comportements psychotiques intermittents, jusqu'à ce que son stratagème soit percé à jour. Il a alors été remis à la police, laquelle a contacté sa famille. Darius a été une fois de plus transféré à l'hôpital psychiatrique de Napa, puis dans un établissement privé à Marin County ; d'après lui, son père s'est alors installé dans cette même ville pour prendre entièrement le contrôle de sa vie. Le sens précis de cette phrase n'est pas clair. Darius avait alors dix-neuf ans et était donc, au regard de la loi, adulte. Il affirme qu'on l'a maintenu dans un état drogué et qu'on lui a fait signer de nombreux documents officiels. Les détails de cet épisode sont un peu confus et, dans l'état actuel de nos connaissances, il est impossible de savoir ce que cela signifie. Il se peut que M. Pringle père ait fait en sorte de déshériter totalement son fils. Il se peut aussi, comme Darius l'a pensé plus tard, que son père ait essayé de lui faire accepter une sorte de tutelle permanente sur sa personne et ses biens – ce n'est qu'une supposition. Darius affirme avoir signé certains de ces documents, mais pas tous, et qu'après plusieurs semaines passées dans cet établissement il a réussi un jour à « s'en aller par la sortie ». Encore une fois, les détails de cet épisode sont nébuleux. Ce que l'on sait, c'est que Darius a de nouveau disparu, échappant à toutes les tentatives de sa famille pour le retrouver, et ce jusqu'à son arrivée, aujourd'hui, dans la salle des urgences de l'UCSF.

Chance décida d'interrompre sa lecture des meilleurs morceaux du rapport et posa la pile de feuilles sur le siège passager. Rêvait-il, ou le tissu du siège ploya sous l'énorme poids de l'objet ? N'ayant pas quitté le parking de l'hôpital, il put voir un couple âgé tenter d'extraire une aveugle pathologiquement obèse, âgée de moins de trente ans, de l'arrière d'une camionnette Dodge méchamment rouillée. Par une brèche entre les immenses plates-formes en béton qui constituaient le parking, il eut droit à un magnifique ciel argenté, à travers lequel des corbeaux surexcités se lançaient à la poursuite d'une buse à queue rousse. Pendant ce temps-là, quelque part dans le bâtiment, une alarme de voiture se mit à sonner. « Mon Dieu, se dit Chance (et il pensait maintenant à un certain Darius Pringle, dit D, dit Big D, dit Heavy D), il fait vraiment partie des miens. »

JANE'S ADDICTION

Moins d'une heure plus tard, il était de retour chez Allan's Antiques. Il n'avait fait guère plus que suivre le bouchon de radiateur de sa grosse voiture, qui connaissait apparemment la route. Tout bien réfléchi, ce n'était probablement pas la meilleure idée. Si vous cherchiez une personne capable de garder la tête froide face aux catastrophes, Carl Allan n'était pas le plus indiqué. Cette brève visite n'engendra que des formes complémentaires de délire paranoïaque qui se superposèrent telles des vaguelettes sur un rivage rocailleux, chacune se nourrissant de l'intensité de la précédente.

« C'est comme les Kennedy, n'arrêtait pas de dire le vieil homme. Ils ont fait lobotomiser cette pauvre fille.

— C'est quand même beaucoup plus difficile à faire de nos jours », l'assura Chance. Les vieux spécialistes de la question avaient disparu dans les brumes de la légende. Il pensait surtout à Walter J. Freeman, le dernier des francs-tireurs de la lobotomie. Il était également vrai qu'une nouvelle génération de neurochirurgiens mille fois plus sophistiqués était en train de se préparer en coulisses, mais Chance n'en dit rien.

Ça n'avait pas grande importance. Carl continua comme si de rien n'était. « Et tout ça parce qu'elle aimait se taper des musiciens de jazz noirs, dit-il.

— Je crois que de ce côté-là, on est tranquilles.

— Parlez pour vous, jeune homme. Et vous ne connaissez pas sa famille.

— C'est vrai, dit Chance. Mais j'ai *vu* son dossier médical. Et j'ai rencontré quelques membres de sa famille aujourd'hui, à l'hôpital.

— Ils attendaient comme des charognards ?

— Ils attendaient, en tout cas. »

Il essaya de voir comment exprimer au mieux l'impression que lui avaient faite Norma Pringle et son étrange fils. Il finit par laisser tomber et se contenta de dire qu'il s'agissait de la mère et d'un jeune homme.

« Un jeune homme, bien sûr. Ils étaient ravis de vous voir, non ?

— Ce n'est pas le mot qui me vient spontanément à l'esprit.

— Écoutez, fit Carl en posant une main sur son bras. Ils vont manigancer quelque chose. Ils vont l'enfermer, et on ne le reverra plus jamais. »

Il avait les larmes aux yeux. Il serra sa main encore plus fort.

« Ils ne peuvent pas faire une chose pareille, rétorqua Chance. Il est majeur et vacciné.

— Et s'ils le droguent pour lui faire signer un papier ?

— Il pourra expliquer qu'il a été drogué. »

Le vieil homme ne semblait pas convaincu. Chance poussa un soupir et fit une nouvelle tentative. « De nos jours, dit-il en prenant des gants, il est presque impossible d'obtenir ce genre de tutelle sur quelqu'un contre son gré…

— Vous ne connaissez pas le père. C'est un homme puissant, et riche, avec des amis haut placés. Et il hait son fils.

— Peut-être bien. Le déshériter est une chose. L'enfermer en est une autre.

— Vous êtes béni des dieux, dit soudain Carl, plein d'ardeur.

— Je n'en suis pas si sûr.

— N'importe quoi. Vous êtes un médecin. Vous connaissez toutes les ficelles. Imaginez un peu s'il n'y avait que lui et moi. »

Chance imagina : Carl et D. Formaient-ils un couple ? Ou D était-il simplement le fils que Carl n'avait jamais eu, et vice versa ? Cela avait-il la moindre importance ? « Vivre et laisser vivre », se dit-il. Mais il resta quelques instants confronté aux combinaisons apparemment infinies de la situation, persuadé, d'expérience, que peu de choses dans le monde des relations entre les hommes pouvaient être qualifiées de simples.

« Il le hait pour ce *qu'il* lui a fait », reprit Carl.

Chance en déduit qu'il reparlait du père de D. « Oui. Ou alors il se hait lui-même pour avoir *permis* tout ça. »

— Dans les deux cas, il le fait payer à D.

— Peut-être, mais pour l'instant je ne crois vraiment pas que son père soit notre principal motif d'inquiétude. »

Carl haussa un sourcil.

« C'est plutôt cette affaire à Oakland, expliqua Chance. Il ne vous en a pas parlé ?

— Il était inanimé quand je l'ai retrouvé.

— C'est vrai.

— Il y a eu un pépin, c'est ça ?

— On peut le dire. »

Il mit alors Carl au parfum sur la nature exacte et les dimensions du pépin en question. Le vieil antiquaire accueillit la nouvelle avec une sérénité surprenante. « Vous avez peur que le fait qu'il soit sous tutelle… permette de le relier aux événements d'East Bay.

— J'ai peur que le salon de massage ne soit équipé de caméras de surveillance. J'ai peur des images numériques. Il y a peu de gens qui correspondent à la description, si vous voyez ce que je veux dire. »

Carl voyait très bien, et ils en restèrent là. Non loin, sur un perron, une femme émaciée et d'un âge indéterminé essayait vainement de se redresser.

« Eh bien, finit par dire Carl. Si vous voulez aller sur *ce* terrain-là… Il y a un tas de choses qui risquent d'être découvertes sur son compte. »

Ce que cela signifiait au juste, Chance n'était pas pressé de le savoir. De la même manière, il n'avait pas l'intention de gloser sur les propos de Jaclyn : Blackstone allait prendre les choses en main lui-même. Carl était déjà bien assez occupé à imaginer les coups tordus de la famille de D pour qu'il en rajoute une couche. Ce fardeau-là, il lui revenait de le supporter, et c'est ce qu'il fit, dans l'obscurité de son appartement, dans la pénombre d'une aurore à peine née, pendant que les bruits de la rue s'évanouissaient et laissaient place au lointain fracas des vagues sur Ocean Beach. Le vieil homme avait ses angoisses. Chance avait les siennes.

Il y avait néanmoins un point où les craintes d'une machination familiale émises par Carl rencontraient l'incident d'Oakland, et Chance ne mit pas longtemps à le trouver. Si quelqu'un devait faire le rapprochement entre D et le meurtre d'Oakland, et si ce que pensait Carl était vrai, à savoir que l'illustre professeur *voulait* enfermer son fils, alors, quitte à être vraiment paranoïaque – et pourquoi ne pas l'être ? –, afin d'empêcher toute accusation ultérieure de mauvais traitements et de négligence parentale… voir D inculpé d'assassinat se révélait fort utile, et un séjour permanent à l'hôpital psychiatrique de Napa pour les fous criminels n'était pas si tiré par les cheveux que Chance l'avait d'abord cru. Le temps pressait : Blackstone, en convalescence, serait non seulement bientôt remis sur pied, mais avec des sbires pour l'aider dans sa vengeance. L'attendre, c'était être une fois de plus le récepteur. Ce n'était plus seulement Chance qui se retrouvait menacé, mais D, Carl, Jaclyn, voire sa propre fille. Il lui fallait maintenant penser à tout ce petit monde.

C'est à cette fin qu'il chercha la clé USB de D au fond du tiroir où il l'avait cachée, sous ses chaussettes, et qu'il la regarda pour la première fois depuis qu'il l'avait récupérée. Précision : la clé n'était pas encore *dans* son ordinateur. Il regardait non pas son contenu, mais bien la clé elle-même, cet appareil ridiculement petit, quand on pensait à tout ce qu'il avait coûté, obélisque de plastique blanc avec une fiche rétractable à une extrémité et un petit anneau d'argent à l'autre.

L'idée lui vint pendant qu'il était assis là, la clé USB dans sa main. Plus qu'une idée, une envie folle... de parler avec *elle*. Pour la première fois depuis leur nuit passée ensemble, il l'appela sur son portable et tomba sur un message lui annonçant que le numéro n'était plus en service. La nouvelle, bien que démoralisante, ne l'étonna pas entièrement, pour des raisons sur lesquelles il jugeait bon de ne pas trop s'attarder. Peut-être était-ce l'envie d'éviter cela, justement, qui le poussa enfin à sortir son ordinateur de sa housse, à l'ouvrir sur la table de sa cuisine et à y introduire la clé USB.

Pourtant, il ne lut pas le contenu, n'ouvrit même pas les dossiers. Vu le cours récent des événements, comment savoir si, en faisant cela, il ne déclencherait pas sans le vouloir une balise, ou autre chose d'aussi inattendu que merdique ? Se posait aussi la question de ce qu'il espérait y trouver. Des éléments accablants ? Vraiment ? Blackstone était censé être un type intelligent, et plus Chance y réfléchissait, plus tout cela devenait absurde, comme une nouvelle preuve de son jugement vicié, s'il en fallait d'autres.

Disons simplement qu'une sorte de paralysie s'installa. Le temps passa. Peu avant l'aurore, revigoré par le mauvais cabernet qui avait triomphé de son inertie, Chance finit par explorer les œuvres de Raymond Blackstone en personne, noir sur blanc.

Aucune sirène ne retentit. Pas de gyrophares dans la rue, pas de bruits de pas dans l'escalier. En bas, l'informaticien et son amie invisible avaient commencé à s'engueuler. Rien de surprenant. Surprenant, *en revanche*, fut le sentiment de familiarité qu'il éprouva en lisant les dossiers. Pour la quasi-totalité d'entre eux, il s'agissait de rapports concernant des crimes sur lesquels l'inspecteur avait enquêté ou était en train d'enquêter. À leur manière, ils n'étaient pas très différents des rapports que Chance pondait lui-même. Il y retrouva les trajectoires des imbéciles absolus, des malchanceux de A à Z, et des déglingués complets.

Il y avait le toxicomane de dix-huit ans qui, dans un moment de fureur défoncée, tuait un ami pour une histoire de chaîne hi-fi volée. Il ne se souvenait plus de rien, mais se retrouvait quand même inculpé d'intrusion, de vol à main armée et de meurtre, autant d'accusations qui, bien ficelées, ce qui n'était pas difficile vu la propension du jeune homme à faire confiance à des avocats commis d'office, devaient l'envoyer en prison jusqu'à la fin de ses jours. Il y avait la bande de clochards héroïnomanes qui enterraient l'un des leurs, mort d'une overdose, puis réfléchissaient à ce qu'ils avaient fait. Pressentant qu'ils avaient raté une belle occasion, ils exhumaient le cadavre, découpaient la tête avec une tronçonneuse volée dans un magasin Home Depot et essayaient de la revendre trente dollars à un certain nombre de satanistes tout aussi clochards. Les satanistes avaient bien aimé la tête, mais n'avaient pas assez d'argent. S'était ensuivie une bagarre terrible. Il y avait eu des blessés et un mort, quand un des revendeurs de tête avait reçu un coup de tournevis dans l'œil. L'auteur du crime, de retour d'Irak, âgé de vingt-sept ans, sans abri, dormait aujourd'hui en prison.

C'était le genre de choses qu'on ne pouvait pas inventer. On les retrouvait partout, chaque jour que Dieu faisait, et Raymond Blackstone en avait été le témoin. Comme Chance. Leurs rapports à tous deux disaient l'absurdité totale et la fragilité absolue des choses, la vérité éclatante qui gisait sous ce qu'ils essayaient de dire. Il se demanda si l'inspecteur avait jamais été lessivé par tout cela, s'il avait jamais voulu, à sa façon, tout rayer d'un trait, se délivrer, redescendre pour mieux s'élever, avant que le temps et les circonstances le rattrapent, comme ils nous rattraperont tous, sans jamais deviner, car personne ne devine jamais, que dans l'allée sombre derrière le Salon de massage européen un autre blessé de guerre, incroyablement doué dans le maniement des lames, attendait pour lui dire bonjour.

Peu de temps après cette révélation particulière, il tomba sur le dossier qui allait enflammer son imagination comme aucun autre. Il décrivait en détail une enquête, ou du moins le début d'une enquête, sur la mort d'un certain Gayland Parks :

> … Gayland Parks a été retrouvé assassiné chez
> lui, dans un gratte-ciel donnant sur le port de
> la ville d'Oakland. Avec la brigade criminelle I,
> j'ai accepté d'enquêter sur cet incident…

L'affaire présentait plusieurs éléments intéressants.
D'abord, la date. Alors que les autres rapports étaient
plutôt récents, celui-ci remontait à plusieurs années. Le
dossier était incomplet dans la mesure où il comportait
un début, mais pas de fin apparente. Les documents plus
récents étaient des travaux soit en cours, soit accompagnés de rapports d'arrestation, si bien qu'ils racontaient
une petite histoire qui se terminait par le passage des
criminels devant la justice, ou en tout cas devant un
tribunal. Dans l'affaire Parks, il n'y avait que trois
entretiens avec deux individus dignes d'intérêt – rien
de plus. Aucune trace de ce qui semblait être l'étape
suivante, et aucune trace d'une quelconque arrestation.

Ensuite, l'affaire elle-même. Gayland Parks était un
psychiatre à la retraite, originaire de San Diego, qui,
jusqu'au jour de son assassinat, vivait à Oakland, où
il avait entamé une carrière de coach personnel. Il
avait été retrouvé mort, nu, menotté à son lit, bourré
d'héroïne et tabassé avec un godemiché en verre
découvert juste à côté. Chance se dit qu'il y avait là
tous les bons ingrédients. Comment un homme dans
sa propre situation ne pouvait-il pas être touché ? Mais
ce n'était que le début.

> Au cours de l'enquête sur le crime mentionné
> ci-dessus, nous avons appris que la victime possé-
> dait un téléphone portable qui avait semble-t-il
> disparu ou été dérobé lors de l'assassinat.
> Le numéro du portable de Parks était un
> numéro d'Oakland. L'inspecteur Cesar Lopez

a procédé aux recherches et découvert que des appels continuaient d'être passés sur le téléphone en question. En épluchant les relevés, j'ai remarqué que le 8 mai six appels avaient été passés à un téléphone portable dont l'indicatif était celui de San Diego, et un autre, le même jour, vers un autre numéro de San Diego. L'inspecteur Lopez a obtenu l'autorisation de mise sur écoute des deux numéros. Le premier relevait de l'opérateur T-Mobile et appartenait à une certaine Mari Hammond.

Le second numéro, de l'opérateur Pacific Bell Telephone Company, était celui du domicile de Mari et Woody Hammond, situé au 1345, 6ᵉ Rue, Normal Heights, Californie.

Vu les nombreux appels reçus par les téléphones portable et fixe de Mari Hammond, il est apparu possible que M. et Mme Hammond aient été impliqués dans l'assassinat ou aient connu la personne qui se servait du portable de la victime.

Grâce aux divers systèmes informatiques dont dispose la police, j'ai pu procéder à des vérifications concernant le couple Hammond et ses résidences. J'ai ainsi découvert que les Hammond avaient des contacts au 350, Green Street, à San Diego. En outre, j'ai relevé que Mari Hammond travaillait pour l'agence de voyages Sunrise, sise au 3535, Camino de los Mares, Suite 400, San Diego, où elle était employée comme voyagiste.

D'autres vérifications ont révélé que Mari Hammond avait récemment reçu une contravention par la police de San Diego. Mme Hammond conduisait une Honda Civic beige vieille de dix ans. J'en ai conclu qu'il pouvait s'agir du véhicule de Mari Hammond. L'inspecteur Lopez et moi-même avons obtenu l'autorisation de nous rendre à San Diego afin d'enquêter sur le couple Hammond et son éventuelle implication dans l'assassinat de Gayland Parks. Nous sommes partis le lendemain matin.

Dans l'après-midi, je me suis rendu au 3535, Camino de los Mares pour identifier le véhicule de Mari Hammond. J'ai remarqué la présence d'une Honda Civic beige garée devant l'immeuble. D'après la plaque d'immatriculation, il s'agissait du véhicule de Mari Hammond.

À 16 heures, je me suis rendu dans les locaux de l'agence de voyages Sunrise, au 3535, Camino de los Mares, Suite 400. J'ai demandé à la réceptionniste si Mari Hammond travaillait là. La réceptionniste m'a répondu que Mari Hammond travaillait bel et bien dans l'agence, puis elle m'a conduit jusqu'au bureau de Mari Hammond.

Aux alentours de 16 h 20, j'ai rencontré Mari Hammond à son bureau. Je me suis présenté comme inspecteur de la police d'Oakland et j'ai demandé à pouvoir m'entretenir avec elle. Mme Hammond m'a expliqué qu'elle s'apprêtait à éteindre son ordinateur et à partir. Mme Hammond et moi-même sommes sortis et avons discuté.

J'ai expliqué à Mari Hammond que je devais lui parler dans le cadre d'une affaire de meurtre. J'ai demandé à Mme Hammond si elle était disposée à me suivre au commissariat de police pour discuter avec moi. Mme Hammond m'a expliqué qu'elle devait aller chercher sa fille de trois ans à la garderie, située à Normal Heights. Mari Hammond m'a dit qu'elle n'avait aucun membre de sa famille ni ami qui pouvait s'en occuper. J'ai demandé à Mme Hammond si elle voulait bien me suivre jusqu'au commissariat de San Diego une fois qu'elle aurait récupéré sa fille. Mme Hammond et moi sommes convenus que je la suivrais jusqu'à la garderie, au croisement entre Blake Street et Ward Streets, à Normal Heights, et de là, jusqu'au poste de police.

J'ai suivi Mari Hammond jusqu'à Normal Heights, où elle a récupéré sa fille, Julie, à la garderie. J'ai ensuite demandé à Mme Hammond si elle et sa fille souhaitaient manger avant d'aller au commissariat. Mari m'a répondu qu'elle avait mangé quelque chose au travail mais que sa fille n'avait rien mangé. Mme Hammond a également déclaré qu'elle n'avait pas d'argent pour s'acheter à dîner. J'ai donné à Mme Hammond un billet de vingt dollars et lui ai dit qu'elle pouvait acheter en chemin quelque chose à manger pour sa fille. Mme Hammond s'est alors rendue dans un Burger King et a acheté de quoi manger à sa fille. Mme Hammond m'a ensuite suivi jusqu'au commissariat.

Chance s'interrompit dans sa lecture, comme arrêté par une ombre qui aurait envahi la pièce, une présence soudain aussi palpable que la sienne, celle de Raymond Blackstone, l'inspecteur blessé : « J'ai donné à Mme Hammond un billet de vingt dollars et lui ai dit qu'elle pouvait acheter en chemin quelque chose à manger pour sa fille. »

Cette femme affirmait avoir mangé, et pourtant, sans l'avoir rencontrée ni avoir assisté à la scène, Chance avait l'impression très nette que c'était un mensonge, et que Blackstone lui-même avait aussi dû le sentir : elle voulait faire manger sa fille, mais l'inspecteur lui avait donné vingt dollars, soit plus qu'assez pour les nourrir toutes deux dans un Burger King. Bien sûr, il y avait peut-être eu un autre « motus » dans les décisions de l'inspecteur. On pouvait toujours *espérer* un autre « motus ». Le mot était de Doc Billy, mais Chance adorait le ressortir à la moindre occasion. Peut-être que cette Mari était une bombe anatomique et que Blackstone avait essayé de lui mettre le grappin dessus. Le plus curieux, c'était que Chance n'arrivait pas à s'y résoudre. Son cerveau envisageait cette possibilité, mais ses tripes penchaient pour une autre lecture, une lecture dans laquelle cette femme était vraiment une mère seule et fauchée, et l'inspecteur essayait vraiment de l'aider parce que... Eh bien, parce qu'en fin de compte il ressemblait à tous les autres déglingués de la planète et qu'il avait des bons et des mauvais côtés – perspective plutôt décourageante pour un homme dans la situation de Chance.

Nonobstant les réserves de Chance et le côté humain de Blackstone, les recherches de l'assassin de Gayland Parks, bien sûr, continuèrent. Mari Hammond déclara ignorer absolument qui avait pu appeler une de ses deux lignes téléphoniques à partir du portable d'un homme mort, et ajouta que le nom de Gayland Parks ne lui disait rien. En revanche, elle affirma que, si les deux lignes étaient à son nom, l'une était exclusivement utilisée par son frère, un ancien soldat handicapé qui vivait parfois chez elle et qui aurait pu prendre des appels sur une ou les deux lignes. Il s'appelait Woody Hammond. Plus vieux que Mari, Woody avait fait la guerre du Golfe et n'en était pas revenu indemne. Il avait subi des brûlures graves sur une bonne partie du corps, dont le visage. Il souffrait aussi depuis longtemps de stress post-traumatique, qu'il avait cherché à surmonter dans l'alcool et la drogue. Mais, à en croire sa sœur, il était maintenant sevré et sobre, passait au moins la moitié de son temps chez lui et avait repris des études pour être conseiller addictologue. Il recevait tous les mois du gouvernement fédéral une pension d'invalidité. L'inspecteur Blackstone s'était lancé à sa recherche.

Le 1er juin, vers 16 heures, je me suis rendu au 320, Ocean Street, San Diego, pour localiser Woody Hammond. J'ai contacté le gestionnaire de l'appartement du 320, Ocean Street. Le gestionnaire m'a confirmé que Woody Hammond vivait seul dans l'appartement n° 6 et qu'il l'avait vu environ deux heures plus tôt. Le gestionnaire m'a précisé que Woody Hammond possédait une Ford Explorer verte garée sur la place de parking n° 6.

J'ai identifié la place de parking n° 6 et j'ai vu une Ford Explorer verte. Je me suis installé sur le parking pour surveiller le véhicule. Aux alentours de 16 h 45, Woody Hammond est monté à bord du véhicule et a quitté la résidence. Je l'ai suivi. M. Hammond a roulé jusqu'au Northwestern College, à San Diego. M. Hammond a garé sa voiture et s'est rendu à l'université à pied. J'ai continué de suivre M. Hammond à l'intérieur de l'université, jusqu'au bâtiment n° 300. M. Hammond s'est retourné, m'a regardé et m'a salué. J'ai tout de suite vu sur son visage les cicatrices de brûlure dont m'avait parlé sa sœur. M. Hammond m'a dit qu'il avait reçu un coup de fil de son gestionnaire lui expliquant qu'un inspecteur était venu l'interroger sur son compte. J'ai dit à M. Hammond que j'étais inspecteur à la police d'Oakland. M. Hammond m'a aussitôt répondu que la seule chose « répréhensible » qu'il fait consiste à aller voir des prostituées à Tijuana, au Mexique, et qu'on ne peut rien lui reprocher d'autre. Il m'a dit qu'il ne comprenait pas pourquoi un inspecteur de police voulait s'entretenir avec lui.

J'ai expliqué à M. Hammond que je voulais l'interroger au siège de la police de San Diego et qu'à mes yeux l'université n'était pas un endroit approprié. J'ai demandé à M. Hammond s'il était prêt à me suivre au commissariat de San Diego pour un interrogatoire. M. Hammond m'a dit d'accord. M. Hammond m'a également dit que se soumettre à un détecteur de mensonges ne lui posait aucun problème et que je pouvais fouiller son véhicule si je le souhaitais. Vers 18 h 30, l'inspecteur Lopez et moi-même avons interrogé M. Hammond dans la salle d'interrogatoire du commissariat de San Diego. Cet interrogatoire a été enregistré en audio et en vidéo. Ce rapport n'est pas la transcription « verbatim » de ses déclarations. Il s'agit d'un rapport « résumé ».

L'inspecteur Lopez a expliqué à M. Hammond qu'il n'était pas en état d'arrestation et qu'il pouvait s'en aller quand il le souhaitait. Les paragraphes suivants reprennent, en les paraphrasant, les déclarations de M. Hammond en réponse aux questions posées par l'inspecteur Lopez et moi-même.

« J'aime le Mexique. Je vais au Mexique une fois par semaine, parfois plus. J'aime aller voir les courses de lévriers à Agua Caliente et les paris clandestins. J'aime y aller le jour parce qu'il y a moins de monde. J'y vais pendant la semaine. Parfois, je vais dans le quartier chaud. Je vais dans la Zona Norte. Je vais à l'Alley, dans le quartier chaud. L'Alley, c'est une boîte de la Zona Norte. J'aime l'Alley parce que ça a l'air propre et que ce n'est pas trop cher.

« Il y a environ six mois de ça, j'ai rencontré une fille à Tijuana. Elle s'appelle Jane. Je l'ai rencontrée devant l'Alley, mais pour être honnête je ne suis même pas sûr qu'elle travaillait là-bas. Ça fait des années que je vais à Tijuana et je ne l'avais jamais vue avant. Elle a la peau très claire. Je me suis toujours dit qu'elle était métisse. On a bu un verre une ou deux fois, mais en général on remontait à pied jusqu'à la frontière et on allait chez moi. Elle avait un visa de travail et parlait l'anglais mieux que moi. La dernière fois qu'elle m'a appelé, ça fait un bail, il y a à peu près un mois. Elle m'appelait juste pour faire amitié. J'ai son numéro dans mon portable. Jane était gentille. Certaines des filles n'aiment pas repartir avec moi, à cause des cicatrices. Mais Jane, elle, s'en foutait. Elle est différente des autres filles que j'ai croisées là-bas. Elle est cultivée. Elle m'a dit qu'elle était prof. J'ai pensé qu'elle enseignait l'anglais au Mexique. Mais un jour, alors que j'avais du mal avec un des cours de maths que je devais valider pour mon cursus, elle m'a aidé à faire tous mes exercices, si bien que j'ai eu la meilleure note. »

Après cela, les choses commencèrent à devenir un peu plus floues. La nuit se passa en sueurs froides et en spasmes, avec des moments de lucidité qui frisaient l'hallucination. Chance poursuivit quand même sa lecture.

… Je la payais pour coucher avec elle et un peu plus pour qu'elle m'aide à faire mes exercices. Je crois que ça devait être dans les cinquante dollars… Pour les deux… Elle disait qu'elle faisait ça parce qu'elle avait besoin d'argent pour quitter le pays… Elle se défonce à l'héroïne… Elle a une fille qui habite chez sa mère, à Ensenada… Elle a environ trente ans… Elle mesure 1 m 70... Elle a des cheveux clairs... Et des yeux clairs... Elle a une jolie silhouette... Le dernier soir où je l'ai vue... on s'est retrouvés au guichet des paris sportifs, près du champ de courses... On allait traverser... On allait rentrer chez moi... Elle a eu peur... Elle est devenue totalement parano... Il était arrivé quelque chose... Une histoire complètement dingue... Difficile de savoir ce qui était vrai... Mais elle avait vraiment peur et voulait quitter le pays... Elle pensait que ma sœur, peut-être, pouvait l'aider, puisque je lui avais dit qu'elle était voyagiste. Elle m'a raconté qu'elle avait rencontré un type... Il avait de l'argent, il était médecin... Il l'avait emmenée quelque part à San Francisco... Une maison luxueuse avec vue sur la mer... Un médecin, donc, qui allait l'aider à décrocher de l'héroïne, alors qu'en fait il voulait faire d'elle son esclave sexuelle... Il avait découvert des choses sur elle... Que le Texas avait lancé un mandat d'arrestation contre elle... Elle était assez nerveuse et c'était difficile de comprendre... Il avait voulu l'attacher mais au lieu de ça elle l'avait persuadé de la laisser l'attacher, lui, puis elle l'avait frappé à la tête et elle était partie... C'est tout ce qu'elle m'a raconté, c'est tout ce que je sais. Je suis prêt à coopérer... à vous aider de mon mieux... pour retrouver Jane...

Les rapports de Blackstone concernant l'enquête sur l'assassinat de Gayland Parks s'arrêtaient là. Les rares articles en ligne que Chance trouva, difficilement, n'apportaient pas grand-chose de plus. Il y avait quelques détails scabreux sur le psychiatre devenu coach. Des documents pédopornographiques, principalement des photos de petits garçons, avaient été retrouvés chez lui, et ce qui était décrit comme une « collection assez importante de vêtements féminins ». Apparemment, la presse n'avait pas eu accès aux détails de la virée des deux inspecteurs à San Diego, en quête de la mystérieuse prostituée douée pour les maths. D'après les articles que Chance lut, un clochard « dérangé », visé par une enquête après le viol de deux lycéennes à Oakland, était soupçonné.

Et c'était à peu près tout. Quant à savoir si les inspecteurs avaient accompagné Woody Hammond de l'autre côté de la frontière pour retrouver Jane, les dossiers de Blackstone n'en disaient rien. Chance se dit qu'il était toujours possible de mettre la main sur Woody Hammond et de lui poser la question. Après tout, son adresse figurait dans le rapport. En revanche, le faire sans éveiller des soupçons susceptibles de renvoyer Woody au commissariat de police était une autre paire de manches, et Chance ne voyait pas l'intérêt de courir ce risque. Jaclyn Blackstone avait maintenant trente-six ans. D'après les rapports de Chance, elle mesurait exactement un mètre soixante-sept. Elle avait une jolie silhouette, des cheveux clairs et des yeux clairs. Elle était douée pour les maths. Et elle se débrouillait plutôt bien en anglais.

À en croire certains textes sur les troubles dissociatifs de l'identité, près de vingt pour cent des patients à personnalités multiples se prostituent. Il s'avère également que beaucoup de prostitué(e)s ont des troubles dissociatifs et que ces prostitué(e)s-*là*, qui ont été aussi victimes de mauvais traitements durant leur enfance, sont souvent amnésiques de leur prostitution. Mais tout ça, c'était dans les textes, et Chance ne se sentait pas tenu de s'y plonger. Parfois, on sait des choses, simplement.

FILLES NUES EN PUBLIC

Pour deux mille cinq cents dollars, il s'acheta une paire de jumelles Swarovski EL 10 × 50 SwaroVision, fabrication autrichienne. Un vendeur japonais qui devait avoir moins de vingt ans lui garantit que c'étaient les meilleures sur le marché à ce prix et qu'il n'en aurait jamais besoin d'autres. Il en parlait tour à tour comme d'un objet à avoir connu avant de mourir ou de jumelles à perpétuité, choix de mots que Chance jugea malheureux. Il s'était présenté comme un passionné d'ornithologie et un grand voyageur. Naturellement, rien n'aurait pu être plus éloigné de la vérité. Il posa de l'argent liquide sur le comptoir vitré devant lui, une petite partie du profit mal acquis qu'il avait tiré de la vente récente de ses meubles. Il n'avait aucun intérêt à le garder sachant que quelque part à San Francisco, en cette matinée sinistre, un agent du fisc l'attendait sans doute, chiffres en main. Et encore, dans le meilleur des cas.

Une heure plus tard, il était au volant de sa Cutlass, garé devant le Mongolian Grill. À l'autre extrémité du parking défoncé, en diagonale, se trouvait le Salon de massage européen, où il était venu en repérage. Il repensait aux inquiétudes de D concernant une caméra de

284

vidéosurveillance et aux propos de Jaclyn sur Blackstone expliquant qu'il *s'occuperait de la situation*. Qu'est-ce que ça voulait dire ? Que savait Blackstone ? Qu'avait-il vu ? Peut-être qu'avec ses jumelles Chance distinguerait ce que D n'avait pas vu à l'œil nu, dans l'obscurité. Au pire, c'était un début, et il n'avait rien de mieux à faire, si ce n'était bien sûr voir des patients, écrire des rapports, préparer son témoignage au tribunal au nom des héritiers de Doc Billy, voir les avocats pour faire avancer la procédure de divorce ou rencontrer les agents du fisc pour entendre leur verdict. Le problème, c'était que tout cela était trop… sédentaire. Il était temps… de méditer sur le mystère Big D et sur toutes les conneries qui l'avaient mené là, temps de repenser à Jane, et à Jaclyn, et à Jackie, et à ce qu'il avait lu dans les dossiers de Blackstone. Pour l'instant, il était en panne, paralysé par un curieux trop-plein d'informations et de sensations, et la sédentarité était bien la dernière chose dont il eût besoin. Tout était dans le mouvement, dans l'action qui monopoliserait son attention. Évidemment, le silence de Jaclyn n'aidait pas.

Qu'en pensait Lucy ? Il n'en avait pas la moindre idée. Cela faisait plusieurs jours qu'ils ne s'étaient pas parlé. Et puis il y avait les coups de fil de Carla. Nicole faisait n'importe quoi. Elle avait encore séché une journée d'école et, en complète infraction aux ordres de sa mère, passé le week-end avec son nouveau petit ami – que Chance devait rencontrer – quelque part à West Marin, ou du moins le croyait-on.

Chance apprenait toujours ce genre de transgressions après coup, parfois longtemps après. Carla lui téléphonait à des heures indues, de toute évidence en plein bouillonnement intérieur, décrétant soudain qu'il était temps pour lui d'*agir*, sans trop savoir comment, mais refusant aussi le moindre conseil de sa part. En tout cas était-ce *l'impression* que cela lui faisait, la pleine mesure de son implication actuelle dans la vie de sa fille.

Au début, Nicole passait plus de temps avec lui. Les complications récentes avaient contribué à rendre la chose moins que souhaitable, mais cela allait changer. Il trouverait la maison à Berkeley, une maison où elle aurait peut-être sa propre chambre. Il envisagea même l'achat d'un petit animal domestique. Il encourage-rait Nicole à s'inscrire dans une école de Berkeley. Ces choses-là n'étaient pas inconcevables. Il avait les moyens d'en faire une réalité, et pourtant le voilà qui se retrouvait assis, avec ses jumelles hors de prix, occupé à repérer des caméras de surveillance cachées dans les bas-fonds d'Oakland. Il était en train de faire la mise au point lorsque Carla lui téléphona pour la deuxième fois en deux jours.

« Tu étais où ? » demanda-t-elle avec une rancœur manifeste.

Chance ne répondit pas. Marié ou divorcé... C'était toujours la même rengaine.

« Pourquoi tu n'es pas au travail ?

— J'avais des courses à faire.

— Pendant deux jours ? »

Chance obtint une vue très nette du bâtiment miteux. Les verres autrichiens transformèrent les murs de crépi en un paysage de fissures, de crevasses, de cratères lunaires. « Écoute, dit-il. Il est évident qu'il faut qu'elle arrête de voir ce garçon. » Il regardait maintenant sous les avant-toits.

« Je te souhaite bonne chance.

— Carla...

— Je ne vais pas l'enchaîner à mon pied comme un boulet.

— Il y a deux catégories de douleurs dans la vie. La douleur de la discipline et la douleur du remords. »

Il citait D, mais seulement à moitié, perdu qu'il était dans une méditation sur les mystères du cœur humain. Pourquoi Blackstone avait-il conservé ces quelques rapports dans le dossier daté ? Pourquoi n'y avait-il aucune trace de ce qui avait dû forcément suivre ? Peut-être, se dit-il, y avait-il d'autres dossiers sur d'autres disques durs – facilement reconstituables en cas de besoin.

« Tu dois lui parler, dit Carla.

— Je lui ai déjà parlé. Mais oui, tu as raison, je lui reparlerai. En attendant, il faut que tu la surveilles de près.

— Tu as entendu ce que je viens de t'expliquer ?

— Ce que j'entends, c'est que tu as un mec et que tu n'as pas envie d'être emmerdée. »

Il trouva sa phrase méchante et à moitié fausse.

« Connard, répondit-elle.

— Il faut bien que *quelqu'un* paie les pots cassés.

— Exact. Et c'est ce que tu es en train de faire en ce moment ? » Bien sûr, Chance ne dit rien. Il méditait sur le fait d'être un connard en train de chercher des caméras, mais son long silence suffit à exaspérer Carla. « Je ne te conseille pas de me raccrocher au nez, dit-elle, croyant apparemment qu'il avait raccroché. Même pas en rêve. »

Il poussa un soupir, assez fort pour qu'elle l'entende. Il allait répondre. Il allait parler de son projet de maison à l'est du pont. Il allait chanter les louanges du système scolaire public de Berkeley, la proximité du campus universitaire, les salles de conférences, les concerts sous les arbres… Mais il n'y arriva pas. Dans sa bouche, les mots se transformaient en cendres. En effet, après à peine une demi-heure de guet, il venait de repérer une femme aux cheveux sombres et courts, mais ressemblant beaucoup à Jaclyn Blackstone, en train de quitter le salon de massage aux côtés d'un homme qu'il devina être un client. Une grosse quantité d'oxygène avait disparu de l'air environnant. « On en reparle plus tard », dit-il avant de raccrocher.

La femme mystérieuse lui tournait le dos. Pourtant, avant même qu'elle dévoile son profil et que ses pommettes hautes la trahissent, malgré les cheveux foncés et courts, il y avait quelque chose dans la courbe de ses hanches et dans son port de tête, appuyée comme elle était sur le bras de l'homme à ses côtés. Chance sentit son cœur s'emballer. De la musique s'échappa d'une voiture qui passait, un morceau de rap à la rythmique lancinante. La femme installa l'homme dans une luxueuse voiture de sport rouge vif garée devant un magasin d'alcool, tout au bout du parking, lui dit au revoir et repartit en direction du salon de massage.

Comme s'il avait le choix, Chance alla à sa rencontre sur le bitume cabossé et jonché de détritus. La lumière du soleil incroyablement puissante était renvoyée par les néons éteints et les murs de crépi qui les cernaient de toutes parts, ces pauvres devantures aux couleurs du drapeau mexicain, ces toits en asphalte sur lesquels des réfrigérateurs gros comme des voitures étrangères luttaient contre la chaleur. Tout, ici, puait : le tuyau d'échappement, les poubelles et les épices. Les fours du Mongolian Grill tournaient à plein régime.

Il s'approcha d'elle de biais, persuadé qu'elle ne l'avait pas encore vu. Elle ne se retourna que lorsqu'il l'appela par son nom. Elle s'arrêta net, bouche bée. Le temps qu'elle reprenne son souffle, mille expressions, ou plutôt mille possibilités d'expressions, traversèrent son visage. « Oh, mon Dieu. » Tels furent ses premiers

mots. Puis les mêmes, mais avec des émotions :
« Oh… Mon… Dieu… » Comme si elle commençait
à entrevoir une vérité jusqu'ici inimaginable. Soudain,
le rideau tomba, et elle fit demi-tour comme si rien ne
s'était passé entre eux. Dans le monde nébuleux des
troubles dissociatifs de l'identité, la performance était
en tout point remarquable. Ses cheveux étaient teints en
noir de jais, coupés assez court pour suggérer l'andro-
gynie, avec une raie sur le côté gauche. Elle portait ce
qui s'apparentait à un uniforme d'écolière catholique.

Il lui bloqua le passage. Elle lui fit face. « On ne
se connaît pas, mon gars », dit-elle. Sa voix était
forte, dure, bizarre, si bien que Chance faillit être
désarçonné.

« Je crois que si », répondit-il. Face à son petit
numéro, il avait choisi une méthode et était bien
décidé à s'y tenir.

« Pour qui tu te prends, bordel ?

— Je ne vais pas jouer à ce petit jeu avec toi, Jaclyn. »

Il lui parlait comme à une patiente récalcitrante, de
son plus beau ton autoritaire. Il pouvait se tromper,
mais il lui sembla déceler une lueur au fond des yeux de
Jaclyn, une légère hésitation. Elle se raidit de nouveau.
« Il va falloir me laisser, maintenant », fit-elle. Mais le
bref moment de doute avait suffi. « Je t'ai eue », dit-il.

Elle se retourna sans dire un mot de plus et repartit
vers le salon de massage. Chance se précipita pour la
rejoindre. « Je n'ai pas le temps de jouer, lui lança-t-il.
Il s'est passé des choses… »

Il n'alla pas plus loin. Elle s'était encore arrêtée
et avait commencé à secouer ses mains, comme pour
les débarrasser d'une substance désagréable et potentiellement toxique. Son visage se décomposait. C'était
une drôle de gestuelle, à la limite de l'hystérie, et

pourtant Chance en fut touché – son oiseau à l'aile brisée. « Je rêve », dit-elle.

Sur ce, Chance s'aperçut qu'un homme aux cheveux foncés, baraqué, portant jean, veste de cuir noire par-dessus un tee-shirt blanc et chaîne en or autour du cou, était sorti du salon de massage pour fumer sa cigarette devant l'entrée. Chance sentit la main de Jaclyn Blackstone sur son poignet ; elle le serrait avec une force redoutable. « Oh, putain », lâcha-t-elle avant de l'entraîner vers la porte d'entrée de la librairie pornographique devant laquelle ils s'étaient arrêtés. À l'intérieur, ce n'étaient que livres, cassettes, DVD et magazines dont les couvertures glauques, emballées dans du plastique pour décourager les manipulations, brillaient sous les néons. « Dis-moi une chose, fit-elle. Tu es complètement fou ou quoi ?

— Je pense qu'on commence à bien se connaître.

— Écoute. »

Derrière le comptoir, un gros Mexicain d'une cinquantaine d'années les observait. Jaclyn lui adressa un doigt d'honneur ; il tourna la tête. « Je ne sais pas ce que tu fais ici et je ne veux pas le savoir. Mais il y a une chose que je *sais :* tu dois partir avant que quelqu'un te voie… Ils regardent tout, maintenant… Mon Dieu… » Elle s'interrompit pour reprendre son souffle. « Si jamais *lui* te voit ? » Chance pensa qu'elle parlait de l'homme en noir qui était sorti du salon de massage.

« Quelle importance ?

— Écoute-moi, ajouta-t-elle. Tu es quelqu'un de bien. Moi, non.

— Oui… Tu m'as dit à peu près la même chose l'autre soir, sur le pont.

— C'était quel soir ? » demanda-t-elle. Chance n'en crut pas un mot. « Quelque chose de bien est arrivé dans ta vie, dit-il, mais tu ne t'en sens pas digne ou tu es incapable de t'en sentir digne... » Elle lui lança un regard exaspéré. « Je t'arrête tout de suite, fit-elle d'une voix soudain distante et pleine de regrets. Tu n'en sais rien.

— Tu pourrais essayer d'éclairer ma lanterne. »

Par l'encadrement de la porte qu'ils avaient franchie, ils virent que l'homme à la veste de cuir marchait vers eux. Jaclyn lui prit de nouveau le bras. « Prie pour qu'il ne nous ait pas vus. » Puis, dans un espagnol parfait, elle dit quelque chose au type derrière le comptoir, celui qu'elle venait d'envoyer bouler. D'un hochement de menton, il lui montra l'arrière-boutique. Jaclyn et Chance s'y précipitèrent, elle le tenant par la main jusqu'au bout d'un couloir encombré par des piles de cartons, puis débouchèrent dans l'allée où D avait fracturé la voiture de Blackstone, où un homme était mort à cause d'une drôle de lame incurvée, la nuque brisée, accroché par les orbites. Ils coururent le long des bennes à ordures, en rasant les murs. Arrivés près du croisement entre l'allée et la rue, ils s'arrêtèrent, dans un petit renfoncement formé par les murs de deux bâtiments adjacents. Ils regardèrent derrière eux : l'allée était aussi déserte que la lune.

« Qui est-ce ? » demanda Chance.

Elle se contenta de secouer la tête.

« Parle-moi, Jaclyn. » Manifestement, il voulait l'appeler par son prénom, pour leur bien à tous deux.

« *Toi*, dis-moi quelque chose, répondit-elle. Tu l'as fait pour moi ? »

Il n'eut pas le temps de répondre : elle était soudain collée à lui, une cuisse contre la sienne, redevenue la créature qu'il avait trouvée un soir dans l'entrée de son immeuble. Jackie Black. Il prononça peut-être même ce nom à haute voix.

« Tu es fou », lui dit-elle.

Il aurait pu lui renvoyer le compliment, bien sûr, surtout lorsqu'il s'aperçut qu'elle dégageait une odeur familière, vraisemblablement le parfum qu'elle avait essayé chez lui avant de s'enfuir dans l'escalier. Mais il n'y aurait, à ce moment précis, aucune question posée à ce sujet ni à n'importe quel autre sujet : dans la tête de Chance il n'y avait qu'eux deux, elle et lui, la promesse de deux cuisses nues sous une jupe plissée d'écolière, une envie déraisonnable de se perdre, une fois encore, dans sa magie.

« J'ai une voiture, murmura-t-il.

— J'imagine bien. »

Ils roulèrent jusqu'à un des nombreux hôtels qui bordaient l'autoroute près de l'aéroport d'Oakland. Il avait toujours considéré avec mépris ces établissements, fonctionnels et sans âme pour les plus chers, misérables pour les autres, chambres sinistres où l'on s'attendait à trouver des brûlures de cigarettes sur les lits, des distributeurs de préservatifs dans les salles de bains, le royaume des trafics de drogues et des rendez-vous clandestins minables.

Pourtant, au cœur de cet après-midi brûlant, parce que ces hôtels semblaient aussi garantir l'anonymat, ils s'éclairaient d'un jour nouveau. Le choix qu'ils arrêtèrent leur prit peu de temps. L'établissement possédait une enseigne en néon : un raton laveur somnambule avec son bonnet et sa chemise de nuit. À en croire le panneau en forme de chapiteau planté au bord de la route qui conduisait presque directement aux agences de location de voitures et au parking longue durée de l'aéroport, il y avait des stripteaseuses dans le club juste en face. Le hall de l'hôtel était dans les tons bleus et orange, avec des plantes en plastique en pot et de grandes plaques de verre poli coloré. La chambre dans laquelle ils finirent par arriver comportait des photos de poteaux téléphoniques et de panneaux publicitaires immenses, pour des voitures ou pour le champ de courses de Golden Gate Fields, ainsi qu'un pauvre balcon d'où l'on pouvait admirer l'aéroport d'Oakland. Pendant que les avions vrombissaient dans le ciel par dizaines, que le soleil faiblissait et laissait place à l'obscurité, à l'ouest l'horizon sembla se napper d'une couche pâle. Chance voulut croire que c'étaient les lumières de San Francisco. Cette chambre, il y passerait presque deux jours avant de trouver une brûlure de cigarette sur une couverture et il y trouverait encore moins le sommeil ou de la nourriture.

Il pensait vraiment pouvoir la baiser jusqu'à ce qu'elle lui crache la vérité, que cette vérité-là serait sa vérité à lui, et pas une autre, que la femme avec laquelle il avait, ce fameux soir, marché dans la ville et fait l'amour chez lui, pouvait revenir une fois encore, par la grâce du désir torride et des sécrétions corporelles. Mais alors qu'elle avait été cette fois-là si présente, il n'y avait plus que des ombres, des variations et des lieux inatteignables. Une version d'elle ne pensait qu'à faire des jeux de mots obscènes. Une autre voulait essayer des choses, le *cockring* dans son sac en cuir… Les menottes en plastique… Un objet en argent, recourbé comme un cimeterre, avec une boule attachée, censé décupler l'orgasme masculin en stimulant la prostate. L'une demandait la permission d'aller pisser et l'invitait à lui donner une fessée. Une autre pleurait quand il s'exécutait. Un de leurs problèmes, parmi tant d'autres tout au long de la nuit et de la journée suivantes, était qu'après s'être jetée sur lui dans l'allée… au bout du compte son petit numéro ne menait nulle part, ou presque.

Ils s'épuisèrent à la tâche. Chance était prêt à l'admettre. Freud avait dit un jour que tout acte sexuel impliquait au moins quatre personnes. Chance ne savait pas combien ils étaient dans la chambre, allant et venant à toute heure du jour ou de la nuit, mais entre eux deux il s'imaginait que ça avait dû être comme avec le fou qui vivait au milieu des tombeaux, qu'ils étaient légion, que leur nombre dépassait largement le chiffre indiquant, derrière la porte, la capacité maximale de la chambre.

« Tu vois comment c'est », dit-elle lors d'une pause. En vérité, il risquait de perdre de vue non seulement la situation telle qu'elle se présentait aujourd'hui, mais aussi le contexte de cette situation. Ce n'était pas la première fois qu'il s'aventurait sur ce terrain-là. Il l'avait déjà exploré, jadis, et le voyage s'était terminé par un séjour aux urgences psychiatriques de Carefree, Arizona, avec transport en ambulance, sangles, médicaments débilitants et surveillance constante pendant près d'une semaine.

« Tu devrais tout balancer », lui dit-il à un moment donné. Il était nu, debout au pied du lit, et se dirigeait vers la salle de bains, lorsqu'il eut cette idée.

« Qu'est-ce que tu racontes ?

— Je pense que tu vois très bien ce que je veux dire. Tu devrais avouer, plaider la légitime défense et des capacités amoindries. Il ne s'en remettra jamais. Toi, oui. Je suis médecin, je passe la moitié de ma vie dans les tribunaux, je vois ces choses-là tout le temps. Crois-moi, tu purgeras la peine minimale, soit dans une prison de basse sécurité, soit dans un établissement psychiatrique. Certes, c'est emmerdant, mais tu ressortiras libre, et moi, je t'attendrai. »

Elle laissa passer un silence, les yeux rivés sur les rideaux devant la vitre du balcon – un bien grand mot. Lorsqu'elle se retourna vers lui, Chance trouva ses yeux aussi vides que ceux d'un cadavre. Le constat l'inquiéta. « Je ne vais même pas te demander ce que tu racontes, dit-elle. Je veux juste savoir si on a fini. »

Chance ne bougea pas.

« Va dans la salle de bains », lui dit-elle.

Pourquoi finit-il par regarder l'écran de son portable ? Il n'en avait pas la moindre idée. Il était debout au-dessus des toilettes, devant un miroir fatigué qui commençait à se délabrer sur les bords, où l'eau s'était infiltrée entre le verre et le Placo. Il se dit qu'il était venu là pour pisser un coup, projet intrinsèquement risqué, au vu de ce qu'il découvrit dans l'implacable miroir, les dégâts infligés à son zob, sans parler de sa prostate abîmée. Il n'avait plus qu'à espérer que ses blessures se guériraient vite.

Le téléphone était posé près du lavabo ; il ne se rappelait pas l'avoir laissé là. Le son avait été coupé mais il clignotait, signalant la réception d'un SMS. Il vit alors que l'écran était en réalité rempli de messages reçus au cours des dernières vingt-quatre heures. Il vit cela, et autre chose encore. Il vit que les messages provenaient tous de sa future ex-femme. Plus tard, il verrait qu'il y en avait également un certain nombre envoyés par Lucy, porteurs de la même triste nouvelle. Mais surtout ce qu'il apprit, ce qu'il put comprendre avant tout le reste, avant même de lire les messages, c'était qu'il se retrouvait une fois encore face à cette réalité qui avait si récemment menacé de l'abandonner, et qui fondait sur lui… Ici, maintenant, comme la bête dans la jungle fond sur sa proie.

UN TRAFIC DÉGUEULASSE

En sortant de la salle de bains, il la trouva redressée sur le lit. Leurs vêtements étaient éparpillés dans toute la chambre, ainsi qu'un certain nombre de serviettes de l'hôtel dont il n'avait plus souvenir. La seule et unique chaise avait été renversée. Jaclyn avait écarté les rideaux qui donnaient sur le balcon et sur le monde miteux au-delà ; elle était assise, nue, et serrait un oreiller. La lumière blanche et crue du matin, qui emplissait maintenant tout l'espace, ne l'avantageait pas, comme sa teinture noir de jais, qui lui faisait par contraste un visage blême et fatigué. Ses yeux fixaient Chance avec un regard plus que désespéré. Lui aussi était nu, et ils restèrent un moment à se jauger, deux pèlerins lancés sur le chemin de la perdition.

Bien sûr, il devait lui annoncer la nouvelle. Mais maintenant qu'il était au pied du mur, il se trouva un peu démuni. Il essaya bien une ou deux fois, mais sa gorge se noua et les mots ne sortirent pas. En leur absence, il préféra ne pas quitter ce *no man's land* entre la porte de la salle de bains et le lit *king size*, nu comme un ver sous la lumière peu flatteuse, tandis qu'un avion de ligne passait en trombe, faisant vibrer la morne moquette marron.

Jaclyn le regarda pendant un long moment puis finit par dire : « C'est fini, mon pote. Qu'est-ce que je peux te dire de plus ?

— C'est ma fille », répondit-il avant de fondre en larmes. Plus tard, il se demanderait si son père avait ressenti la même chose.

Son portable s'étant déchargé, il finit par joindre Carla sur la ligne fixe. C'était le coach personnel dyslexique qui avait retrouvé Nicole dans sa chambre, par terre, avec de la salive qui coulait d'un côté de sa bouche. Les ambulanciers n'ayant pas réussi à la réanimer, elle avait été emmenée aux urgences de l'UCSF, là même où Chance était allé récemment voir Big D. Elle n'avait toujours pas repris connaissance, aussi était-il impossible de déterminer à cause de quel médicament, parmi ceux qu'on avait découverts en sa possession, elle avait fait une overdose. Le pronostic était encore incertain. Ses signes vitaux correspondaient à la normale. Le médecin, un spécialiste des poumons que Chance ne connaissait pas, l'avait intubée pour la faire respirer, expliquant à Carla qu'elle serait maintenue sous sédation pendant quelques heures afin qu'elle n'arrache pas le tube, puis réanimée une fois la situation améliorée. En attendant, son état étant considéré comme « stable mais critique », elle serait gardée à l'unité des soins intensifs. Tant qu'elle n'aurait pas repris conscience, les tenants et les aboutissants de cette affaire resteraient un mystère. Chance dit à Carla qu'il se rendrait sur place dès que possible, puis raccrocha. Il raconta l'histoire à Jaclyn, de manière décousue, en s'efforçant de ne pas flancher.

« Oh, mon Dieu… » Elle était toujours au lit, le drap enroulé autour de ses seins et calé sous ses bras, comme on le ferait d'une serviette dans un sauna. Elle avait l'air bouleversée.

Chance s'assit à côté d'elle. Lui-même n'était qu'à moitié habillé. Il avait mis un tee-shirt, un caleçon et une chaussette, mais l'autre était introuvable. Jaclyn posa une main sur sa jambe. « Est-ce que je peux faire quelque chose ?

— Qui parle ? Jaclyn, Jackie ou une autre ?

— Ne sois pas méchant. »

Ses yeux avaient retrouvé leur lumière. Elle enfouit sa tête dans le torse de Chance. « Je suis vraiment désolée… » Mais sa voix tremblota, et Chance se remémora la première fois où elle avait traversé la baie pour le retrouver, leur discussion dans le petit café près de son cabinet, la lumière du soir à travers les fenêtres basses, les émotions sur son visage quand il lui avait parlé de ses patients. Une bonne âme, s'était-il dit. Il s'imagina, une fraction de seconde, qu'elle était revenue vers lui, après tout, que la soudaine révélation d'un drame imminent l'avait ressuscitée. Un deuxième coup d'œil suffit à le faire changer d'avis. À une autre époque, elle aurait été brûlée comme sorcière. Dans un avenir indéterminé, peut-être identifierait-on la connexion défectueuse, le déséquilibre chimique, et saurait-on quoi faire. En attendant, Chance se dit qu'elle allait simplement devoir faire comme les autres, prendre le taureau par les cornes sans rien lâcher, se frayer un chemin dans un monde privé de lumière. L'invitation hasardeuse qu'il venait de lui lancer lui sembla tout à coup remonter à des siècles. Il était revenu sur la planète Terre.

« Tu sais qu'il l'a menacée, une fois, dit-il. C'était l'autre soir, à Berkeley, au restaurant thaï. »

298

Elle acquiesça sans le regarder. « Il *faut* que tu y ailles. Ne t'inquiète pas pour moi. J'appellerai un taxi.

— Une "espèce prédatrice", il avait dit.

— Oui… Il est bien placé pour en parler.

— Elle a un petit ami. Je ne l'ai jamais rencontré. J'en ai simplement entendu parler. Il m'a l'air nocif. Ça pourrait être ça.

— Si c'est ce que tu penses.

— Je ne sais pas. Je ne sais pas ce que je pense. Si tu le sais, toi, c'est le moment. »

Il se détacha d'elle sans un mot, recommença à s'habiller, une fois de plus, puis s'aperçut qu'il n'arrivait pas à mettre les boutons de sa chemise. Sa main droite tremblait légèrement.

Elle se leva du lit pour l'aider, laissant le drap tomber. « Écoute-moi, dit-elle. Une fois que tu seras à l'hôpital… reste avec elle. Il faut que tu sois présent. Quand elle se rétablira, tu devrais peut-être l'emmener quelque part, loin d'ici… »

Il lui attrapa le poignet et la regarda droit dans les yeux. « Qu'est-ce que tu dis ?

— Je dis que tu dois être à ses côtés.

— Putain. Je rêve.

— Je t'ai *déjà* dit de ne pas le sous-estimer.

— Tu es donc en train de m'expliquer que c'est lui qui a fait le coup ? Ou que le petit ami de ma fille travaille pour lui ?

— Je vais te dire une bonne chose. Le salon de massage ? Il est à *lui*. Il l'a acheté avec de l'argent de la drogue qu'il a volé. À force de combattre ces magouilles quand il était aux mœurs, il a appris comment faire. Aujourd'hui, il se sert de son réseau chez les flics pour éliminer la concurrence. Il s'est associé avec des Roumains, genre mafiosi. Ils font venir les filles d'Europe de l'Est, les rendent toxicomanes et les forcent à se prostituer – et encore, celles-là ont de la chance. Ils ont des types, pour la plupart roumains, mais pas toujours, des jeunes, beaux gosses, dont le boulot consiste à trouver des gamines. Et ils savent y faire. Pas tant ici qu'en Europe. Mais lui *connaît* ces gens-là. C'est un trafic dégueulasse. C'est un mec dégueulasse, qui a des amis dégueulasses. Voilà ce qu'il faut que tu comprennes. Je le sens capable d'à peu près tout.

— Est-ce que tu pourrais essayer de savoir ?

— Tu penses que je devrais lui poser la question ?

— De toute évidence, tu as des liens avec cet endroit.

— *Moi*, je n'ai aucun lien avec rien, sauf avec toi. Il faudrait que tu lui demandes à *elle*.

— Arrête de m'emmerder avec ça.

— J'aimerais, dit-elle. J'aimerais vraiment.

— Et *elle*, c'est laquelle ? Jackie Black ?

— Écoute-moi. Il y en a qui pourraient l'avaler avec un verre d'eau.

— J'en ai marre, finit-il par répondre. Pas toi ?

— La vie continue.

— Qu'est-ce que tu faisais là-bas, Jaclyn ? Qu'est-ce que tu faisais avec ce type ?

— Je te l'ai dit.

— Ah, oui. Qu'est-ce qu'elle faisait là-bas ?

— Disons qu'on aime bien dépouiller un client de temps en temps.

— Vous deux ?

— Elle a une mauvaise influence. Qu'est-ce que tu veux que je te dise ? Ça *le* rend dingue.

— Et Jaclyn ? Elle est aussi dans le coup ?

— Ah… Ta très chère amie. »

Il aurait voulu la gifler, mais il se retint. Ça commençait à bien faire.

« Jaclyn fait les calculs. Elle est douée pour ça.

— Et pour se prendre une raclée à l'occasion.

— Oh, on en prend tous.

— Et ce type qui nous a fait fuir ?

— C'est un des Roumains qui ramènent les filles. Ils étaient deux, avant, mais il me semble que tu sais peut-être *deux ou trois choses* à ce sujet. Sinon, franchement, qu'est-ce que tu fabriquais là-bas ? »

Il esquiva et préféra avancer ses propres pions – maintenant qu'ils étaient de retour sur la planète Terre, avec tous ses désagréments. « Et Gayland Parks ? » demanda-t-il. Pour elle, ce dut être un coup de tonnerre dans le ciel bleu. « C'était qui ? Un pigeon ? Un client ? Quelqu'un que tu as dépouillé ? »

Elle recula, comme après un choc électrique. « Ouah… dit-elle. Bravo ! En plein dans le mille, putain ! » Elle reprit le drap qui était tombé, se réfugia sur le lit, replia ses jambes et posa son front contre ses genoux, le genre de pose théâtrale à laquelle elle l'avait habitué.

Chance la regardait en silence.

« C'est ça que tu voulais dire… Tout balancer, purger sa peine… Et ta présence là-bas… »

Il ne dit rien.

« Comment tu sais, bordel ?

— J'ai eu accès à son ordinateur. J'ai pu voir certains de ses rapports. »

Elle le fixa un long moment. « Tu sais quoi ? Tu ne devrais même pas me raconter ça. Il est au courant ?

— Je ne sais pas. Je ne crois pas. Je ne sais pas ce qu'il sait.

— Et tu es en train de te demander s'il est derrière cet autre… Sérieusement ? »

Chance attendit qu'elle termine sa phrase. « Eh bien, finit-elle par reprendre. Tu es foutu. Voilà ce que je pense. » Elle s'était mise à se balancer d'avant en arrière sur le lit, à la manière d'une clocharde dérangée. « On est plus ou moins tous les deux foutus, ajouta-t-elle. Mais au moins, moi, il m'aime bien.

— Il aimait bien Jane, aussi ? Il est tombé amoureux d'elle ? Il l'a ramenée ici ? Il a peut-être découvert qu'elle savait faire des calculs, ou qu'elle connaissait le métier... Et Myra Cohen, pendant qu'on y est ?

— Tais-toi. »

Elle tendit brusquement le bras pour l'attraper par le poignet. Une fois de plus, et malgré tout ce qu'ils avaient fait ensemble, il fut surpris par sa force. « On s'est fait baiser, mon vieux. Ne me demande pas comment.

— Comment ?

— Très drôle. Il a des yeux, putain. Voilà comment. Il connaît du monde. Je t'ai dit qu'il savait déléguer. Maintenant tu vois un peu ce dont il est capable.

— Il est toujours à l'hôpital ?

— Il y est resté deux nuits, puis ils l'ont renvoyé à la maison, mais je ne l'ai pas revu. Il a téléphoné et je n'ai pas rappelé. »

Chance voulut détacher son bras. Elle s'accrocha. « Tu es quelqu'un de bien, dit-elle pour la énième fois. Je n'ose même pas imaginer comment tu as eu accès à cet ordinateur ou si tu as quelque chose à voir avec ce merdier dans l'allée... » Elle s'interrompit, sans relâcher son étreinte, et pendant quelques instants parut amusée. « Je dis ça parce que, si je ne le disais pas, tu me le raconterais sans doute. Ne le fais pas. Ne jamais avouer et ne jamais parler à un flic. Règle numéro un, putain. Et si tu as un lapin magique quelque part, tu ferais mieux d'aller le chercher en espérant qu'il est toujours ton ami.

Est-ce que c'est clair ? Est-ce que je me fais bien comprendre ?

— Aide-moi à retrouver ma chaussette », répondit Chance.

Elle était encore au lit lorsqu'il finit de s'habiller. Elle avait pris ce que Chance pensait être la dernière bière dans le minibar de l'hôtel et buvait à même la cannette, les yeux rivés, malgré la lumière désagréable, sur l'aéroport d'Oakland qui étincelait au loin.

« Ça va aller pour toi ? demanda-t-il.

— C'est une blague ? »

Mais il essayait encore de comprendre, de replacer tout ce qu'elle lui avait dit dans une vague perspective concrète, en prenant en compte l'état dans lequel elle était et celui dans lequel il était, et tout le reste...

« Écoute-moi, redit-elle. Si je *peux* découvrir quoi que ce soit, je le ferai. Et je te passerai un coup de fil. Mais ne m'appelle pas.

— Ça marche.

— J'irais avec toi, si je le pouvais.

— Ce n'est peut-être pas la meilleure idée.

— On s'est compris », lui dit-elle, et il le pensa aussi.

« En tout cas, merci. » Il se souvint alors d'un détail. « Je croyais que tu étais partie voir ta fille, dit-il. Je croyais que tu étais là-bas.

— Ah oui ? Et *moi*, je croyais que tu *me* cherchais.

— Je cherchais des caméras de surveillance.

— Qu'est-ce que je viens de te dire ?

— Et ta fille ?

— Non.

— D'accord.

— Je suis désolée, mon vieux.

— Deux paysans se croisent sur une route. »

Il s'était arrêté sur le pas de la porte et regardait Jaclyn dans la lumière faible. « Un des deux tient un cochon qu'il soulève pour lui faire manger les feuilles d'un arbre. Le deuxième paysan le regarde et lui demande ce qu'il fabrique. Le premier dit : "Je nourris mon cochon." L'autre lui répond que ça doit prendre un temps fou. Alors le premier dit : "Qu'est-ce que le temps aux yeux d'un cochon ?" »

Elle le regarda longuement. « C'est ce genre de choses que tu factures à tes patients ?

— Pour être très honnête... je ne vois pas beaucoup de gens, en tant que patients. »

Elle laissa passer un silence. « Ouah. Attends, laisse-moi réfléchir...

— Oui. Ils me foutent les jetons. »

Elle ne répondit pas.

« Pense un peu à mon histoire.

— C'est tout ?

— C'est tout ce que j'ai, lui dit-il. J'ai réglé la chambre. Je vais leur dire que tu signeras en partant.

— Je suis vraiment désolée.

— Moi aussi. »

Il referma la porte derrière lui. Quelques minutes plus tard, il retrouva l'autoroute, cap au nord, puis à l'ouest. L'immense Bay Bridge grognait sous le poids de la circulation à midi, avec ses quatre files remplies de voitures aussi loin que portât le regard, arc-en-ciel métallique tendu entre les flèches de cette ville qu'il s'était si souvent plu à considérer comme la sienne.

CHANCE ET L'INIMAGINABLE

Il arriva à l'hôpital un peu avant le déjeuner, profitant une fois encore du parking réservé au personnel, mais sans sa blouse blanche. Il ne se sentait pas tout à fait médecin, ni grand-chose d'autre d'ailleurs, réduit par les événements à un simple bout de nerf à vif. Il passa telle une ombre dans les couloirs pourtant familiers, comme s'il les découvrait pour la première fois, et se rendit directement aux urgences. Il arriva juste à temps pour les voir sortir d'une salle d'attente dans divers états de colère et de panique. Ils étaient tous là, sa future ex-femme avec son équipe de soutien, un petit groupe de futurs ex-proches et d'anciens amis, dont le coach dyslexique. Chance, fils unique de parents morts, se retrouva un peu seul face à cette cohorte. S'il avait espéré trouver un visage ami dans un rayon proche, il pouvait faire une croix dessus, ayant déjà été informé au bureau des infirmières, par une femme de ménage hispanique qui avait au maximum douze ans, que Gooley était en congé.

La cause de leur consternation, hormis l'arrivée inopinée de Chance, suffisante apparemment pour provoquer chez son ex-femme une crise immédiate et violente, était la disparition soudaine de Nicole. Elle n'était plus dans l'hôpital. Chance ne put qu'ouvrir de grands yeux et demander comment une telle chose avait pu se produire. Il aurait tout aussi bien pu s'arrêter sur l'accotement de l'autoroute en plein midi pour savoir d'où venait le vent.

« C'est toi qui me poses la question ? » hurla Carla, s'attirant non seulement les regards appuyés du personnel et des gens qui passaient par là, mais une tape réconfortante de son fiancé du moment.

Chance la regarda sans rien dire.

« Comme d'habitude, reprit Carla en chassant la main de son petit ami. Qu'est-ce que tu fais là, d'abord ? » Il voulut répondre, mais elle se retourna et enfouit son visage au creux de l'épaule de sa mère, beauté fanée aux cheveux très décolorés avec laquelle il ne se rappelait pas avoir eu la moindre conversation intéressante tout au long de sa vie de couple et qui l'accablait d'un regard profondément, durablement, réprobateur. Il pensa que c'était dû à sa tenue.

Au bout d'un moment, certaines choses s'éclaircirent. Des faits furent établis, émergeant, aux yeux de Chance, comme des icebergs au milieu d'un épais brouillard. Aux alentours de 10 h 15, ce matin-là, le pneumologue qui s'occupait de Nicole avait décrété qu'elle pouvait désormais retirer son tube respiratoire et être réanimée. L'opération s'était déroulée plus ou moins comme prévu et Nicole avait repris connaissance. De son long sommeil, elle était ressortie d'une humeur que l'on décrivit à Chance comme revêche et ronchonne. Elle se demandait pourquoi on prenait tant de précautions et voulait seulement retourner chez elle. « Elle n'arrêtait pas d'exiger son portable », lui expliqua le coach dyslexique originaire de Sausalito – ce fut son unique contribution au récit.

C'était la première fois que Chance se trouvait dans la même pièce que lui ou lui parlait face à face. Il mesurait une tête de plus et affichait une forme olympique. Chance refusa de s'adresser directement à lui et préféra se tourner vers Carla : « Et tu l'as laissée faire ?

— Comment oses-tu ? Comment oses-tu venir ici après tout ce temps et commencer à m'accuser... »

Elle s'interrompit, comme si elle le découvrait. « Mon *Dieu*... Tu as une mine absolument dégueulasse. » Après quoi, elle quitta la chambre en trombe pour appeler une infirmière. Sa mère jeta à Chance un dernier regard haineux avant d'emboîter le pas de sa fille. Les autres membres de l'équipe de soutien se retirèrent en silence. Chance se retrouva sur le pas de la porte avec le coach personnel.

« Entre nous, lui dit ce dernier, je suis désolé. Vraiment. Je peux seulement imaginer ce que vous devez ressentir. »

Chance hocha la tête. Ce type était sans doute la seule personne, parmi l'équipe de soutien, à daigner le considérer. « On ne sait pas trop comment elle a récupéré son portable. » Chance se fit la remarque qu'il ne se rappelait plus le nom de son interlocuteur. « On pense que c'est arrivé ce matin, juste après qu'ils lui ont retiré le tube et les sangles. Il y a eu un moment de flottement. Une infirmière rentrait chez elle et une autre est arrivée... Carla a dû laisser son sac dans la chambre. Elle est restée là toute la nuit. Enfin... Nicole a dû voir qu'elle était seule, prendre le portable de sa mère et passer un coup de fil... Elle n'a pas dû avoir le temps d'en passer d'autres.

— Manifestement, un seul a suffi », répondit Chance. Comme l'autre faisait des efforts pour être sympathique, il essaya de dissimuler la rancœur dans sa voix, ou du moins de la maintenir à un seuil minimum.

« C'est dingue, confirma le coach.

— Mais après ? Ce n'est pas si facile de partir de là.

— Elle a expliqué qu'elle voulait aller aux toilettes. Elle a sans doute pris cet escalier. »

Il montra une porte au fond d'un petit couloir, surmontée d'un panneau de sortie vert. « Les toilettes sont à l'étage juste au-dessous, ajouta-t-il. Si quelqu'un l'attendait dehors, avec une voiture…

— On a regardé le téléphone ? Pour voir qui elle a appelé ?

— Elle est partie avec.

— Je comprends.

— Elle est pleine de ressource.

— Ah.

— On a prévenu la police. »

Chance essayait encore de se faire une idée de la situation lorsque le coach ajouta : « On espère qu'ils pourront récupérer les appels passés depuis le portable de Carla et obtenir l'adresse de la personne que Nicole a contactée.

— On peut imaginer que c'est son petit ami. »

Le coach acquiesça. C'était l'option la plus plausible.

« Et est-ce qu'on connaît son nom ?

— Tao.

— C'est tout ?

— Nicole n'en a jamais beaucoup parlé. C'est par la mère d'une de ses copines que Carla a pu avoir deux ou trois renseignements. »

Il s'interrompit. « Je sais que c'est n'importe quoi, reprit-il. Mais ils *vont* la retrouver. Peut-être même qu'elle se ressaisira un peu et rentrera à la maison. Elle a eu assez de jugeote pour partir d'ici. »

Chance se dit que le type faisait des efforts, même maladroits. Ne se sentant pas de parler, il se contenta de hocher la tête et de regarder au fond du couloir, dans la direction qu'avait prise sa fille pour s'échapper. Si le pire se confirmait, le nom du petit ami ne serait pas d'un grand secours. Les petits gars de Blackstone ne devaient certainement pas se servir de leurs vrais noms.

Pour finir, il réussit à discuter avec le pneumologue qui avait pris en charge sa fille. Il obtint de lui la liste des médicaments que l'hôpital lui avait administrés. Rien que de très classique – un antibiotique, un sédatif… Où qu'elle se trouvât, elle devait forcément être encore un peu groggy, mais tous ses signes vitaux avaient été stables pendant la nuit. Un peu avant sa fuite, elle avait reconnu avoir consommé de l'acide gamma-hydroxybutyrique, aussi nommée drogue du violeur tellement à la mode et plus connue sous le nom de GHB. On lui expliqua qu'on n'avait décelé aucune trace d'agression, sexuelle ou autre. On aurait souhaité la garder une nuit de plus.

Le médecin fut interrompu par l'arrivée d'un agent de la police de San Francisco. Chance et Carla eurent alors droit à un entretien en privé au cours duquel le policier se montra professionnel et compréhensif, quoique légèrement détaché. Du coup, Chance se demanda si lui-même avait pu agir de la sorte avec certains de ses patients, si lui aussi s'était montré professionnel, compréhensif et légèrement détaché. Les relevés des échanges téléphoniques, les assura-t-il, seraient fournis par l'opérateur de Carla. Le numéro en question serait identifié. Un avis de recherche serait lancé.

« Mon Dieu », se dit Chance, et cette rengaine passa plus ou moins en boucle pendant toute la durée de l'entretien, comme c'était incroyablement triste, dingue et impensable d'en arriver là, de se retrouver aujourd'hui, enfin, dans la situation de tant de ses patients, à entendre des nouvelles inimaginables annoncées par un professionnel affable et compréhensif, mais vaguement absent. Sur ces entrefaites, le policier attira de nouveau son attention en annonçant qu'un avis de recherche serait transmis à toutes les forces de l'ordre, non seulement à San Francisco, mais dans toute la zone, y compris Berkeley et Oakland, à l'est de la baie.

CHANCE INSAISISSABLE

Chance resta à l'hôpital le temps que la police contacte l'opérateur téléphonique de Carla. Le numéro que Nicole avait composé se révéla être une impasse, un appareil jetable, comme ceux prisés des gens qui ne veulent pas être repérés. D'après l'inspecteur, ce n'était pas très bon signe. Ils n'avaient donc rien d'autre à faire que de rentrer chez eux et attendre... un coup de fil... de quelqu'un, quelque part... des nouvelles... Vivre dans l'espoir.

Finalement, l'avis de recherche fut lancé et transmis. Chance avait lui-même participé à sa rédaction. Le coach personnel dyslexique avait dit qu'ils resteraient en contact. Carla, avec laquelle il ne parlait plus, de toute évidence, n'avait en effet pas prononcé un seul mot, et chacun était reparti de son côté, rescapé de quelque désastre indicible : Carla et son équipe de soutien se dirigèrent vers l'ascenseur et le parking visiteurs, Chance prit l'escalier et s'en alla seul. Précisons qu'il ne partit pas sans avoir demandé des nouvelles d'un certain Darius Pringle. Mais le colosse s'en était allé sans donner d'autre adresse que celle de sa famille. Bonne chance. Chance passa son chemin. Il trouva bienvenu de devoir descendre l'escalier plutôt que de le monter, et pas seulement parce qu'il doutait de sa capacité à grimper. À chaque marche descendue, son esprit s'enfonçait dans un monde toujours plus sombre, toujours plus effrayant, un monde de défaillance générale, d'injonctions vaines et d'enfants disparus, de pédophiles et de *snuff movies*, de prostitution et de drogue, d'abus d'influence et de cadavres enterrés.

C'est dans cet état d'esprit qu'il découvrit un prospectus placé sous les essuie-glaces de sa voiture, une publicité pour l'ouverture d'un nouveau restaurant en ville. Le plus frappant était qu'il ne s'agissait pas de n'importe quel restaurant, mais d'un restaurant thaï.

Il voulut voir si d'autres véhicules avaient eu droit à ce prospectus ; ce n'était pas le cas. Il regarda autour de lui. Il entendit des pneus crisser sur une rampe en ciment, puis le vrombissement lointain d'une voiture qui s'éloignait. Le message était certes subtil et ambigu, mais comment y voir autre chose que l'œuvre de l'inspecteur Raymond Blackstone, le même homme qui l'avait un jour menacé en parlant de sa fille, dans un autre restaurant thaï, à l'est de la baie ?

La solitude étouffante de son propre appartement n'étant pas envisageable *une seule seconde*, il se rendit directement au magasin d'antiquités. Il se trouvait dans un état de profonde dissociation, ses pensées empruntaient des chemins à la fois familiers et concentriques, et gagnaient de manière exponentielle en vitesse, en délire paranoïaque et en dépravation générale. Il réfléchissait tout à la fois à la puissance de Blackstone, aux petits copains nocifs, aux mariages ratés, à une âme tourmentée… à une fille en pleine révolte. Ajoutez à cela la litanie interminable des péchés du père, en l'occurrence les siens. Il ne pouvait pas arrêter le mouvement. Il ne pouvait passer ni par-dessus, ni à côté, ni au-dessous, ni autour. De même, il était incapable d'envisager une décision qui ne provoquerait pas une nouvelle catastrophe, de voir au-delà d'un mélange effrayant d'impuissance et de colère, la certitude que, en cas de conclusion inimaginable, ce serait toujours sa parole contre celle de Blackstone, et que si ce dernier était compromis, lui aussi l'était – lui, le médecin qui avait couché avec une patiente souffrant d'une forme de dissociation particulière, sans doute détentrice de plusieurs personnalités pour certains, *borderline* pour les autres, folle furieuse pour le citoyen *lambda* qui composerait, avec onze de ses concitoyens, n'importe quel futur jury. Telle fut la petite musique qu'il entendit tandis qu'il brûlait au moins deux feux rouges, sinon plus, manquant de peu une piétonne, en l'occurrence une contractuelle en uniforme qui rédigeait une contravention. Qu'il parvienne à s'en tirer impunément lui parut assez juste ; il y devina une nouvelle manière d'être au monde.

Comme si un démiurge de seconde zone était à la manœuvre, il reçut un appel de Jaclyn Blackstone. En route vers le quartier de Mission, Chance était coincé dans les embouteillages.

« Mais qu'est-ce que tu es allé foutre là-bas ? » commença-t-elle.

Il pensa qu'elle parlait du salon de massage – elle venait de lui dire de ne jamais avouer qu'il s'y était rendu. « Pourquoi est-ce que tu ne m'aides pas plutôt à retrouver ma fille ? » répondit-il.

Elle laissa passer un long silence. « J'ai peut-être quelque chose. »

Chance était au milieu d'une cohorte de voitures qui approchaient d'une lointaine rangée de feux rouges. Son pouls accéléra. « Tu as peut-être ou tu as ? »

Elle préféra ne pas relever. « Je l'ai revu pour la première fois depuis l'hôpital. Il a totalement pété les plombs. Une sorte d'expérience de mort imminente ou je ne sais quelle connerie. »

Chance s'agrippa au volant. Il se mit à transpirer en découvrant quelle était la raison de l'embouteillage : des travaux qui réduisaient la circulation à une seule voie, des ouvriers avec des casques et des gilets orange – apparemment trois types expliquant les éléments d'une pelle à un quatrième. Les voitures roulaient au pas.

« Il n'a qu'une seule envie, c'est arrêter. Il veut prendre une retraite anticipée. Partir quelque part…

— Arrêter quoi ?

— Tout. Et il veut que je parte avec lui.

— J'imagine bien.

— Je suis sérieuse.

— Moi aussi. Tu m'as dit que tu avais quelque chose.

— Je voulais juste que tu saches. J'ai vraiment peur. On se retrouverait tous les deux, lui et moi, sans avoir rien à faire, et lui sans rien à faire d'autre que de me garder prisonnière. »

Elle réfléchit une seconde. « Je préférerais me faire tabasser. » Puis : « Je vais partir. Je ne sais pas encore comment, mais je vais partir, et je vais te donner quelque chose. Je veux que tu aies de quoi le tenir à distance. Comme une garantie.

— Quoi ?

— C'est un petit quelque chose. Où es-tu ?

— Dans ma voiture.

— Où ça ?

314

— Je suis dans les embouteillages. Tu ne veux pas me dire ?

— Ça ne sert à rien. Il faut que tu l'aies. Comment va-t-elle ?

— Elle s'est échappée. On pense que son petit ami est passé la prendre à l'hôpital. Elle a réussi à mettre la main sur le portable de ma femme.

— Oh, non… On peut se retrouver quelque part ?

— Pourquoi ?

— Je viens de t'expliquer, dit-elle.

— J'ai besoin de savoir de quoi il s'agit, Jaclyn.

— Tu m'as posé des questions sur Jane. Je sais ce qu'il y a dans les dossiers que tu as vus. Et je sais aussi ce qui n'y est pas.

— Ah.

— Jane était douée pour le calcul, lui dit-elle.

— Qu'est-ce que ça veut dire, Jaclyn ? Tu as ses rapports ? Tu le balances ?

— Je te le balance à toi.

— Pourquoi maintenant ? Pourquoi moi ?

— Je vois ta fille.

— Où es-tu ?

— Il y a un motel sur la côte, vers Lands End. Le Blue Dolphin. »

Chance dépassa lentement le dernier tronçon de chantier, puis accéléra. La ville ressemblait à des ossements blanchis sous la lumière crue d'un soleil capricieux.

« Qu'est-ce que tu es en train de me dire ?

— Je suis en train de te dire qu'on peut se voir quelque part.

— Tu m'as expliqué que tu voyais ma fille.

— Je pensais que tu comprendrais ce que je voulais dire.

— Nom de Dieu, Jaclyn. Je ne peux pas faire ça.

— Faire quoi ? »

Chance soupira. « Il faut que je parle à quelqu'un.

— Oh, non. Tu vas aller voir la police.

— Loin de là. »

Il aurait pu lui expliquer que des choses extrêmement complexes se produisaient, qu'il ne s'estimait plus capable de les juger avec discernement, qu'il avait besoin d'aide, et pas le genre d'aide qu'il pourrait trouver auprès d'elle, tous les deux seuls dans un énième motel ridicule. « Où es-tu ? » préféra-t-il répéter. Le motel dont elle lui avait parlé se trouvait dans la direction opposée, mais n'était pas suffisamment éloigné non plus pour exclure la possibilité de faire demi-tour.

« Je suis là.

— Au motel ?

— Chez moi. »

Chance relâcha un peu le volant. « Et lui, où est-il ?

— Je ne sais pas.

— Donc en fait tu ne *sais* pas s'il a quelque chose à voir avec ma fille. Tu n'en sais pas plus aujourd'hui que la dernière fois.

— Tu m'as demandé si je pouvais t'aider.

— Ils peuvent encore la retrouver », dit-il, ne serait-ce que pour entendre cette phrase, comme si, en la prononçant, son vœu s'exaucerait et le monde retrouverait son agencement familier d'ombres et de lumières, de comédie et d'horreur. « L'avis de recherche a été diffusé. Ce n'est pas comme si personne ne la recherchait.

— D'accord. »

Un silence.

« Tu te souviens du nom du motel ?

— Le Blue Dolphin. Mais encore une fois…

— Il faut que tu discutes avec quelqu'un.

316

— Tu m'appelles quand tu seras là-bas ?

— J'y vais, mon vieux. Et ensuite, je m'en vais.

— Il faut que je sois malin sur ce coup-là. »

Puis, après quelques secondes : « Je veux qu'on soit tous les deux malins.

— Je crains qu'il ne soit un peu trop tard pour ça. »

Il trouva Carl au fond du magasin, visiblement occupé à ranger des bagages dans le coffre de la Starlight Coupé. « Dieu merci, vous êtes là. Je m'en vais.

— Vous l'avez retrouvé, donc ?

— Pas tout à fait. Mais je sais où chercher.

— Voulez-vous que je conduise ? » demanda Chance. Mais comme Carl était déjà au volant, il finit par s'installer à ses côtés. Après tout, il était venu pour ça. Il avait écouté le conseil de Jaclyn Blackstone, ou du moins de la personne qui se faisait appeler par ce nom, et espérait, en dépit du bon sens, que le lapin magique était toujours vivant, ni en prison ni à l'asile, et, plus que tout, qu'il était encore son ami.

DANS L'ÉGLISE DE BIG D

Carl le mit au parfum pendant le trajet. Il lui raconta que D avait été installé dans la maison de son père, à Berkeley, et qu'*ils* manigançaient quelque chose… Un transfert vers un établissement privé… D en avait eu vent et était parti, malgré une tentative, semble-t-il, pour l'en empêcher.

Chance essaya pendant un petit moment d'imaginer à quoi tout cela avait pu ressembler, puis rappela au vieil antiquaire que Big D était majeur et vacciné, sujet à propos duquel il commençait à se sentir comme un disque rayé.

« Il a peur de son père.

— C'est son père qui devrait avoir peur de lui.

— Je lui ai dit que c'était votre avis, mais il a peut-être besoin de l'entendre de votre bouche.

— Et quand, au juste, aurons-nous l'occasion d'avoir cette discussion ?

— Bien assez tôt, lui répondit Carl. J'espère simplement qu'il n'est pas trop tard.

— C'est-à-dire ? »

Ils étaient en train de quitter la ville vers le sud. Le haussement d'épaules du vieil homme ne signifiant rien de particulier, Chance n'avait plus qu'à regarder les collines huppées avant Palo Alto, leurs sommets bleu-vert noyés dans les gros bancs de nuages qui signalaient la côte, leurs canyons où les Merry Pranksters avaient jadis festoyé avec les Hells Angels. On pouvait dire que les années 1960 y avaient vu le jour. Épuisé, il finit par fermer les yeux et réussit même à dormir, bien que d'un sommeil agité. Ses rêves prirent des teintes orange et bleues et furent peuplés de pinces à tétons et de *cockrings*, d'une femme qu'il ne retrouvait pas, le tout accompagné par le martèlement lointain de machines invisibles.

Il se réveilla dans une zone d'où l'argent avait disparu pour laisser place à des immeubles semblables aux cités HLM situées près de la route 101, au sud de Los Angeles. Ils continuèrent de rouler, à présent sur une route à deux voies, et finirent par arriver devant l'ultime vestige de ce qui avait autrefois dominé toute la région, bien avant les hippies, et les yuppies qui surgiraient de leurs cendres – un champ d'avocats en déréliction. Ses restes se mêlaient à ceux de citronniers en rang, certes, mais abandonnés depuis belle lurette. Au milieu de tout cela se dressaient les ruines d'une vieille maison victorienne à moitié dissimulée par les broussailles, les mauvaises herbes et les arbres sauvages.

Carl quitta la route juste avant qu'elle croise une longue piste de terre qui menait jusqu'à une maison, marquée par deux grosses pierres comportant chacune des anneaux métalliques, comme ceux que l'on utilisait jadis pour attacher les chevaux. Il se gara sur le bas-côté. Une des deux pierres avait été peinte en rouge, blanc et bleu, avec un signe *peace and love* un peu effacé, dessiné en noir, à la bombe. En face, un panneau indiquait que la plus grande partie du terrain avait été récemment vendue et était sur le point d'être lotie. On imaginait déjà des centres commerciaux et une zone industrielle.

« C'est triste », dit Chance. Il parlait du panneau et de l'avenir qu'il annonçait.

Carl étudia les alentours. « Mon père travaillait ici, avant. Le seul boulot qu'il ait pu trouver à l'époque. Il a commencé quand j'étais adolescent. La famille avait quitté le Missouri et s'était retrouvée dans l'Oregon. Mon père a commencé par ramasser les fruits, puis il a enchaîné les récoltes tout le long de la côte, jusqu'à San Francisco.

— Quelle histoire.

— Comme vous dites. »

Carl observait un petit oiseau à la gorge orangée posé sur la cime d'un arbre mourant. « Il ne m'aimait pas beaucoup. »

Chance comprit qu'il parlait de son père. « Le mien non plus ne m'aimait pas beaucoup, quand j'y pense. »

Le vieil homme regarda l'oiseau s'envoler. « Pourtant, je croyais que c'était un bon métier, médecin.

— Il y a eu quelques secousses en cours de route. »

Carl acquiesça et baissa sa vitre. Leur fuite hors de la ville semblait donc se conclure ainsi, par l'évocation des déceptions parentales dans le sud bucolique. « Bon... » dit Chance. Mais Carl était soudain muet comme une carpe ; il n'y avait plus que le bourdonnement des insectes, et une légère odeur d'oranger et de sauge qui planait dans l'air sec et figé. Chance essaya encore. « Bon...

— Je sais ce que vous êtes en train de penser, lui dit le vieil homme. Mais on n'a rien de mieux à faire. S'il est ici, il saura qu'on est aussi ici. Il viendra ou il ne viendra pas.

— Et combien de temps est-ce qu'on lui accorde ? »

Chance s'aperçut qu'il faisait comme Carl, qu'il regardait en direction des arbres.

« Question difficile », répondit ce dernier.

En temps réel, il ne s'écoula sans doute guère plus de cinq minutes avant qu'un grand nombre de cailles s'égaillent comme une volée de plombs, suivis par D en personne. Il émergea d'un fourré particulièrement épais, tout près de la vieille maison entourée d'arbres, puis emprunta la piste de terre, habillé comme au jour où Chance l'avait vu pour la première fois : la vieille veste militaire, le tee-shirt noir, le pantalon de treillis et les rangers aux lacets qui traînaient dans la poussière. Il s'approcha de la portière de Chance et lui demanda de ses nouvelles, comme si rien d'important ne s'était passé depuis leur dernière rencontre.

Chance fut plus ému par son apparition qu'il ne l'aurait pensé. « C'est plutôt moi qui devrais *te* demander comment tu vas. »

D avait une tache de crasse sur le visage. Les revers de son pantalon étaient couverts de feuilles, ses lacets entremêlés de brindilles. « Je vais bien. » Ils en restèrent là. Chance et Carl sortirent de la voiture, et D les amena vers les arbres. De là, Chance vit avec plus de précision ce qui avait dû être une impressionnante maison de style victorien, telle que les immigrants de la côte Est en avaient fait construire en débarquant sur ces terres pour fuir leurs histoires diverses et variées, planter leurs citronniers, leurs avocats, leurs amandiers et leurs noisetiers. Celle-là avait particulièrement souffert ; la plupart des fenêtres et des portes étaient bouchées avec du contreplaqué et toute une partie du toit avait disparu. Pourtant, malgré les injures du temps, la maison gardait une dignité opiniâtre. Elle disait quelque chose, pensa Chance, des hommes qui l'avaient bâtie ; cela lui rappela aussitôt les sujets photographiés par Jean-Baptiste, farouches et déments, la lumière dans leurs yeux.

Au cours de son histoire douloureuse, entre autres malheurs, la demeure avait été ravagée par un incendie, ce qui l'avait condamnée à mort. Peut-être était-ce cela qui avait précipité sa vente à un promoteur intéressé, un parmi tant d'autres. Cette propriété était en effet la dernière dans son genre à des kilomètres à la ronde et ils avaient dû la cerner de toutes parts, tels des requins attirés par la carcasse d'une créature beaucoup plus grande et majestueuse qu'eux.

Apparemment, l'endroit était resté dans son jus. De jeunes buissons, des fleurs sauvages et des pousses d'arbres verts s'évertuaient à cacher l'essentiel de la charpente calcinée. Une petite communauté de vagabonds, hommes et femmes, s'y était installée. Certains semblaient occuper la vieille maison, tandis que d'autres avaient planté des tentes de fortune au milieu des arbres. À côté de la grosse bâtisse, il y avait une ancienne remise à calèches. Sur une des portes, quelqu'un avait inscrit à la peinture : « BIENVENUE DANS LA MAISON DU TEMPS ET DE L'ESPACE », et sur l'autre : « ABANDONNE TOUT ESPOIR, FILS DE PUTE. » Parmi les hommes, beaucoup étaient habillés à la manière de D, dans de vieilles tenues militaires. Chance les prit pour d'anciens soldats, résidents à mi-temps, ou en cavale, de l'hôpital pour anciens combattants de Palo Alto ; d'après les rapports médicaux qu'il avait lus à l'hôpital, il savait que c'était un de leurs lieux de prédilection.

Il remarqua que Darius Pringle, nonobstant ses états de service ou son absence d'états de service, était traité par les autres habitants du campement avec beaucoup de déférence. Carl et lui furent conduits, non sans une certaine solennité, jusqu'à un vieux canapé et un fauteuil inclinable installés autour d'une table basse en mauvais état, sans doute récupérée à la décharge municipale, et posée suffisamment loin sous les arbres pour être invisible depuis la route. Au-dessus, une grande bâche en toile, ornée de motifs camouflage verts et marron, avait été tendue et formait un toit improvisé. D'après ce que Chance comprit en voyant la réaction des autres, l'endroit faisait office de lieu de réunion pour sujets importants.

D s'affala sur le fauteuil inclinable. Chance et Carl s'assirent sur le canapé. « Raconte-moi », dit D.

Chance s'exécuta.

« C'est une histoire de dingue, Doc, observa D lorsque Chance eut terminé. C'est du délire. » Il regarda Carl, comme pour obtenir de lui une confirmation ; Carl le regarda, et Chance les regarda tous deux. Il se fit la réflexion que le soleil s'était déplacé vers une position plus proche du zénith, grâce, indubitablement, du moins en partie, à la rotation de la planète sur son axe. « Qu'est-ce qui n'est pas dingue ? » finit-il par répondre. Il éprouvait le besoin soudain de se protéger. En vérité, il se sentait proche de l'hystérie. La lumière, d'un éclat surnaturel, passait à travers un accroc dans la bâche et venait lui brûler la nuque, le traverser de part en part, pensa-t-il, comme s'il n'était pas vraiment là, ou sur le point de ne plus l'être. « Est-ce que ce n'est pas dingue qu'il y ait quelque chose plutôt que rien du tout ? Ou qu'un jour l'homme se soit levé et ait commencé à marcher ? Ou que tous trois nous soyons assis là en ce moment même ? Tout ça, ce n'est pas du délire, peut-être ? »

À sa décharge, cela faisait plusieurs jours qu'il n'avait pas beaucoup mangé ni dormi. Ses fesses le brûlaient. Il n'était pas impossible qu'il fût en train de développer une infection, laquelle pouvait expliquer également son besoin quasi permanent de s'excuser pour aller pisser dans les buissons. Pourtant, il persévéra. Il était conscient du caractère aléatoire des choses, de tout d'ailleurs, sauf d'un néant indéfini, et il aurait même pu finir par revenir à Banach-Tarski, à sa théorie particulière et à son paradoxe inquiétant, si quelqu'un ne lui avait, à la demande de D, tendu une bouteille en plastique odorante remplie d'eau. Qu'il l'eût acceptée sans s'enquérir de sa provenance, sans même regarder son contenu, était une preuve supplémentaire de sa fragilité mentale.

« C'est une manière foutrement intéressante de voir les choses, Doc », dit le colosse pendant que Chance buvait. De près, la bouteille sentait encore plus mauvais.

« Fascinant », ajouta Carl.

Chance s'essuya le front. « C'est juste que, quand tu dis que telle chose est dingue… » Il avait besoin d'une deuxième défense pour défendre sa première défense. « Ce que *moi*, je veux dire, c'est… Qu'est-ce qui n'est pas dingue ? Qu'est-ce qui n'est pas improbable ? Et qui peut encore penser que nous sommes des êtres rationnels ? Tout ça, c'est de la blague.

— On comprend bien, le rassura D.

— La pute et le flic, ajouta le vieil homme. Mon Dieu… Comme dans la chanson.

— Je suis complètement paumé », admit Chance. Il aurait pu préciser aussi qu'il avait l'impression qu'un charbon ardent avait élu domicile juste au-dessus de son périnée.

« Du calme, répondit Big D. Faisons un petit pas en arrière, histoire de voir à quoi ressemble le tableau général, partie par partie.

— Allons-y », ajouta Carl.

L'ALPHA ET L'OMÉGA

Elle a *vraiment* demandé de l'aide. Blackstone l'a *vraiment* frappée. Et voilà qu'il se retrouve en train de… se ruer dans le pacte conclu entre Blackstone et l'univers. Quarante-huit heures plus tard, la fille de Chance est victime d'un incident. Étonnant. Des saloperies atterrissent sur l'ordinateur de Chance. Moins étonnant. Blackstone est déterminé et il n'arrive pas à croire que ça ne marche pas. « Putain, tu es un vrai médecin, lança le colosse. Gros cerveau, petites couilles. On est d'accord, jusque-là ?

— Plutôt », répondit Chance. Partie par partie, lui avait expliqué D.

« Ce qu'il *ne connaît pas*, reprit ce dernier, c'est mon existence, et tout à coup *il* se retrouve dans la merde. Il est allongé dans une chambre d'hôpital et il se dit que ça, c'est dingue. J'aurais envie de dire : bienvenue dans mon monde, connard. Mais c'est une autre histoire. Donc il essaie de se remettre sur pied et il apprend qu'elle se barre avec un type devant le salon de massage, un type qui te ressemble beaucoup, et là ça commence à devenir sérieux. Cette femme est son lac gelé. Il est allé très loin sur la glace pour la récupérer. S'il arrive la moindre embrouille, elle peut le briser sans problème. Lui pourrait aussi la

325

briser, bien sûr, mais il n'en a pas envie et il s'est toujours dit que tant qu'il arriverait à jongler… Or voilà que tu viens foutre la merde et il essaie de te faire peur. Il ne reste plus qu'une solution. Mais il va falloir être très malin. Si tu foires ton coup, ça va te péter à la gueule. Regarde un peu le merdier au Moyen-Orient. » La dernière phrase fut accueillie par les murmures approbateurs d'un petit groupe d'habitants du campement venus écouter le sermon.

« Mais pourquoi le déguiser en accident ? » demanda Chance. Il ne voyait pas le rapport avec le Moyen-Orient, et l'auditoire le rendait nerveux. « Si Blackstone est derrière cette histoire avec Nicole… Si c'est lui qui a engagé les types qui rôdent pour recruter des filles, comme elle dit… Si l'un d'entre eux a mis la main sur ma fille… Pourquoi la mettre aux soins intensifs et la faire s'enfuir ? »

D acquiesça. « Avant, j'étais chargé de récupérer de l'argent. J'avais deux règles. Le type auprès duquel j'allais chercher le fric devait avoir le fric, et il devait se dire qu'il pourrait s'en sortir. C'est essentiel, ces deux points-là. Bon. Maintenant, tu te mets à ma place et c'est toi qui vas aller récupérer l'argent. On ne va jamais voir le type pour lui expliquer qu'Untel veut son fric et que, s'il ne paie pas, on lui casse les jambes. La menace n'est jamais aussi directe. D'ailleurs, j'aimais bien jouer le type très gentil. *Voilà* un truc qui fout les jetons. Je tombais sur eux dans un endroit où on était seuls et ils ne savaient pas qui j'étais. Je suis un inconnu, ils voient à quoi je ressemble et ils ont un peu peur, mais moi je suis très gentil avec eux et ils ne se méfient pas. Et là, je dis quelque chose du genre : "Pourquoi vous ne passeriez pas un petit coup de fil à Untel ? Il a vraiment envie de vous parler." Tout à coup, ils comprennent exactement de quoi il s'agit, quel genre de type je suis, pourquoi je suis là. Neuf fois sur dix, ça suffisait. Ils voulaient vraiment rester copains avec moi. Je les laissais imaginer les autres options. Mais il y a toujours un connard qui se prend pour un dur, et qui l'est peut-être. Avec un gars comme ça... tu ne t'embêtes pas à discuter, tu le chopes sur un parking, un soir, et tu lui pètes les jambes, et les mains, pendant qu'on y est. Tu lui casses les deux mains au point qu'il ne peut même plus se torcher le cul. C'est très humiliant. Ensuite, tu attends qu'il soit rétabli, autant que possible, et tu vas le revoir. Rebelote. Tu l'emmènes dans un endroit où vous êtes seuls et tu commences à lui raconter des conneries. Si tu as fait les choses comme il faut, le soir sur le parking, qu'il faisait bien sombre et que tu lui es tombé dessus rapidement, violemment, il va avoir beaucoup de mal à se souvenir de toi. Pour lui, tout ça est un brouillard. Tout ce qu'il sait, c'est qu'il s'est fait démonter la gueule. Voilà... Et c'est mieux si c'est dans un endroit qui ressemble à celui où il s'est fait agresser. Il essaie encore de s'en remettre, il mange avec une paille, il se fait torcher par une infirmière, et à un moment donné il commence à être nerveux. Il ne te connaît de nulle part et tu lui racontes des conneries à propos d'un truc totalement anodin, sans donner l'impression que tu vas t'arrêter. Il a envie de se tirer en courant, mais tu fais en sorte qu'il ne le puisse pas. Pourtant, tu vois qu'il en a envie, et c'est là que tu lui dis qu'il devrait peut-être appeler Untel. Soudain, il comprend. Il comprend ce qui s'est passé et pourquoi ça s'est passé. Surtout, il comprend que c'est toi. Il sait ce dont tu es capable et il sait que s'il n'obéit pas ça va recommencer. Alors il prend son téléphone et il appelle. Et toi, tu ne lui en as jamais parlé directement.

« Tu comprends maintenant où je veux en venir. Blackstone n'en a jamais *parlé* directement, mais il t'a *montré* de quoi il est capable, l'overdose, le kidnapping… le flyer sur ta voiture… Très prudent, très discret et très couillu. Ce type est un putain d'adversaire. Tu veux que je te dise ? J'aime bien ce genre de mec. Dommage que ce soit un sale con. Cette histoire de flyer… Quand on y réfléchit deux minutes, c'est du pur génie. Rien de ce que tu pourrais dénoncer qu'il ne puisse nier. C'est tordu, mais il faut bien reconnaître que ça force l'admiration. »

Ils restèrent quelques instants à admirer.

« Et maintenant ?

— Maintenant, on va le trouver, fit D, de plus en plus séduit par l'idée.

— Et s'il a ma fille ?

— Tu le saurais sans doute déjà. »

Il dit cela avec détachement, comme pour suggérer que tout ce qu'il venait de déclarer n'était que pure spéculation, voire un tissu d'erreurs.

« Je croyais qu'on venait de conclure qu'il l'avait enlevée. »

D embraya aussitôt. « *Mettons* qu'il l'ait enlevée. Deux options, dans ce cas. Il appelle pour dire : "Il faut qu'on parle." Mais il ne l'a pas fait. Donc : deuxième option. Il te laisse mariner et a peut-être besoin de temps pour fourbir ses armes. En tout cas, la conclusion est la même : *il* va *te* dire que vous devez parler, toi et lui. Il ne va pas t'expliquer qu'il a ta fille. La menace ne sera jamais aussi directe. Il sait ce que tu penses, parce que c'est comme ça qu'il a prévu les choses, et il compte sur toi pour croire qu'en discutant avec lui et en lui promettant d'être gentil ça marchera. Et il pensera que *tu* penseras de la sorte parce que tu as toujours vécu dans ce monde-là, un monde où les gens bien élevés discutent et règlent les problèmes en douceur. Mais tout ça, en fait, tout ce mystère… Il s'agit de te tendre un piège. Ta fille est un moyen de parvenir à une fin – te faire venir à un rendez-vous dont tu ne reviendras pas. Et c'est la clé de toute cette affaire : te voir mort.

« Il fera sans doute en sorte de maquiller ta mort en agression ou n'importe quelle autre connerie. Il ne sera *peut-être* même pas là. Le petit copain louche ramènera ta fille. Blackstone recommencera ses histoires sordides avec la bonne femme qui te plaît tant. Dans les commandos, on appelait ça une opération parfaite : tu arrives, tu fais le boulot, tu repars. Personne ne sait que tu étais là. Tu as été invisible.

« Mais attends la suite. Mettons que Blackstone n'ait pas ta fille. C'est une gamine qui fait des conneries et prend les mauvaises décisions. Elle a un petit ami débile, elle traîne avec lui. Et Blackstone, dans tout ça ? Où est-il ?

— Je ne sais pas.

— Bien sûr, que tu le sais. Fille ou pas fille… Tout est une question de lacs gelés, mon vieux. Le tien comme le sien. Au cas où tu n'aurais pas remarqué, ce sont les mêmes. Toi et cette femme qui vous faites choper devant cet endroit… C'est dingue, Doc. C'est l'alpha et l'oméga de cette histoire. »

Chance eut une vague envie de nier, de leur rappeler à tous qu'il n'était pas allé là-bas pour *trouver* Jaclyn, mais pour chercher les preuves d'une vidéosurveillance, démarche qui n'aurait pas eu lieu d'être si D ne s'était pas senti obligé de briser la nuque d'un homme en lui plantant un karambit dans les globes oculaires. Mais il se dit que ce n'était qu'une petite partie du problème. S'ils n'avaient pas suivi Blackstone, s'il n'était pas allé voir un restaurateur de vieux meubles au fond d'un magasin pour demander des conseils sur la meilleure manière de s'extirper de sa propre intrusion mal avisée dans la vie d'une femme dérangée ou, si on allait plus loin et si on réfléchissait au simple fait qu'il ne se serait jamais rendu audit magasin s'il n'avait espéré alléger les difficultés financières d'un mariage raté en refourguant un beau meuble français dont l'achat lui-même avait été une folie... Et ainsi de suite, jusqu'à ce que l'assassinat d'un homme par D apparaisse comme la pelure d'un oignon qu'on aurait mieux fait de ne jamais peler et que la vraie question soit : Et après ?

« Commençons par ce qui n'est pas après, dit D. Je me mets à ta place... Je n'attends pas qu'il fourbisse ses armes et je ne retourne surtout pas à ce motel de merde. Je ne fais pas confiance à la femme pour jouer les intermédiaires. Je vais directement voir Blackstone et je n'ai pas besoin d'elle, ni de ce qu'elle a, ou n'a pas, ou croit avoir. J'appelle le type avec ça. » Il sortit de sa poche un téléphone et le posa sur la table. « Je l'ai récupéré sur l'autre débile, dans l'allée. Tu l'appelles avec ça... Et ça change tout, mon pote.

— Mon Dieu. Tu lui as pris son téléphone ? »

Le colosse haussa les épaules. « Il est tombé de sa poche. J'ai vu ce que c'était. Pourquoi ne pas le prendre ?

— Mais les flics ? Ils vont quand même suivre les conversations, non ? »

Il pensait aux rapports de Blackstone.

« Non. C'est un jetable, un truc qui ne sert qu'une fois. Tu achètes un certain nombre de minutes, tu donnes un faux nom et tu le balances quand tu as terminé. Va faire un tour dans le ghetto un de ces jours. Tu peux en acheter à tous les coins de rue. »

Chance ne ressentait pas le besoin d'aller constater cela *de visu*. Il imaginait très bien la chose, un vaste système en formation, grâce auquel les habitants du monde de la pègre étaient en communication plus ou moins permanente, avant l'arrivée des ténèbres.

« C'est de ça que je me sers, quand je m'en sers, précisa Big D avant d'en sortir un autre, identique à celui posé sur la table. Les flics ne seront pas sur le coup, mais *lui*, oui. Il te considère comme un problème, mais il croit toujours avoir l'avantage sur toi. Si un appel lui parvient depuis ce téléphone, dit-il en avisant l'appareil, et qu'il découvre que c'est toi… Je n'ai qu'un seul conseil : accrochez vos ceintures. La vitesse tue. »

Chance regarda à son tour le téléphone avec quelque chose qui n'était pas très éloigné de la terreur. « Et qu'est-ce que je lui raconte ?

— Tu lui dis que tu veux récupérer ta fille. Tu lui dis que *tu* veux le rencontrer, que tu veux discuter… Tu pourrais l'anéantir, mais tu préfères négocier.

— Pour ma fille.

— Il n'avouera jamais qu'elle est avec lui. Il répondra sans doute quelque chose comme : "Il faut qu'on parle." Et tu diras : "OK… on parle dès lors que je sais que ma fille est saine et sauve." Tu lui laisses une fenêtre de tir. "Si je n'ai aucune nouvelle d'elle dans les six heures, je balance tout ce que je sais aux gens pour qui vous travaillez." C'est du bluff, mais c'est un bon début. »

Le temps s'arrêta dans l'église de Big D. Des moutons de poussière, tels des anges nains, tournoyaient lentement sous la toile camouflage.

Finalement, Chance sortit son portefeuille et en tira la carte que lui avait remise l'inspecteur Blackstone. Il y avait une photo de sa fille, aussi, prise un jour qu'elle se cramponnait à un manège dans un petit square à Cambria, où, à une époque plus heureuse, la famille avait loué une maison d'été. Il la regarda pendant une durée indéterminée, posa son propre portable sur la table, entre Big D et lui, et souleva celui du mort. Il était plus lourd qu'il ne l'aurait cru.

« C'est ce qu'on nous a expliqué à l'hôpital, dit-il en tenant le portable. Au sujet du numéro que ma fille a appelé… Que c'était un appareil comme celui-là. »

Les autres le regardaient.

« Joli », fit D.

FOLIE À DEUX

C'est à ce moment précis – après que Chance, dans le sillage de tout ce qui s'était passé, et sous l'emprise de la logique de D, soumis, en un mot, à l'influence abusive d'un individu supérieurement intelligent et charismatique bien que mentalement instable, eut composé le numéro et que Blackstone, à la troisième sonnerie, eut répondu d'une voix plus mélodieuse que dans son souvenir, peut-être placée une octave plus haut – qu'un certain nombre de choses se produisirent peu ou prou en même temps. On pourrait décrire cela comme le mouvement de certains types d'objets vers un même point dans le temps et l'espace, l'acte de coïncidence, pour ainsi dire, le sujet même autour duquel l'inspecteur et lui s'étaient disputés au restaurant thaï. Chance dit : « Je veux ma fille... » À peine les mots furent-ils sortis de sa bouche qu'un SMS apparut à l'écran de *son* portable, sur la table basse – un peu comme l'inscription au mur qu'avait découverte le roi de Babylone, pensa-t-il. En l'occurrence, c'était sa future ex-femme, Carla, qui disait simplement : « Elle est revenue. »

Blackstone ne dit rien, mais il ne raccrocha pas. Chance non plus. La ligne émettait des bruits parasites particulièrement agressifs. Chance opta pour une sorte de mutisme volontaire, tout en étant obligé de passer en revue ce que le *Manuel diagnostique et statistique des troubles mentaux* avait à dire sur les troubles psychotiques partagés, à quoi s'ajoutait le constat, assez bouleversant, que Carl Allan avait eu raison, qu'au cœur du problème il y avait la pute et le flic, et que tout le reste… Tout ce qui l'avait conduit à utiliser le téléphone d'un mort, à tenir des propos absurdes dans l'église de Big D… Tout cela aurait très bien pu être mis sur le compte d'un Chance sous drogues, pris entre les pôles magnétiques symétriques qu'étaient Big D et Jaclyn Blackstone.

Il était sur le point de raccrocher lorsque Blackstone, pressentant peut-être une crise existentielle, se mit à parler : « Écoute-moi bien, espèce de petite saloperie vicieuse. Je n'ai pas ta fille et je ne lui ai rien fait. Mais maintenant je vais lui faire du mal. »

L'annonce grossière fut suivie par un étrange sifflement, que Chance eut envie de prendre pour le bruit d'une bouteille d'oxygène, un bruit auquel il s'était plus ou moins habitué dans la minuscule cuisine de Doc Billy. Il en conclut que Blackstone, après avoir eu un poumon perforé, devait en avoir une, du moins provisoirement. « Et il ne vaut mieux pas que ça arrive, reprit l'inspecteur. Tu as intérêt à te pointer directement là où je vais t'indiquer et tu as intérêt à te pointer seul. J'ai à côté de moi quelqu'un qui meurt d'envie de te parler. Et ce n'est pas une figure de style. »

Chance eut droit à la voix légèrement étouffée de Jaclyn Blackstone. « Je suis vraiment désolée, Eldon, je ne savais pas. Il a tout découvert. Il sait. Fais ce qu'il te demande. » Sa voix se fêla, puis revint. « Je t'en supplie. Il est sérieux. »

Raymond reprit la parole : « Voilà comment ça va se passer, *Eldon*. Tous les trois, on va discuter et on va régler certaines choses. Et si tu dis et fais les *bonnes* choses… » Un silence. Le murmure lointain de la ligne. « Eh bien, tu pourras peut-être redevenir le genre de connard qui couche avec ses patientes. Dans le cas contraire, je te détruis. Je détruis ta vie professionnelle et ta vie privée. Je détruis ta famille. » Il laissa Chance digérer cette phrase. « On est dans un motel. Tu sais lequel ? »

Chance savait lequel.

« Je me disais bien que tu le connaissais. Maintenant, je vais te dire autre chose… Le petit incident que tu as connu à l'époque où tu étais à la fac de médecine – tu sais très bien de quoi je parle. Je suis prêt à parier que tu as encore des documents liés à cette affaire… Une mesure d'éloignement, des papiers du tribunal… Je ne sais pas pourquoi, mais je t'imagine très bien faire partie de ces trous du cul constipés qui gardent ce genre de conneries cachées quelque part. Alors je veux que tu ailles les chercher et que tu les prennes avec toi. » Il y eut un nouveau silence. « Il va te falloir une monnaie d'échange. Où es-tu ?

— À Palo Alto.

— Je te donne deux heures. Ah, une dernière chose, une chose très importante. Je répète : viens seul. Si ce n'est pas le cas, je le saurai. Et tu n'aimerais pas la suite. »

Chance en exigea trois.

« Trois quoi ? » demanda D une fois que Chance eut raccroché.

Chance répéta du mieux qu'il put tout ce que Raymond Blackstone lui avait dit de sa voix désagréable.

« Il a vraiment dit tout ça ? »

Chance, espérant éviter la nausée, ne put que hocher la tête.

« Putain, c'est dingue. Qu'est-ce que je t'avais dit ? L'appeler avec ce téléphone...

— La question du téléphone n'a jamais été abordée, l'interrompit sèchement Chance. Il n'en a pas parlé. Comme si ça n'entrait même pas dans la discussion.

— Oui, enfin, tu as un peu merdé sur cette partie-là. »

Chance prit son portable et l'alluma pour relire le SMS de Carla. Il passa l'appareil à Big D. « J'ai reçu ça, dit-il. Au cas où tu n'aurais pas remarqué... Juste à l'instant... Pendant que j'appelais Blackstone. Elle est revenue. »

D examina le petit écran, puis lui rendit le téléphone. Il ne semblait guère affecté. « Sa réapparition ne veut pas dire qu'il n'était pas impliqué. Réfléchis-y bien.

— Ce message a été envoyé par ma femme, D. Ma fille est revenue. Il ne l'a jamais enlevée.

— Je crois que tu passes à côté de l'essentiel, Doc.

— L'essentiel, pour moi, maintenant, c'est que ma famille est en danger alors qu'elle ne l'était pas jusqu'à présent. C'est nous qui nous sommes emballés. Tout ce que veut ce type, c'est cette femme.

— Et toi, tu ne comptes plus pour rien ? »

Chance ne répondit pas.

« Tout se passe exactement comme je l'avais prévu, Doc. Il te fixe un rendez-vous dont tu ne reviendras pas.

— Tu oublies *l'essentiel*, ce que je viens de t'expliquer. À savoir que je voulais uniquement que ma fille soit saine et sauve, et qu'elle ne l'est plus. Je m'en suis assuré. Je n'ai aucune envie de faire ce qu'on a fait l'autre soir dans l'allée, D. Je n'ai aucune envie de pourchasser les méchants...

— Je croyais que tu voulais sauver cette femme.

— Entre-temps, j'en suis venu à mieux comprendre à quel point leur relation est tordue... Et pourquoi les médecins dans ma spécialité ne fricotent pas avec leurs patientes...

— J'ai envie de dire que c'est un peu tard.

— Oui, et grâce à ce coup de fil sur ce téléphone, j'ai envie de dire que je suis bien baisé.

— Tu n'es pas baisé.

— Si, un peu.

— Ce n'est pas une bonne réaction, mon pote. Je vais te raconter une petite histoire. Pendant ma deuxième affectation dans l'Hindou Kouch...

— Darius, l'interrompit Chance, ragaillardi par un mélange de colère et d'impuissance, et le pressentiment d'une catastrophe imminente. Avec tout le respect que je te dois, mon cher ami... J'ai lu ton dossier médical. Tu n'es jamais allé dans l'Hindou Kouch. Tu n'es jamais allé au Moyen-Orient. Tu n'as jamais été soldat, Darius. »

Sous les arbres, tout devint soudain très calme. Chance se rendit vaguement compte que Carl procédait à un examen du sol entre ses deux pieds et que les insectes ne chantaient plus. « Deux choses, répondit Big D sans jamais le quitter des yeux. Ce sont les émotions qui parlent. Tu as peur. Tu es en pleine retombée d'adrénaline. Si j'avais le temps... Je pourrais t'apprendre comment gérer ça, comment y réfléchir. Mais il faut que je te dise la deuxième chose, et tu vas comprendre très simplement... Si jamais tu m'appelles encore une fois Darius, je te mets mon poing en pleine face.

— Pigé.

— Reprends-toi », continua D. Et il raconta son histoire, quelque chose à propos d'une rencontre fortuite entre un commando en mission et un vieillard

337

accompagné d'un petit garçon. Le but était, indénia-blement, d'illustrer les ambiguïtés morales du champ de bataille, ainsi que les décisions irrévocables : l'his-toire se terminait mal, mais Chance l'écouta à peine. Il pensait aux décisions irrévocables qui l'avaient conduit jusque-là et envisagea, vraisemblablement pour la dernière fois, la possibilité de se rendre à la police – il était déjà trop tard – et ce que cela signi-fierait... La destruction de sa carrière, la fin de Jaclyn, le sort de sa fille toujours plus ou moins menacée. Mais il repensait aussi à ce que Blackstone venait de lui dire : s'il faisait et disait les bonnes choses, tout ça en parallèle avec ce qu'avait raconté Jaclyn... que Blackstone avait changé, qu'il parlait d'une retraite anticipée, qu'il voulait partir. Il se demanda : est-ce que *toutes* ces choses, prises ensemble, n'incitaient pas à trouver une sorte de match nul permanent entre Blackstone et lui, une conclusion qui éviterait de nouvelles effusions de sang ? Il posa la question à D lorsqu'il lui sembla que l'histoire était terminée, mais le colosse se contenta d'agiter la tête et, avec elle, le tatouage grotesque.

« Tu sais ce que ça veut dire, ça ? D'aller là-bas avec des copies de vieilles conneries compromettantes dont il a prouvé qu'il les connaissait déjà ? Ça veut dire qu'il fait deux choses. D'une, il te laisse l'espoir de pouvoir t'en tirer discrètement. Sauf qu'en fait tu seras mort, avec des vieilles saloperies compro-mettantes sur place. Si les flics te retrouvent comme ça, ils penseront que quelqu'un te faisait chanter, ou essayait de te faire chanter, et que les choses sont parties en vrille. Affaire classée. »

Chance se dit que les choses apparaîtraient en effet sous ce jour. Pour la première fois depuis longtemps, il repensa à Myra Cohen, à sa mort violente attribuée à des voyous et jamais élucidée. « Je veux être malin sur ce coup-là », répondit-il. Naturellement, c'était la même phrase minable qu'il avait dite à Jaclyn.

« Sois aussi malin que tu veux, mais voilà la situation. Soit tu affrontes le problème maintenant, soit tu te pointes vers lui et tu pries pour avoir un peu de bol, pour qu'il laisse tomber et que tu puisses encore reprendre ta vie d'avant. »

Chance soupira. Il avait toujours pensé savoir qui il était. Les événements récents avaient tout remis en question.

« À mon humble avis... reprit D. Ça n'a pas d'importance. Ce type sait où tu habites. La bonne nouvelle, c'est que... tu peux encore édicter les règles du jeu.

— Il les a déjà édictées, D. Je dois aller au motel, seul.

— Jamais de la vie.

— Il dit qu'il le saura tout de suite.

— Écoute-moi... Ton coup de fil, avec ce téléphone... Que tu t'en rendes compte ou non, mon vieux, tu as gagné un peu de respect avec ça. Il faudra bien t'en servir.

— Si je l'appelle maintenant, il saura que je suis avec quelqu'un. Il y a des chances pour qu'il devine de qui il s'agit, en gros.

— Et ensuite ? Il appelle un flic ? En plus... tu ne vas pas téléphoner d'ici. Tu l'appelleras une fois qu'on sera là-bas. Tu le feras sortir de cette chambre et tu me laisseras faire mon boulot. »

De sous sa vieille veste militaire, D sortit une arme blanche plate, à double tranchant, qu'il posa ensuite sur la table, entre eux. « Fais-moi confiance, mon pote. Pour le moment, ce n'est pas toi qui es dépassé par les événements. C'est lui. » Un dernier murmure approbateur s'éleva chez les habitants de la Maison du Temps et de l'Espace, fidèles de l'Église de D.

La caractéristique fondamentale d'un désordre psychotique partagé (autrement dit folie à deux) est le développement d'un système délirant chez un individu sain impliqué dans une relation étroite avec une autre personne (parfois nommée « inducteur » ou « cas primaire ») souffrant déjà d'un trouble psychotique et d'idées délirantes. En général, cette personne domine la relation et est donc capable, avec le temps, d'imposer peu à peu son système délirant de pensée à l'autre individu plus passif et initialement sain.

Chance regarda le couteau.

« Il est pour toi, fit D en montrant l'arme. Ce n'est pas parce que je me charge de cet enculé que *toi*, tu n'auras pas d'éclaboussures. »

LA VOIE DE LA LAME

Les habitants de la Maison du Temps et de l'Espace n'étaient pas isolés au point de ne pas être connectés. Deux ordinateurs portables apparurent promptement, l'un à côté de l'autre, sur la vieille table basse… Google Earth et YouTube… Des vues aériennes et de la rue du motel Blue Dolphin, situé à l'extrémité septentrionale d'Ocean Beach, là où la Great Highway se rétrécit et devient Point Lobos Avenue, sinuant jusqu'au Golden Gate National Recreational Area, non loin du parc de Lands End et du Pacifique. Big D était installé devant les deux ordinateurs, immense bouddha glabre en tenue militaire ; ses doigts jouaient avec les touches, ses petits yeux sombres passaient sans cesse d'un écran à l'autre.

« Tiens, c'est intéressant », dit quelqu'un. D répondit : « Pigé », et présenta l'individu : le sergent-chef Hernandez, qui était en train de leur montrer un point de la côte, juste à côté du motel. Derrière le restaurant Cliff House et la Camera Obscura perchés au sommet des falaises abruptes qui tombaient dans la mer, des escaliers et des chemins en bitume. Au nord, les anciens bains de la ville, puis les sentiers de randonnée qui sillonnaient Lands End. Sous les ordres du colosse, un plan commençait à s'échafauder.

Pour commencer, D et Carl procéderaient à une reconnaissance du périmètre. Chance les suivrait, seul, et il était question de faire sortir Blackstone du motel pour l'emmener à un endroit choisi par D. Il était question de vendre au policier, non pas une trêve, mais ce que Chance *pensait* être une trêve. Il était question pour Chance, à un certain niveau – nonobstant son imprudence consistant à utiliser le portable d'un homme mort –, de faire croire à sa naïveté face au monde selon Raymond. Enfin, il était question de quelques recoins sombres et de Big D attendant… Aussi silencieux qu'un AVC, aussi sérieux qu'une crise cardiaque.

Ce fut le sergent-chef qui trouva cette formule, ce petit ornement poétique. Quant à ce qu'en pensait Chance, personne ne prit la peine de le lui demander. L'affaire avançait toute seule, et lui suivait. Ce qui ne voulait pas dire qu'il avait abandonné sa dernière découverte ou tout espoir d'une issue plus raisonnable. Alors même que le Cas Primaire continuait son examen des recoins, le médecin travailla tranquillement sur sa propre variante, dont l'élément le plus notable consistait à le voir attirer Blackstone hors de la chambre. Pour D, Chance devait réussir à faire croire à sa naïveté, rien de plus. Pour Chance, c'était une brèche dans l'édifice, l'endroit par lequel entrait la lumière, et la naïveté n'avait rien à faire là-dedans. Mais il le garderait pour lui. C'est ainsi qu'il se retrouva dans un lieu à découvert sous les arbres, avec dans la main une « lame d'entraînement » émoussée, face à face avec Big D. Même pour de faux, le spectacle était inquiétant.

C'était la dernière partie du plan de D, sa préparation en vue de l'indésirable, certes, mais non pas de l'inconcevable, étant donné le pétage de plombs des hommes au combat – la possibilité que la situation dérape, que ce soit une question de vie ou de mort, que Chance se retrouve tellement près de Blackstone qu'il *lui* revienne d'assener le coup fatal.

Leurs gestes reposaient sur un enchaînement de coups, chacun visant une partie vitale du corps, chacun mortel. Chance eut pour consigne, sinon de maîtriser, du moins de comprendre vaguement trois de ces coups – « trois sur neuf », ne cessait de répéter D pendant que leurs deux paires de chaussures raclaient le sol. Chance prit conscience, pour la première fois depuis quarante-neuf ans, de sa propre pyramide du pouvoir.

Les trois coups exigeaient ce que D appelait une prise inversée – à savoir poing refermé et lame dirigée vers le bas. Il considérait que c'était une bonne prise pour dissimuler son arme. Car si on laissait la main traîner le long du corps, par exemple en marchant, la lame pouvait très facilement être maintenue contre le poignet et l'avant-bras, presque invisible aux yeux d'une cible à l'approche. Dans ce scénario, le premier des trois coups pouvait se révéler très efficace, puisqu'il était assené sous le champ de vision, le long du pli inguinal, en pleine artère fémorale supérieure. Ensuite arrivait le deuxième coup : la main remontait, ce que D nommait la « position du psychopathe », pour impulser un autre mouvement rapide vers le bas, visant la zone molle située derrière la sous-clavicule, cette fois avec l'intention de perforer la crosse de l'aorte au-dessus du cœur. Si chacun de ces deux coups pouvait infliger une blessure mortelle, ils étaient particulièrement redoutables une fois combinés, provoquant la mort en quelques secondes et faisant saigner le corps à ses deux extrémités. Et pour finir, il y avait ce que D appelait le clou du spectacle, un coup fatal au thorax, sur un point situé peu ou prou à la hauteur du deuxième bouton de chemise ; comme les autres, il était donné en prise inversée, un coup du psychopathe vers le bas, encore une fois pour viser la crosse de l'aorte.

D expliqua que cette option présentait plusieurs avantages, dont, et ce n'était pas le moindre, ce qu'il baptisait la « gestion des fluides ». Sectionner une artère fémorale était une opération brouillonne. En revanche, dès lors qu'on transperçait le thorax, et vraisemblablement deux couches de vêtements, on pouvait espérer que la lame apporterait dans la plaie une certaine quantité de matières. Si, ajouté à cela, on parvenait à maintenir la lame, en comptant jusqu'à deux par exemple, il n'y aurait tout simplement plus assez de pression dans le système pour faire circuler le sang sur une distance acceptable. L'inconvénient de ce coup, surtout pour un novice, était qu'il exigeait suffisamment de force pour transpercer la cage thoracique et de précision pour trouver la cible. Contrairement à celui porté à l'artère fémorale, qui, même imprécis, engendrait presque toujours une blessure débilitante, le « clou du spectacle », s'il n'était exécuté avec une précision absolue et un engagement de tous les instants, risquait fort de se transformer en fiasco.

Et ainsi de suite... Les minutes passaient, Chance sentait des gouttes de sueur perler sur son front puis ruisseler, et Big D était toujours devant lui, patient comme Job, étonnamment rapide de ses mains et léger sur ses jambes. Pour peu qu'on acceptât de l'y rejoindre, il invitait à poser un regard neuf sur ce qui s'était passé ce fameux soir dans l'allée, laissant comprendre à quel point ces aspirants voyous avaient eu peu de chances de réussite face à la taille, à la rapidité, à la maîtrise et à la puissance que représentait D en mouvement.

Hormis le fait qu'il était incapable de s'imaginer assassiner un autre être humain au moyen des techniques que D essayait de lui enseigner, Chance s'aperçut que cet entraînement lui procurait un certain plaisir. Après avoir renâclé à se lever, une fois debout il ne voulut plus se rasseoir. Il apprécia de plus en plus les vertus de l'action, qui maintenait les pensées à bonne distance, sans même parler de la réalité. Cependant, à un moment proche de ce qu'il pensait être la fin de leur séance, il céda à la curiosité et s'enquit des probabilités… qu'*il* doive procéder réellement à ces opérations, pour de vrai, qu'il doive frapper *réellement* sa cible.

« Tu viens de la frapper à peu près cent fois de suite.

— Sous la *pression*, je veux dire. Si tu devais me donner un chiffre.

— Tu connais Hamlet ? » demanda D, décidément jamais à court de surprises.

Chance répondit par l'affirmative.

« Eh bien, voilà. Arrive un moment où… tu dois faire confiance à ton apprentissage. Fais ce qu'on t'a dit de faire. Si tu t'inquiètes, tu es foutu. »

Une fois qu'ils eurent terminé, du moins autant que possible, que le colosse se fut préparé, le gilet sous son blouson bardé de couteaux à lancer, le pistolet accroché à une botte, la matraque pliable autour de la taille, et Chance équipé de sa propre arme, un poignard à double tranchant de quinze centimètres dont il était censé savoir se servir – s'il fallait vraiment en passer par là –, une fois qu'ils eurent terminé *tout cela*, ils quittèrent la Maison du Temps et de l'Espace, en compagnie de Carl, rejoignirent d'abord le magasin et l'Oldsmobile de Chance. Puis direction Lands End, à deux voitures... repartant de l'allée derrière le magasin... et retrouvant les derniers rayons dorés du jour, soldats de la croix, lâchés sur une métropole qui ne se doutait de rien.

CHANCE ET LA CAMERA OBSCURA

Tandis que Carl et D se rendaient au Blue Dolphin, Chance retrouva son appartement et ses vieux papiers. D s'était opposé à ce qu'il les apporte, mais il n'était pas de cet avis. Dans les rues à la fois familières et indiciblement étrangères de sa ville, il roula, muettement stupéfait que tout se réduise à cela, que les preuves d'un coup de folie qu'il avait mis tant de temps et d'énergie à oublier puissent, en ce jour précis, servir de dernier fil le reliant encore à une quelconque version identifiable de sa vie sur la planète Terre, tandis que la lame plate et fine du poignard tranchant de Big D reposait sur le siège passager.

Il rangea les papiers dans une mince serviette en cuir équipée d'une fermeture Éclair et d'une lanière, puis reprit sa voiture. Il n'avait pas encore eu de nouvelles de Big D. Les trois heures qu'il avait promises à Blackstone étaient presque écoulées lorsqu'il s'élança sur la Great Highway. Il y avait toujours, bien sûr, ses concitoyens. Ils lui firent le même effet que les rues – à la fois familiers et étrangers. La plupart étaient dans des voitures, mais il y avait encore quelques piétons, des gens qui vaquaient, des surfeurs rentrant chez eux, ceux qui promenaient leur chien, les derniers baigneurs, la vie qui continuait… comme d'habitude, oserait-on dire. Dieu seul savait quels incendies, quelles épaves et quels nids d'amour se cachaient derrière la banalité apparente, ou dans quelles cavités du cœur les hommes finiraient par être amenés, le nombre de pas effectués entre le jour de leur naissance et le jour de leur mort étant le numéro par lequel on les convoquerait un jour devant le Tribunal des Cieux. Ou pas. Là-dessus, un appel lui parvint. « Ça se présente bien, lui dit Big D. Où es-tu ? »

Chance lui répondit. « Voilà le plan », expliqua D, et c'était à peu de choses près parfait. Le motel était situé un peu dans les terres, mais non loin des deux endroits qu'ils avaient repérés, le Cliff House et la Camera Obscura. D lui demanda s'il s'en souvenait et Chance répondit qu'il les connaissait bien, que le Cliff House était juché en haut d'une falaise au-dessus de la mer, juste devant la Camera Obscura – construction plus modeste, en forme d'appareil photo géant, avec une petite pyramide rouge sur le toit – un jeu sur les lumières grâce auquel les touristes pouvaient observer les alentours sous une forme un peu altérée. D déclara que c'était le lieu parfait, qu'il avait vérifié les angles et les perspectives, qu'il y avait de la place où se garer dans la rue et que, si Chance pouvait obtenir un rendez-vous là-bas avec Blackstone et, plus précisément, une fois qu'il serait là, l'amener à le rejoindre sur le chemin entre la rue et la Camera Obscura, au moins jusqu'au premier petit croisement, ce serait une affaire pliée, avec une chute de vingt mètres vers la mer et les rochers en contrebas.

Chance demanda s'il les avait vus – ensemble ou séparément.

« Négatif, répondit D. Mais je garde l'œil ouvert et je peux voir la chambre. C'est le numéro qu'elle t'a donné. C'est un de ces endroits à l'ancienne, pour les routiers. Chambre séparée, pas de murs adjacents. Ils sont à un bout, côté arrière. Les rideaux sont tous tirés, mais la Crown Vic est garée devant, à côté d'une autre voiture qui pourrait être celle de la femme. Une Mercedes noire est garée derrière le motel et il y a environ dix minutes de ça j'ai vu un type sortir par la porte de service avec un seau pour aller chercher de la glace. On aurait dit le frère jumeau de l'enfoiré que j'ai dégommé. Le match a commencé, mon pote. »

Alors même qu'il conduisait, Chance sentit une tension derrière ses genoux. « Mais c'est un bon plan, continua D. Le temps est dégueulasse juste au bon moment, si bien qu'il n'y aura pas tant de monde que ça là où tu dois aller. Mais considère quand même que c'est un lieu public. Si tu arrives à faire ce que je t'ai demandé, je pourrai sans doute lire dans son jeu. Il n'ira pas seul, mais il essaiera de donner l'impression qu'il est seul… Laisse-moi peut-être un petit moment en tête à tête avec le connard qui le suivra. »

La silhouette du Cliff House se dressa à l'horizon, construction blafarde au-dessus de l'océan couleur asphalte.

« Tu as pigé ? »

Chance avait pigé.

« Garde toujours les yeux derrière la tête, Doc. Si le vent tourne… n'attends pas d'être le récepteur. Tu es d'attaque ? »

Chance répondit qu'il l'était. Il était en train de remonter Ocean Beach. Le Pacifique n'était qu'un immense clapotis, les embruns volaient jusqu'à l'auto-route et se mêlaient à la brume avant de retomber sur le pare-brise. Chance actionna ses essuie-glaces. Big D reprit la parole : « À toi de jouer, mon pote. »

Chance rappela Blackstone. « Elle te laisse tomber, vieux », dit-il, et en s'entendant le dire il trouva que ce n'était pas du tout sa voix. « Tu n'as aucun intérêt à me tuer. Ça ne fera que te faire plus d'années en taule, parce que tu peux me croire, tu iras en taule.

— Qu'est-ce que c'est que ça ? demanda Blackstone.

— C'est moi. »

Il y eut un long silence. « Bordel de Dieu, fit Blackstone. Tu es malade ou quoi ? »

Chance poursuivit : « La seule façon de s'en sortir, c'est qu'on se sépare *tous* sans regarder derrière soi.

— S'en sortir de quoi ?

— Et pour ça, je dois te donner le truc que tu m'as demandé, et toi, tu dois me donner ce qu'elle a.

— Tu es où ?

— Je suis devant le Cliff House. »

Il entendait Blackstone respirer. « Il va falloir que tu arrêtes de jouer aux cons », répondit ce dernier avant de raccrocher.

Chance l'avait appelé avec le portable du mort. Le sien était posé sur le siège, à côté de lui. Afin que D puisse entendre, les deux téléphones étaient en mode haut-parleur. « Il a raccroché, dit Chance.

— Tu te débrouilles comme un chef. Maintenant, édicte les règles. »

Chance rappela Blackstone. « On se retrouve sur le trottoir devant le restaurant.

— Et pourquoi est-ce que j'accepterais ?

— Voilà le deal. Jamais je n'entrerai dans cette chambre, et tu devrais être suffisamment intelligent pour le savoir. Ce que je vais faire, en revanche, c'est attendre dehors et appeler les flics. Et on peut tous crever, parce que ma fille est en sécurité et c'est ce qui m'importe le plus. C'est comme ça que je veux procéder. »

Blackstone ne répondit pas.

« On règle ça aujourd'hui, d'une manière ou d'une autre.

— Et ton copain lanceur de couteaux dans tout ça ? Qu'est-ce qu'il en pense, d'appeler la police ?

— Quel copain ?

— Très bien.

— C'est entre toi et moi, dit Chance.

— Un vrai dur à cuire.

— Je n'ai pas trouvé mieux. »

Il entendit Blackstone rire quelques instants, puis tousser. Il entendit aussi le petit sifflement de la chasse d'eau. « Et pourquoi est-ce que *je* suis censé *te* faire confiance, Monsieur le Dur à Cuire ?

— C'est un lieu public. On se rencontre à découvert. On se dit ce qu'on doit se dire et on échange ce qu'on doit échanger. J'ai ce que tu voulais.

— Oui, tu me l'as déjà dit.

— Je peux te dire exactement où je suis. Je suis sur le trottoir, au sud du restaurant, à l'endroit précis où part le chemin jusqu'à la Camera Obscura. »

Nouveau silence. « Il y a une chose que j'aimerais comprendre, finit par dire Blackstone. Comment est-ce qu'un type comme toi a réussi à vivre aussi longtemps ? » Sans même attendre sa réponse, il raccrocha encore.

Chance ne savait pas trop où ils en étaient.

« Putain, génial, fit D.

— Qu'est-ce que tu en sais ?

— Il va se pointer. Fais-moi confiance. »

Chance se gara plus ou moins à l'endroit qu'il avait indiqué à Blackstone et sortit de sa voiture. Il fut immédiatement fouetté par le vent, un vent tranchant et glacé. Comme prévu par D, il y avait très peu de monde dans les parages. La journée s'achevait, le soleil était bas, étouffé par le brouillard. L'air était humide, froid. On entendait les phoques et les lions de mer devenir fous sur leurs rochers, au milieu du fracas des vagues presque invisibles dans l'obscurité mouillée, et les cris des mouettes. Il regarda un jeune couple habillé chaudement entrer dans le restaurant et sentit son portable vibrer dans sa poche.

« On est bons, dit Big D. Je suis au motel. *Ton* gars est en train de monter dans la Crown Vic. Il y a deux autres types qui sortent et prennent la Mercedes noire. » Chance lui demanda s'il voyait la femme ; la réponse fut négative. « Il n'y a que les types. Il va se passer quelque chose, mais je suis sur le coup. Toi, rejoins ton poste et restes-y.

— Pigé.

— Bravo. Je reste sur les types de la Mercedes parce que je pense que ce sont eux qui vont agir. Ton gars fait le beau, mais laisse-moi te dire… Si tu l'emmènes seul sur le chemin et que tu vois quelque chose bouger, n'attends pas. Tape en premier. Fais confiance à ton entraînement… Tu lui balances le clou du spectacle, tu l'aides à passer par-dessus le parapet, tu fais demi-tour et tu cours vers le parc de Lands End… Tu cherches Carl. »

Vraiment ? voulut dire Chance, mais Big D ne lui en laissa pas le temps. « Haut les cœurs, chef », dit-il. Qu'y avait-il *d'autre* à répondre à cela ? D n'était plus là. Chance se retrouvait seul. Il s'écoula un très bref instant avant que la Crown Vic n'arrive. Il la regarda ralentir, puis se garer. Il vit Raymond Blackstone en descendre. Tout ça se passait pour de vrai.

Chance avait espéré voir Blackstone *avec* quelque chose, une mallette ou une sacoche, n'importe quel objet susceptible de contenir ses propres documents compromettants, les dossiers que Jaclyn prétendait posséder. Et Blackstone *parlait* d'un échange… Pourtant, au moment où il sort de la voiture, il n'a rien dans les mains. Il n'a pas de bouteille d'oxygène, mais Chance sait qu'il n'a peut-être plus besoin de se trimballer partout avec. L'idée lui vient que le type pourrait avoir un objet dans sa poche… que le dossier dont elle avait parlé pourrait se trouver sur un support électronique. Parfois, l'essentiel est de croire en quelque chose. C'est le conseil de base qu'on donne aux malades en phase terminale.

Chance a sa monnaie d'échange, bien sûr, les vieux documents dans la serviette en cuir. D lui a dit de faire semblant de les apporter, mais maintenant c'est *son* plan, le plan secret, le plan de l'espoir, si bien qu'en réalité il ne fait semblant de rien du tout. Il ne sait pas où est D et il ne voit pas la moindre trace d'une Mercedes noire. Il imagine que toute entorse au plan initial froissera sans doute son ami, mais il sait aussi que c'est son heure de gloire. Il voit déjà le triomphe de la raison, le chemin vers la lumière.

Il est encore posté là où il a dit qu'il serait. Environ cinquante mètres le séparent de Blackstone, et son cœur bat si fort qu'il entend à peine le bruit de la mer. Il y a du matériel de chantier non loin de là, une pelleteuse et une sorte de petite bétonnière, à l'endroit où des ouvriers réparent le muret qui court le long du trottoir pour empêcher les piétons de chuter, à peu près à mi-distance entre Blackstone et lui. Les machines occupent plusieurs places de stationnement. Chance a choisi un emplacement près du restaurant, mais Blackstone s'est garé plus bas, avant le matériel de chantier, et le plus étrange est que… il est toujours là, toujours à côté de sa voiture. Attend-il que Chance le rejoigne ? Sait-il même que Chance est là ? Ce dernier pense à lui faire signe de loin, mais cela paraîtrait absurde, étant donné les circonstances. Alors il continue d'attendre, la serviette en cuir sur l'épaule et la lame à double tranchant dans la poche de son pantalon, que D a équipé d'un petit étui similaire à celui qu'il avait confectionné pour Carl, avec des fils de fer, en sorte que, s'il met la main dans sa poche pour dégainer, les fils vont s'accrocher à la doublure de la poche et la lame sortira. Mais il n'a pas l'intention de le faire.

Finalement, il semble que Blackstone l'ait repéré et qu'il se mette à marcher dans sa direction. Et peut-être n'en faut-il pas davantage – la vue de Blackstone s'avançant vers lui comme une sorte de moment de vérité inexorable – car soudain, et sortie de nulle part, une chose très curieuse se produit : Chance perd son sang-froid, en une seconde, remplacé par une douleur dans le bras et une transpiration des fesses. Il n'est peut-être plus capable de sentir ses pieds, mais il n'en est pas non plus absolument certain. D'après le plan A, il était censé rester immobile. D'après le plan B, c'est-à-dire le sien, il était censé, au moment propice, désobéir, quitter son poste, retrouver Blackstone en un lieu où *ni l'un ni l'autre* ne serait pris en embuscade, où l'inspecteur verrait qu'il était venu en personne et où un accord mutuel serait trouvé. Dans un cas, il doit se fier à D. Dans l'autre, il doit se fier à lui-même et au grand dieu de la raison, mais tout ça commence à ressembler à une foi dans la transsubstantiation ou la résurrection d'entre les morts, et Chance en perd autant son latin que son sang-froid, sans parler de la sensation qui le gagne dans le bas du corps. Soudain, il quitte son poste pour aller *non pas* vers Blackstone, mais dans la direction opposée, où il se retrouve vite sur un escalier en béton, derrière le restaurant fouetté par le vent. Lui vient à l'esprit qu'il est en train de fuir, mais le constat ne réduit

guère sa foulée. Il aperçoit des places de stationnement de l'autre côté du restaurant ; il voit qu'une
Mercedes noire est garée sur une zone interdite, tout
près du trottoir. Il en déduit qu'il s'agit de la voiture
du motel, même s'il n'a aucun moyen d'en avoir la
certitude. Les vitres sont fumées. La voiture est garée
loin de lui, sous une lumière faible. Il ne peut pas
savoir qui est à l'intérieur. Il voit des gens marcher
près des ruines, à environ six cents mètres de là, mais
c'est beaucoup trop loin, et la Mercedes lui bloque
la route. Si D est quelque part là-bas, il ne le voit
pas. Le vent chante dans ses oreilles. Le ciel s'est
considérablement assombri. Chance voit les lumières
qu'on allume à l'intérieur du restaurant. Il est trop en
contrebas pour apercevoir les gens à leurs tables, mais
il sait qu'ils sont là. Il envisage de se mêler à eux,
sans savoir comment procéder. Il retourne à l'arrière
du restaurant, rejoint l'escalier, sort son portable et se
rend compte que sa batterie est déchargée. De toute
évidence, les éléments se sont ligués contre lui et il
ne sait plus quoi faire. Il entend quelqu'un approcher
de l'escalier, en provenance de ce qu'il pense être le
parking. C'est un bruit de chaussures à semelles dures
sur le ciment ; il s'imagine qu'elles viennent pour lui.
Il n'attend pas la réponse et s'enfuit du restaurant.

L'absurdité de la situation ne lui échappe pas, mais
elle ne lui remonte en rien le moral. Il repart maintenant
dans le sens inverse, dépasse les voitures stationnées le
long du trottoir et, se retournant, constate que Blackstone s'est arrêté juste avant le matériel de chantier,
peut-être parce que Chance a disparu. Mais l'inspecteur, voyant celui-ci marcher vers lui, se déplace
aussi, quoique lentement, et Chance est un peu surpris
par la distance qui les sépare, celle qu'il a réussi à
parcourir en si peu de temps. Il se demande même

s'il n'a pas commencé à courir, ce qui expliquerait la quantité énorme de sueur dans son dos, sur son visage. Il descend la pente d'un pas toujours rapide, dépasse sa voiture et le chemin qui mène à la Camera Obscura, où ils étaient censés aller, et Blackstone remonte à présent vers le matériel de chantier, si bien qu'ils vont vraiment se retrouver tous les deux seuls… à découvert, comme l'avait imaginé Chance. Y trouvant quelque chose d'apaisant, il s'y résigne et commence à réfléchir, à imaginer… à se dire : « OK… J'ai *vraiment* les trucs que ce type m'a demandés… on *va* discuter… ça *pourrait* marcher. » Et il voit plus nettement Blackstone, ce qui n'est pas inutile, car le flic n'a pas l'air si en forme que ça, et certainement pas si inquiétant que ça, plus frêle que dans son souvenir, vêtu d'un pantalon et d'une veste légère, d'une chemise bleu clair sans cravate, col ouvert malgré le froid. Ses cheveux noirs paraissent mouillés et coiffés en arrière, et le vent agite les ourlets de son pantalon. Curieusement, il se sent presque navré pour lui, jusqu'à ce qu'il s'aperçoive qu'il y a une voiture dans son dos. En tournant la tête, il voit que c'est la Mercedes noire. Elle est assez proche et, avec la lumière qui tombe différemment sur elle, il constate qu'il y a deux hommes assis à l'avant ; il sait qu'il s'agit de la voiture qu'il a vue de l'autre côté du restaurant et qu'elle l'attend. Certitude renforcée par le fait que la voiture n'accélère pas vers la rue et ne se gare pas non plus, alors qu'il y a des places disponibles – elle continue de rouler sur le parking qui borde le trottoir, guère plus qu'un large accotement de la route. À l'évidence, la voiture le surveille pendant que Blackstone arrive dans l'autre direction. Et tout à coup, ça lui tombe dessus comme un parpaing. Même un aveugle y verrait clair. La Mercedes attendra jusqu'à ce que Blackstone et lui se rejoignent, ce qui va finir par arriver, vu leur foulée, après le matériel de chantier, mais tout près. Sur ces entrefaites, quelqu'un… Blackstone… Un Roumain… Peut-être plusieurs personnes, le feront entrer de force dans la voiture, après quoi… Il ne veut même pas y penser… Sinon que D avait raison et que le plan A était assurément meilleur que le plan B. Mais Chance a déjà fait foirer le plan A mille fois, et D est introuvable, et le sera peut-être définitivement, et la douleur dans son bras revient, et l'air commence à se faire rare. Là-dessus, surgi de ces mêmes ténèbres, il voit autre chose… Il voit une Starlight Coupé jaune vif sortir d'un virage et s'approcher de lui.

Parfois, dans cette ville, certains jours, à cette période de l'année, il se produit un phénomène, et ce doit être justement ça : le soleil, sur le point de descendre, trouve un peu d'espace entre les nuages et la mer, et parvient pendant cet intervalle, qui ne va durer qu'un bref instant, à percer le brouillard et à jeter ses derniers rais de lumière, comme si les portes du paradis s'entrouvraient. L'espérance de vie de cette beauté se mesurera en secondes et, une fois disparue, il fera pratiquement nuit. Mais c'est dans cette lumière que Chance voit les événements se dérouler. La Starlight doit parcourir encore une bonne centaine de mètres et la suite est difficile à prévoir. Il jette un coup d'œil derrière lui et voit que la Mercedes, roulant au pas, s'est déjà rapprochée le plus possible de l'endroit où il marche. Blackstone, lui, est à six mètres de là. « Comme la Mercedes », se dit Chance. Mais la Starlight va vite, de plus en plus vite. Finalement, le visage de Carl apparaît derrière le pare-brise. Il a l'air seul, avec son petit chapeau qu'il aime porter en arrière, les mains sur le volant, toujours plus proche, et très rapidement, en un clin d'œil, pour ainsi dire, Chance voit avec une clarté absolue comment les choses vont se passer, ce qui va arriver, quand, où et pourquoi... tel un grand maître des échecs observant l'échiquier, et c'est la pure géométrie de l'objet qui l'éblouit, la forme jusque-là abstraite soudain limpide, comme une sphère, et tout aussi élégante, et il se demande un instant si, en la voyant, il n'a pas déjà abandonné le libre arbitre par lequel sa propre participation à sa finalisation pouvait être encore empêchée, ou si, en la voyant, il ne l'a pas déjà rendue inévitable. Et ça commence... Le vieil homme qui passe en trombe... L'explosion qui s'ensuit, le verre brisé et le métal fracassé... Ce ne peut qu'être la Starlight percutant de plein fouet la Mercedes. Il semble n'y avoir personne aux alentours, mais s'il y a quelqu'un, il ou elle verra *cela*. Blackstone, lui, le voit à coup sûr, et Chance le sait car ce qu'il voit, c'est Blackstone, ou... pour être plus précis encore... le deuxième bouton de la chemise bleu clair que Blackstone porte ouverte au col. Chance sait que l'accident le visait et que, l'espace d'un instant, *il* est le point fixe dans un monde qui tourne, presque caché dans un repli du temps, presque invisible, et sa main droite plonge au fond de sa poche pour sortir la lame et la brandir dans la position du psychopathe, son assiette se déplace avec sa démarche, en accord avec sa pyramide du pouvoir, son poids donne de la force au coup...

De même qu'il y a le phénomène de lumière magique, il y a le bruit que fait une lame quand elle transperce un os. Le cœur humain, capable de pomper le sang par une artère sectionnée à plus de neuf mètres de distance, peut perdre cette capacité en quelques secondes si la lame a charrié assez de tissu dans la plaie et si la crosse de l'aorte a bel et bien été perforée. C'est la fin des temps, et Chance avait assurément l'intention de la provoquer, de compter dans sa tête, et pensait l'avoir fait. Mais là, en pleine action, la lumière sembla disparaître et, avec elle, la mémoire. Il en était venu à imaginer avec une telle clarté le coup fatal et ses suites, et sa fuite jusqu'au parc, qu'il mit du temps à accepter la vérité, lentement dévoilée, d'une réalité nouvelle et jusque-là inconcevable, à savoir qu'il n'était plus sur un parking ni près du restaurant Cliff House, et encore moins du Camera Obscura où la lumière était projetée sur une plaque en métal, au grand bonheur des enfants, mais plutôt dans une sorte de pièce qui donnait presque l'impression de bouger – sanglé sur une planche, la tête dans une cage métallique.

Il était loin d'être seul. Il y avait d'autres personnes avec lui. Celle qui était la plus proche de lui, un jeune homme à l'air compétent arborant une tenue d'ambu-lancier, un bouc soigneusement taillé et un crâne rasé, était en train de découper son chandail avec des ciseaux. Il voyait la scène mais était décidé à la refuser. Il était décidé à croire qu'il avait frappé avec force et précision, que Blackstone avait ensuite titubé, avant de tomber dans la mer, et que lui-même avait continué son chemin, d'abord jusqu'à l'anonymat du parc, puis de là à son appartement, où il se trouvait sans nul doute en ce moment même… endormi sur son lit où il s'attendait à tout moment à des désagréments de la part de ses voisins du dessous, en train de s'engueu-ler ou de baiser, peu importe, et que cet état-là, cette situation désagréable impliquant des hommes en bleu et la destruction d'un chandail aussi onéreux que cher à son cœur, n'était qu'une étape, certes inhabituelle, sur le chemin d'un réveil plus complet.

Ce réveil ne se produisant pas spontanément, Chance tenta de le *provoquer* par la seule force de la volonté. L'effort sembla durer un long moment, jusqu'à ce qu'il finisse, épuisé, par accepter, contraint et forcé comme tant d'autres avant lui, que, aussi inexplicable que cela puisse paraître, il ne s'agissait pas d'un rêve, et que d'une manière extrêmement opaque et folle l'inacceptable s'était produit, sans son accord, sans même qu'il s'en rende compte. Finalement, il ne lui restait plus qu'à s'aplatir, comme les autres s'étaient aplatis, à lever les yeux vers le visage de l'homme aux ciseaux, à admettre son impuissance totale, le fait qu'il dépendait entièrement de la bonté d'inconnus, et à demander comme tant d'autres avant lui : « Qu'est-ce qui s'est passé et où suis-je ?

— Vous êtes dans une ambulance, docteur Chance, répondit le jeune homme. Vous avez fait une méchante chute et on vous emmène à l'hôpital. »

Il aurait pu demander davantage de détails, mais il ne le fit pas. Il choisit directement le pacte avec Dieu. Il connaissait la procédure – rien de plus banal. Il promit à Dieu que s'il arrivait à bouger ses doigts et ses orteils il ne demanderait plus jamais rien. Une fois sa promesse formulée et après avoir attendu pendant ce qui lui parut une durée respectable, il découvrit qu'il pouvait, en effet, bouger ses doigts et ses orteils. Dieu l'avait entendu ! Chance se dit qu'il pourrait s'en contenter, mais aussi qu'on lui avait certainement administré une dose de morphine, et le fait est que… tout bien considéré, maintenant que son rôle dans l'univers était terminé, il ne se sentait pas si mal que ça.

CHANCE ET L'EXPÉRIENCE LIMITE

L'expérience limite (généralement comprise comme un questionnement des limites au moyen d'une transgression) est un type d'acte ou d'expérience qui s'approche des extrémités de l'existence dans son intensité et son impossibilité apparente, et est donc capable, du moins en théorie, de séparer le sujet de lui-même – et le sujet peut en ressortir transfiguré, comme par une rencontre mystique.

Il passa la nuit dans une chambre d'hôpital, celui-là même où il avait tenté, en vain, de rendre visite à D et à sa fille. Quand on lui demanda s'il fallait prévenir quelqu'un, il donna le nom de sa secrétaire, Lucy Brown. De temps en temps, des infirmières venaient lui poser des questions. Elles lui demandaient essentiellement quels étaient le mois, le jour et l'année. Il connaissait la musique. Puis ce fut au tour de l'infirmière Gooley. D'après ce qu'il comprit, elle passa le lendemain, aux aurores.

« Tu devrais déménager ici, lui dit-elle. Comment va ta fille ?

— Elle est à la maison, avec sa mère. Merci de t'en inquiéter. Et heureusement que tu es là. Elles n'arrêtent pas de me demander le nom du président actuel.

— Et qu'est-ce que tu leur réponds ?

— Je leur ai dit que ça n'avait aucune importance. Je leur ai dit que l'histoire rattraperait bientôt l'empire.

— Je parie qu'elles ont beaucoup apprécié.

— Sur le chemin, on m'a dit que j'avais fait une chute.

— Tu es tombé du haut d'une falaise.

— Est-ce que tu penses, demanda Chance en regardant l'embout sur son bras, qu'elles pourraient me remettre une dose de Valium en intraveineuse ?

— Je ne vois pas pourquoi elles ne le feraient pas. Après tout, c'est toi, le médecin. »

Chance avait vu plusieurs confrères depuis son admission au centre de traumatologie. On l'avait scanné, passé aux rayons X, rempli d'un agent radio-actif colorant connu pour abîmer la thyroïde, de nouveau scanné. Ses pupilles étaient restées dilatées, sans signe d'hémorragie sous-arachnoïdienne, d'hématome intracérébral ni de déplacement latéral du cerveau. Pourtant, il avait subi une commotion assez sévère. Il y avait un trou dans sa mémoire, d'au moins une heure.

« Combien de temps est-ce qu'il faut que tu restes inconscient, voulut savoir Gooley, avant qu'ils craquent et qu'ils parlent de coma ? » Manifestement, elle ne plaisantait qu'à moitié. Elle enchaîna avant qu'il ait le temps de répondre. « Tu avais ça sur toi dans l'ambulance. »

Il vit qu'elle tenait la serviette en cuir qu'il avait emportée à Lands End. Elle était toujours fermée et semblait un peu abîmée. « Je me suis dit que tu en aurais peut-être besoin. Alors je l'ai prise avec moi quand les policiers ont demandé à récupérer tes vêtements.

— Les policiers ? »

Chance n'était pas assez shooté pour ne pas commencer à s'affoler.

« Oui. Visiblement, quelqu'un d'autre a été blessé, ou quelque chose comme ça, et ils voulaient récupérer tes vêtements. Ne me demande pas pourquoi. Ils ont expliqué que c'était la procédure. »

Rêvait-il ou elle le regardait d'un air bizarre ? Elle posa la serviette sur la table à roulettes à son chevet. « J'ai bien fait ?

— Oui, répondit-il. Oui, tu as bien fait. Je préfère vraiment l'avoir avec moi. Merci bien. »

Elle lui donna une tape amicale sur la jambe. « J'imagine que quelqu'un va passer. »

Par ce « quelqu'un », comprit-il, elle entendait un policier. Persuadé qu'elle lui avait adressé un clin d'œil en sortant, il attendit dix bonnes secondes, pour s'assurer qu'elle ne reviendrait pas, avant d'ouvrir la serviette. Tout était là, les vieilles saloperies compromettantes, ainsi que quelques grains de sable qui s'étaient mystérieusement frayé un chemin jusque-là. Une fois qu'il en eut vérifié le contenu, il fourra la serviette sous ses draps et s'endormit avec elle, toujours plus chaude sous sa cuisse.

Quelques heures plus tard, il fut réveillé par le jeu des rayons de soleil à travers l'unique fenêtre de sa chambre et découvrit un homme devant sa porte. Il devait avoir moins de quarante ans ; il avait un large visage bronzé et des cheveux blonds coupés court. Il portait un costume gris foncé, une chemise blanche et une cravate bordeaux. Chance le prit tout de suite pour ce qu'il était, le « quelqu'un » annoncé par l'infirmière Gooley.

Il se présenta : inspecteur Newsome, de la police de San Francisco. Il se révéla être, à défaut d'autre chose, une mine d'informations. Apparemment, Chance s'était débrouillé pour heurter le parapet au-dessus d'Ocean Beach à l'endroit précis où la portion supérieure en avait été retirée, dans le cadre d'une rénovation générale. Le trottoir avait été sécurisé à l'aide d'un cordon jaune, mais cela ne l'avait pas empêché, sans doute distrait par l'accident de voiture qui venait de se produire juste devant lui, de tomber dans le chantier puis d'atterrir, douze mètres plus bas, sur le sable.

Sans les travaux, pareille chute eût été quasiment impossible. Il était également vrai que n'importe quel autre jour son accident eût été, selon toute vraisemblance, fatal. Chance avait été sauvé par le chantier même qui avait provoqué sa chute, c'est-à-dire le gros tas de sable déposé contre la paroi de la falaise, juste au-dessous du mur, élément parmi d'autres du combat mené par la municipalité contre l'érosion de la plage. Le sable avait à la fois réduit et amorti sa chute. Il fallait aussi prendre en compte le jour de la semaine. Chance était tombé un dimanche. Il ne l'avait appris qu'à l'hôpital car jusque-là, vu les événements récents et la course folle vers Lands End, il avait perdu toute notion du temps. Si ça avait été n'importe quel autre jour *hormis* le dimanche, des ouvriers auraient été présents et empêché l'accès au site. Enfin, l'heure. Chance était tombé au moment où la mer était à son niveau minimum, si bien qu'une bonne partie de la plage était plus découverte qu'à l'accoutumée. S'il était tombé dans une mer plus haute, il aurait sans doute roulé sur la dune provisoire et sombré dans l'eau, où il se serait probablement noyé avant l'arrivée des secours.

« Vous voyez un peu où je veux en venir », lui dit Newsome. L'homme avait des manières agréables.

« J'ai eu du bol.

— Oui, mais après avoir été malchanceux. »

Chance aurait pu en parler pendant tout un repas, mais l'inspecteur Newsome n'était pas exactement la bonne personne à qui se confier. « Racontez-moi l'accident, dit-il plutôt. L'accident de voiture.

— Un très vieux monsieur a perdu le contrôle de sa très vieille Studebaker et a percuté de plein fouet une Mercedes neuve.

— Il y a eu des blessés ?

— C'est toute une histoire. Les types de la Mercedes ont détalé. En voulant reprendre la route, ils ont renversé une fille qui faisait du skate-board, puis ils ont abandonné la voiture au Golden Gate Park. Là, on a retrouvé des objets de contrebande à l'intérieur du véhicule. »

Chance ne posa pas de questions sur ces objets, et Newsome n'en dit pas plus. Il préféra lui demander des nouvelles de la jeune fille.

« Elle va s'en sortir. Mais ce n'est qu'un bout de l'histoire. Presque au même moment, à quelques rues de là, il y a eu un homicide avec plusieurs victimes. Un flic véreux est impliqué, du coup les médias sont déchaînés, évidemment. Ça fait la une de tous les journaux ce matin, donc je ne vous apprendrai rien de nouveau. »

Chance eut conscience d'un certain nombre de changements physiologiques en cours : une sonnerie aiguë et lointaine, une sensation de picotement dans ses cheveux. Il s'interrogea à voix haute sur les occupants de la Mercedes.

« Toujours en cavale, répondit Newsome. Mais c'est sûr que… on serait très contents de les retrouver. D'après les témoins, ils avaient l'air étrangers. Le flic assassiné avait des liens avec la mafia roumaine mais, encore une fois, vous aurez tout le temps de lire les journaux. À l'heure où je vous parle, ils en savent sans doute plus que moi. »

Chance en doutait. Il commençait à douter aussi de l'amabilité de l'inspecteur. Ce devait être une ruse, pensa-t-il, un piège prêt à se refermer sur lui. Il demanda comment allait le vieil homme.

« Rien de grave. Il devait sans doute être trop vieux pour conduire… Deux témoins ont dit que c'était sa faute.

— Qui m'a retrouvé ?

— Un type qui promenait son chien sur la plage. C'est ce qu'il a raconté, en tout cas. Il n'est pas resté. Quand on a voulu identifier son appel, ça n'a rien donné. C'était un téléphone jetable. Vous connaissez ces appareils ? »

Chance répondit par l'affirmative.

« Les médecins m'ont expliqué que vous ne vous rappeliez pas grand-chose de l'accident. Je me demandais… Vous vous souvenez de la raison de votre présence là-bas ?

— J'aime bien marcher jusqu'aux anciens bains publics, et j'avais besoin de me vider la tête. On a eu quelques problèmes avec ma fille… »

« C'est comme ça que ça commence, pensa-t-il – le petit jeu du chat et de la souris. »

« J'ai cru comprendre qu'un avis de disparition avait été diffusé mais qu'elle est maintenant revenue.

— On a encore deux ou trois points à régler, mais oui, ç'a été un grand soulagement. La dernière chose dont je me souvienne, c'est que je suis sorti de ma voiture et que j'ai mis mes clés dans ma poche.

— Près du Cliff House, donc. »

Chance acquiesça, mais il repensa à ses poches et à ce qu'elles pouvaient contenir d'autre... Un petit étui avec des fils de fer.

« Vous êtes médecin, m'a-t-on dit.

— Neuropsychiatre.

— Intéressant, fit l'inspecteur Newsome. Est-ce que le nom de Raymond Blackstone vous dit quelque chose ? »

Chance fit semblant de réfléchir. « Depuis le temps, j'ai vu des tas de patients, évidemment. Mais non, ce nom ne me dit rien.

— Eh bien... C'est ce policier dont je vous ai parlé. C'est aussi une des victimes. Il a été retrouvé dans les parages, mais des témoins l'ont également aperçu près du Cliff House. Vous rappelez-vous avoir croisé quelqu'un avant votre chute ?

— La réponse est non. Mon amnésie est presque totale. Je crois que j'ai oublié tout ce qui s'est passé pendant environ une heure.

— C'est drôle de voir comment ça fonctionne, pas vrai ? Enfin, j'imagine que vous êtes bien placé pour en parler.

— Nous emmagasinons constamment des souvenirs, lui expliqua Chance, trop heureux de l'occasion. Avec une blessure... comme la mienne... ce processus physiologique à l'intérieur du cerveau est interrompu. Mais quant à savoir *exactement* comment ou pourquoi l'élément rétrograde peut varier à ce point... Chez certaines personnes, la perte de mémoire peut porter sur quelques minutes, et chez d'autres, des mois, voire des années...

— Et ce n'est pas seulement lié à la gravité de la blessure ?

— C'est un facteur important, bien sûr. Mais il peut y avoir des éléments psychologiques... L'amnésie psychogène... On se raconte des histoires pour donner du sens à ce que l'on est. Certains types d'événements très lourds et très traumatisants sont tout simplement trop épouvantables pour coller au récit qu'on s'est créé. Alors on leur bloque l'accès. Vous retrouvez ce phénomène chez les soldats ou les gens qui ont subi un stress post-traumatique...

— Les policiers, dit Newsome avec un sourire.

— Les policiers sont évidemment susceptibles de connaître ce genre d'expériences. »

Chance se dit qu'il était temps de calmer le jeu.

« Et quelles sont les probabilités pour que ces souvenirs reviennent ?

— Là encore, c'est très variable. Avec le temps, certaines personnes se souviendront de tout. Chez d'autres, ça ne reviendra jamais. »

L'inspecteur Newsome sortit une carte de visite. « Si ça vous revient, appelez-moi. » Il posa la carte sur la table de chevet. « Vous êtes quelqu'un d'intéressant. J'aimerais poursuivre cette discussion avec vous, le jour où vous serez d'attaque.

— L'infirmière m'a dit que vous aviez pris mes vêtements.

— Oui, je suis désolé. On voudrait les examiner, voir si peut-être Blackstone et vous avez pu être en contact ou si vous avez été victimes d'un même individu.

— Vraiment ? »

Newsome haussa les épaules. « On essaie encore de déterminer avec précision où Blackstone a été blessé. Je vous dis, il a été aperçu à Ocean Beach.

C'est-à-dire le même endroit d'où les types dans la Mercedes ont voulu fuir précipitamment. Et vous êtes dans le coin… Un médecin. Vous avez peut-être vu quelque chose se passer, vous avez peut-être voulu aider. Le labo nous en dira sans doute plus… Les fibres, les cheveux, le sang… Pour dire les choses autrement : je ne crois pas beaucoup aux coïncidences. D'après ma femme, c'est une déformation professionnelle. » Il sourit encore.

Une fois le policier parti, Chance demanda un peu plus de morphine et le journal.

L'inspecteur avait raison, évidemment. Tout était là, du moins les faits évidents. Raymond Blackstone avait été retrouvé mort dans une chambre du motel Blue Dolphin. Des éléments compromettants avaient été découverts sur place, qui liaient l'ancien inspecteur de la brigade criminelle à un réseau de prostitution et de trafic d'êtres humains tenu par la mafia roumaine d'Oakland. Le corps avait-il été déplacé, comme le laissait entendre Newsome ? Les journaux ne le disaient pas. Un deuxième cadavre avait été découvert dans le motel, celui d'un Roumain membre de la même mafia d'Oakland. Deux autres individus, présumés roumains, avaient été vus fuyant la scène d'un accident de voiture non loin d'Ocean Beach. Ils étaient également recherchés pour un deuxième délit de fuite après un accident avec une piétonne. Enfin, il était question d'un médecin établi à San Francisco, dont le nom n'était pas cité, mais qui avait chuté du haut d'une falaise presque au même moment et au même endroit que les deux accidents.

Il y avait beaucoup de spéculations autour de cette conjonction d'événements aussi rapprochés et des liens éventuels entre eux. En revanche, pour ce qui était des faits établis, il n'y avait pas grand-chose. On attendait encore de nouveaux témoignages et les autorités recherchaient toujours les occupants de la Mercedes. Toute personne ayant des renseignements à fournir était priée de contacter la police.

Chance essaya de se souvenir – en vain. Il lui revint à l'esprit que Jean-Baptiste s'était pendant quelque temps essayé à l'hypnose, avec paraît-il de bons résultats. Mais un coup de fil à son cabinet lui apprit que l'état de Jean-Baptiste s'était soudainement aggravé. Il habitait toujours l'immeuble, mais vivait reclus dans son appartement et ne répondait plus à personne.

En l'absence de faits vérifiables, il ne lui restait plus qu'à faire avec le peu dont il disposait. Assurément, Blackstone et lui s'étaient retrouvés tout près l'un de l'autre. La Starlight Coupé avait percuté la Mercedes. Des klaxons avaient retenti – mais c'était une conjecture. Des klaxons avaient *sans doute* retenti. La tôle avait *sans doute* hurlé puis cédé. Le verre s'était *sans doute* brisé. Quiconque se serait trouvé même assez loin de la scène s'était *sans doute* retourné. Chance avait *sans doute* profité de l'occasion pour planter sa lame dans le thorax de Blackstone en un point plus ou moins équivalent au deuxième bouton de sa chemise bleu clair... Et tout cela *semblait* s'être passé... La tache de sang rouge sur le torse d'un autre homme... Le rythme d'un cœur en arrêt cardiaque, ressenti même par l'intermédiaire de l'acier plongé jusqu'à la crosse de l'aorte.

Mais il pouvait autant, et avec la même clarté, sinon plus, se souvenir d'autre chose. Il pouvait par exemple se rappeler avec force détails le bungalow du motel, ses horribles teintes jaunes et marron, le Formica sous les tissus à motifs cachemire, les persiennes sur le métal rouillé – après tout, le Blue Dolphin datait des années 1960, la décennie de sa naissance. On pourrait se dire que, depuis le temps, l'endroit avait pu être redécoré plusieurs fois, mais cela aurait exigé des patrons un sursaut d'énergie difficilement concevable. La pièce sentait plutôt le tabac froid et le détergent à la sève de pin, avec sa pauvre liste de consignes accrochée derrière la porte, qui interdisait de fumer, d'écouter de la musique fort et de danser, mais omettait le meurtre pur et simple. Comme pour les événements survenus dans le parking, il pouvait, et sans grand effort, tout reconstruire à partir de là…

Il l'aurait retrouvée… assise sur le lit… les yeux aussi écarquillés que ceux d'une biche prise dans les phares, et il aurait tout de suite compris qu'il était foutu, que Big D avait eu raison, que Blackstone l'avait invité à seule fin de le faire mourir dans un motel minable, avec les vieilles saloperies compromettantes à ses côtés, et quoi penser d'autre, sinon que quelqu'un le faisait chanter et que la situation avait dérapé ? Quant à ce que Blackstone avait prévu pour elle, c'était déjà plus difficile à déterminer. L'aurait-on retrouvée morte là-bas, elle aussi, ou dans une autre partie du monde ? Ou pas du tout ? Tout ça n'avait plus grande importance, désormais. Pourtant… Raymond Blackstone avait dû se sentir tout proche du but, à deux doigts d'y arriver, de se débarrasser sinon des deux, du moins de l'un des deux, de savourer sa victoire… Big D avait défoncé la porte, peut-être… Ou peut-être était-ce *lui* ? Peut-être était-ce *ici* que Chance avait dégainé sa lame ? Sinon, pourquoi s'en souviendrait-il à présent… y compris les détails les plus infimes de l'horrible chambre ensanglantée ? Ce qu'il n'arrivait pas à comprendre, c'est comment, après cette horreur-là, il s'était retrouvé également sur le sable d'Ocean Beach. N'est-il pas exact que la plage et la chambre constituent deux propositions s'excluant l'une l'autre ? D'un autre côté, et c'est là que les choses devenaient *vraiment* compliquées, s'il était également vrai, et il savait que ça l'était, particulièrement dans les situations telles que décrites par lui à l'inspecteur Newsome, que dans certains cas d'amnésie *doublée* de stress post-traumatique les souvenirs les plus précis, les plus vifs d'un patient pouvaient être inventés de toutes pièces, et si de toute manière tous les éléments, à la fois à la plage et au motel, dans n'importe quelle configuration, voire combinaison, eu égard à tous les standards reconnus, étaient déjà inacceptables au point de sembler relever davantage du rêve enfiévré et de la fabulation que d'une quelconque réalité acceptable… Eh bien, en fin de compte, pourquoi ne pas s'y laisser aller ? Pourquoi ne pas créer un arrangement, comme si ces fragments de souvenirs n'étaient rien d'autre que les morceaux de verre coloré d'un kaléidoscope d'enfant, donc voués à être recomposés, à tout moment, par un simple geste du poignet ?

Qu'il suffise de dire que sa blessure à la tête l'avait emmené sur un terrain qui ne lui était plus familier. Il était là sans y être. La seule chose à laquelle il pouvait vaguement comparer cela, c'était la préparation avant une opération chirurgicale – les médicaments qu'on injecte dans la veine, le compte à rebours vers le néant pendant que le présent s'efface. Mais il y avait là un contexte. Ici, il n'y en avait aucun. Faute de quoi, sa perception du présent était devenue aussi fragile qu'un œuf de caille. Peut-être ne faisait-il qu'imaginer pouvoir encore bouger ses doigts. Comment être sûr qu'à tout instant son sens du temps et de l'espace ne se dissoudrait pas, une fois encore, le faisant accéder à une réalité différente et encore plus terrible ? La perspective suffisait à provoquer chez lui sueur et palpitations, et pourtant il s'y laissait aller sans relâche. La chambre et la plage n'étaient que deux possibilités. Comment ne pouvait-il pas exister une version des événements selon laquelle Blackstone ou un des Roumains avait pris le dessus sur lui ? Peut-être qu'il était mort et que ça ressemblait à ça. Peut-être qu'il était sanglé à un lit dans la cellule psychiatrique d'une petite prison. Il n'était pas assez délabré pour ne pas se rappeler certains patients lui décrivant des états similaires, ou les mauvais services qu'il leur avait rendus dans ses interminables et fastidieux rapports...

Eldon Chance, 49 ans, droitier, neuropsychiatre, a subi voilà trente-six heures une commotion cérébrale, après une chute du haut d'une falaise, à Ocean Beach, San Francisco, au cours de laquelle ses vertèbres T-3 et T-4, ses huitième, neuvième et dixième côtes gauches, ainsi que deux doigts de sa main gauche ont été fracturés. Il n'a aucun souvenir net de sa chute ni des événements qui l'ont immédiatement précédée ou suivie. Il évoque des souvenirs qui sont en réalité exclusifs les uns des autres, mais il les vit avec l'intensité des hallucinations. Après le soulagement initial lié au fait d'être en vie, il admet avoir du mal à évaluer son état mental actuel, qu'il trouve nébuleux et instable. Il pense que ce n'est pas lui, mais il est bien en peine de distinguer une identité plus précise et identifiable. Il craint que tout ce qu'il a fait de sa vie jusqu'à présent ne se réduise qu'à une banale série de gestes vains et creux. Il se rappelle clairement les gens qui peuplent sa vie, mais estime qu'il leur a failli à plusieurs niveaux, en tant que mari, que père et que médecin, et que dans les jours précédant son accident il a pu commettre des forfaits qui ont été enfouis sous le niveau de la pensée consciente et qu'il est peut-être, d'après ses propres termes, « une espèce de connard ». Sans certitudes concernant les événements de son passé immédiat, il n'en a pas davantage au sujet de son avenir. Il a l'impression d'avoir perdu sa capacité à juger ce dont il est ou non capable et craint de pouvoir faire du mal, aux autres comme à lui-même. Il est conscient de certaines pulsions troublantes en la matière et doute de sa capacité à les maintenir à bonne distance. Il redoute aussi une deuxième perte de conscience dont il ressortirait à un moment encore plus délicat, et le risque qu'il apprenne d'autres forfaits qu'il aurait pu commettre. Quand on lui demande d'en dire un peu plus sur ces « pulsions troublantes », il admet avoir envisagé de boire des produits détergents, avoir voulu acheter un rat de compagnie et un pisto-let, et avoir eu envie de tout lire à l'envers, c'est-à-dire de droite à gauche et de bas en haut. Il voit dans ces pulsions certaines patho-logies qu'il a traitées chez d'autres pendant plusieurs années, mais craint que, en l'absence d'une version plus concrète et plus identifiable de lui-même, il ait tendance à les faire siennes, que par conséquent, avec le temps, il ne soit plus que le dépositaire ambulant des mille et une maladies mentales qu'il a été obligé de traiter au cours de ses vingt années de pratique médicale, et que ça ne soit peut-être que le début...

DANS CHAQUE FOULE UN HOMME HEUREUX

De temps en temps, des silhouettes apparaissaient. Chance les prenait pour des visiteurs et leur demandait seulement de le considérer comme il les considérait – les protagonistes d'un rêve.

« Je ne ferai jamais ça, lui dit Janice Silver. Qu'est-ce que c'est que cette histoire ?

— Tu savais que ma fille avait été hospitalisée ici ?

— Maintenant je le sais.

— J'étais parti faire un tour.

— Je suis vraiment désolée. Et comment va ta fille ?

— Elle va mieux. Moi aussi.

— Et tu es *au courant* pour Blackstone. »

Elle avait vu le journal posé sur le petit chariot, à côté du lit. « Il faut croire qu'on n'était pas les seuls à le détester.

— C'est un boulot dangereux, même pour les bons flics, dit Chance, répétant ce que Big D lui avait dit un jour, et y prenant un certain plaisir.

— Tu étais au même endroit, bordel. »

Chance ne répondit pas.

« Tu as parlé ?

— À qui ?

— Ils demandent aux gens de témoigner.

— Ils demandent aux gens qui ont des renseignements de témoigner. Et de toute manière *ils* sont déjà venus ici.

— Et ?

— Rien, Janice. Je suis parti me promener. Je suis tombé. »

Elle le regarda longuement, puis attendit un peu avant de répondre. « Et est-ce qu'on a des nouvelles… d'elle ?

— On n'en a pas. »

Ils n'échangèrent aucun mot pendant quelques instants. Puis Chance lui dit qu'il était navré, mais qu'il avait besoin de dormir. Janice se pencha vers lui et lui serra le bras. « D'accord. Cette histoire est terminée. Tu es en vie et c'est tant mieux. Si un jour tu as envie de parler, tu sais où me trouver. »

Chance la remercia, sincèrement.

Il y eut d'autres visiteurs. Carla vint le voir, ainsi que sa fille.

« Je ne sais pas ce que tu vas devenir », dit son ex-femme, après l'avoir observé un long moment, et juste avant qu'elle s'en aille pour le laisser seul avec Nicole.

« Je suis vraiment désolée, papa. » Tels furent les premiers mots de sa fille. Sans savoir précisément *pour quoi* elle était désolée, Chance répondit qu'il l'était aussi. Pour tout, voulaient-ils sans doute dire. Ils se tinrent la main. Elle pleura. Il pensa d'abord que c'était à cause de lui, ce qui était peut-être le cas, mais il apprit rapidement que son petit copain toxique lui avait brisé le cœur. Pour Nicole, c'était la première incursion dans ces contrées sinistres, et Chance espérait bien que ce serait la dernière. Le petit ami en question, un étudiant italien venu passer un diplôme de droit environnemental à Berkeley, et de dix ans plus âgé qu'elle, avait été retrouvé, l'après-midi même où il l'avait aidée à s'enfuir de l'hôpital, en compagnie d'une autre femme, dans une situation pour le moins scabreuse.

Chance ne sut absolument pas comment réagir à cette affaire ni quelle place lui assigner dans l'histoire secrète des événements. Il était aux prises avec un souvenir intrusif, peut-être faux : la lame dans sa main, le visage de Blackstone, son cri étouffé. Il fit pourtant de son mieux pour consoler sa fille. Elle finit par lâcher un long soupir et posa sa tête sur son torse. Un silence bienvenu s'installa. Les souvenirs intrusifs, qu'ils fussent réels ou imaginaires, s'accompagnaient de visions récurrentes de la logique de l'ensemble des événements... dont même celui-ci faisait peut-être partie. Si seulement il pouvait avoir une idée plus précise de ce qu'était, au juste, *cela*, par quoi il entendait le moment présent. Mais la logique des événements courait tout le temps devant lui comme une ombre : *Tu n'es pas dedans pour l'instant*... *Tu n'es pas dedans pour l'instant*... Peut-être, se dit-il, fallait-il plutôt se résigner au tristement célèbre axiome, à savoir qu'au bout du compte tout n'était qu'une question de choix. Quelque temps plus tard, après le départ de sa fille, ce fut au tour de Jean-Baptiste de passer.

« Dieu merci, fit Chance. J'étais mort d'inquiétude. J'ai entendu dire que vous étiez malade. »

Jean-Baptiste balaya la question d'un revers de main et s'installa sur une chaise. « Parlez-moi », dit-il.

Chance s'exécuta. Il avoua tout. Pour la première fois devant une oreille compréhensive, il se demanda à voix haute ce qui, dès le départ, n'avait pas été clair... et comment il avait pu s'écarter du droit chemin au point d'en arriver là. Dans son style inimitable, Jean-Baptiste répondit simplement que, s'il était vrai qu'il aurait pu faire preuve d'un peu plus de clairvoyance, son *incapacité* à s'écarter autant du droit chemin aurait à coup sûr produit une histoire mille fois moins intéressante. Puisque c'était le chemin de la perdition, il avait plutôt tendance à y voir le chemin nietzschéen du déclin salutaire.

Sur la question de savoir précisément quel salut Chance avait trouvé, son ami se montra moins loquace, mais aussi moins inquiet. « À votre place, je ne me ferais aucun souci pour ça, lui dit Jean-Baptiste. Votre déprime actuelle n'a rien d'anormal, après un traumatisme grave – et *vous* le savez très bien. Quant à cet autre... Ne désespérez pas. Vous le trouverez.

— Vous ne pensez pas que c'est difficile ?

— Tout est difficile, mon vieux. Vous ne pouvez pas savoir à quel point ce genre de choses me met en joie. Et vous, en plus.

— Vous savez, dit Chance, maintenant que c'est terminé... Quand je pense à elle... je pense au Laocoon. »

Il vit que Jean-Baptiste connaissait l'œuvre, le père et ses fils pris dans un combat perdu contre les monstres des profondeurs. « Et je me dis que ça doit être pareil pour elle, qu'elle a dans son passé quelque chose d'énorme dont elle n'arrive pas à se débarrasser... et qui continue de la tirer en arrière...

— Et contre quoi sa stratégie consiste à imaginer des possibilités de fuite sous la forme de nouvelles personnalités.

— Je vous avais dit qu'une de ses personnalités était une prostituée roumaine qui parlait très bien la langue ? »

Jean-Baptiste étouffa un rire.

« Vous trouvez ça drôle ? Franchement, c'était effrayant. J'ai dû allumer la lumière pour être bien sûr que c'était elle.

— À ce propos, comment va votre organe ?

— Ils m'ont donné un anti-inflammatoire et des antibiotiques. Vous n'avez pas idée comme c'est un soulagement de pouvoir à nouveau pisser.

— Ah. Mais d'après ce que vous m'avez dit, ses personnalités ne durent jamais longtemps.

— C'est vrai. Elles se dissolvent. Le monstre la retient.

— Malgré toute mon admiration pour ce bon vieux Nietzsche, j'ai toujours trouvé bidon son histoire, comme quoi ce qui ne vous tue pas vous rend plus fort.

— Oui. Niais et faussement profond.

— Des blessures à vie, ça existe.

— Des déformations chimiques…

— Des saloperies qu'on n'a pas encore les moyens de déceler.

— Et pourtant, quelque chose d'héroïque dans le combat.

— Et son combat à *elle*, vous le définiriez comment ? La prédatrice qui traque les prédateurs, qui trouve un homme pour en piéger un autre…

— Peut-être même qui aide et encourage l'homme piégé à *adopter* une forme de comportement prédateur, faisant de lui précisément ce qu'elle doit détruire.

— C'est retors.

— C'est sa spécialité.

— Mais toujours dans le cadre de ce besoin inconscient de se libérer… En infligeant aux autres ce qu'on lui a infligé dans une vie antérieure, une vie dont on ne sait rien mais qu'on peut simplement deviner ? Est-ce le pacte qu'elle a passé avec l'univers, la version d'elle-même la plus authentique dont elle soit capable ? *Ou bien…* est-ce le fait qu'elle ait *cru* votre fille en danger de mort qui l'a finalement poussée à agir, à le trahir et à vous appeler ? Cela ne veut pas dire qu'à certains moments elle ne vous a pas manipulé, mais simplement qu'on doit aussi envisager la possibilité que l'enfant en danger ait été, en fin de compte, ce qui a fait surgir sa personnalité la plus authentique. »

Ils méditèrent là-dessus.

« Ce serait drôle de lui poser la question, non ? Comme une dernière évaluation après les événements, une dernière lecture de l'histoire ?

— Si tant est que ça existe.

— Oui, eh bien… Ça *existe*. Néanmoins… On part du principe qu'on n'entendra plus jamais parler d'elle ?

— J'imagine que non. Vu la manière dont ça s'est terminé… Je l'imagine partie depuis longtemps, et sans rien ici pour la faire revenir. »

À côté de Chance, un appareil mécanique commença à émettre un léger bourdonnement. « Vous l'aimiez vraiment bien, dit Jean-Baptiste, de but en blanc. Celle que vous avez trouvée. » L'idée semblait lui plaire.

« On pourrait dire ça comme ça.

— Et c'est ça, la beauté de toute cette histoire. Que vous en soyez conscient ou non. Vous avez lu Kierkegaard : *la pureté du cœur, c'est de vouloir une chose.* »

Cette fois, ce fut Chance qui éclata de rire.

« Moquez-vous, fit Jean-Baptiste. Cependant, je vous dis qu'il y a une vérité là-dedans et qu'il *est* nécessaire de garder constamment à l'esprit que nombreux parmi nous mourront sans avoir jamais su qu'ils étaient vivants, sauf sur un plan rudimentaire, bien sûr. Mais ne me lancez pas là-dessus.

— Loin de moi cette idée. »

Le temps passa. L'appareil cessa de bourdonner. Il venait d'injecter des substances, dont de la morphine. Jean-Baptiste se leva pour inspecter le sac en plastique accroché près du lit de Chance. Il lui arrivait souvent de travailler bénévolement dans les hôpitaux publics et les foyers, pour y trouver l'inspiration photographique ; il connaissait par cœur les chambres comme celle-là. « Il faut que vous arrêtiez ça, dit-il. Ça va vous bousiller la tête. Et arrêtez de chercher dans ce fourre-tout des possibilités. Il me paraît très clair que vous n'êtes jamais allé dans cette chambre. Vous étiez sur le trottoir, et puis sur la plage, et puis ici. Arrêtez les frais. »

Au lieu de répondre, Chance regarda Jean-Baptiste se rasseoir. Il lui trouva l'air épouvantablement fatigué et fut touché par la générosité qui avait poussé son vieil ami à faire le déplacement jusqu'à son chevet. Avec son enthousiasme constant et sa profondeur d'esprit, on avait parfois tendance à oublier que Jean-Baptiste était en train de mourir.

« Et lui ? demanda-t-il.

— Lui ? »

Chance pensait à Big D.

« Ce Blackstone. Conclusion ? »

Chance réfléchit quelques secondes. « Je crois qu'il était comme moi. Je crois qu'il était fou amoureux de cette putain.

— Je veux vous léguer mes photos.

— J'aimerais beaucoup, répondit Chance. Vraiment. »

Ce n'est que plus tard que Chance apprendrait que Jean-Baptiste était mort le jour même de sa chute à

Ocean Beach, que quelqu'un, au cabinet, avait jugé bon de lui cacher la vérité, peut-être le temps qu'il recouvre ses forces. Mais il n'arriverait jamais tout à fait à croire qu'ils n'avaient pas communiqué, d'une manière ou d'une autre, ou que Jean-Baptiste ne s'était pas débrouillé pour être avec lui dans la chambre. Lorsque Lucy Brown finit par lui annoncer la nouvelle, ce fut donc *Chance* qui *lui* expliqua qu'il avait hérité de la collection de photos. « Il était là ? demanda-t-elle. Avec vous, dans la chambre ?

— Comment est-ce que j'aurais pu le savoir, sans ça ? »

Lucy ne dit rien pendant un long moment mais, en sortant, elle lui conseilla d'être prudent pendant son voyage dans les limbes.

Si son dernier visiteur suscitait moins de doutes quant à sa réalité physique, Chance eut tout de même l'impression de baigner dans l'irréel. Bâti comme une bougie d'allumage, c'était un avocat spécialisé dans les préjudices personnels, mais avec la mise et les manières d'un racoleur pour club de strip-tease. Ayant appris dans le journal l'accident de Chance, il s'était déjà rendu à Lands End pour inspecter les lieux. « Je veux que vous m'écoutiez, lui dit le type. Je suis allé là-bas en voiture et j'ai pu voir la scène. C'est une blague. Il y a un pauvre ruban là où il aurait dû y avoir une sorte de barricade… C'était leur boulot de protéger les gens et ils ne l'ont pas fait. » Il lui demanda ensuite si un représentant de la municipalité était passé le voir, « pour essayer de trouver un arrangement », et fut soulagé d'apprendre que ce n'était pas le cas. « Vu votre état de torpeur, vous auriez pu signer n'importe quoi et vous auriez l'air malin, pas vrai ? À partir de maintenant, si quelqu'un veut

382

discuter avec vous, il discute d'abord avec moi. »
Sans raison apparente, sinon démontrer son talent pour
arracher des sommes mirifiques aux grandes institu-
tions impersonnelles, il lui raconta l'histoire d'un de
ses anciens clients qui, voulant retirer de l'argent à un
guichet automatique, avait été percuté par un chauffard ivre et avait perdu l'usage de ses deux jambes à
partir du genou. La banque avait proposé un million
de dollars ; il en avait obtenu dix. « Et vous savez
ce qu'il fait, aujourd'hui ?

— J'ai du mal à imaginer, dit Chance.

— Tout en tirant un rickshaw à Chinatown grâce à
des prothèses aux jambes, il a dix millions de dollars
qui dorment sur son compte. Allez savoir. »

Chance vit que le type n'était pas si différent de
lui, ni, d'ailleurs, du défunt inspecteur Blackstone. Ils
avaient tous passé beaucoup de temps à rôder parmi
les décombres. Plus tard, il apprendrait que l'avocat
avait ses bureaux sur la Great Highway, avec vue sur
la plage. Sur chacune des marches de son escalier se
trouvait une vieille planche de surf. À l'intérieur, il y
avait des photos des vagues d'Ocean Beach, et Chance
constaterait qu'il prenait plaisir à les regarder. « Ces
enfoirés sont responsables et ils vont raquer », lui dit
l'avocat surfeur avant de quitter l'hôpital. « Il me faut
deux cent cinquante mille dollars », répondit Chance.
L'autre rigola et lui dit que « le Cador » tout en haut
avait dû l'entendre et qu'il pouvait d'ores et déjà
rajouter plusieurs zéros. « Et vous feriez bien d'aller
vous baigner de temps en temps, ajouta-t-il, passant
du coq à l'âne. *C'est bon pour la tête.* » Chance,
qui n'avait pas encore vu le bureau du type ni ses
photos, ne comprenait pas du tout de quoi il voulait
parler. D'un autre côté, il ne l'écoutait plus vraiment.
Il pensait au cador, et pas forcément celui qui était

tout en haut. Il se fit la réflexion que, entre Jean-Baptiste, le flic et l'avocat surfeur, il était bon pour un nouveau coup d'œil dans le vieux kaléidoscope, un nouveau coup de poignet.

Ça aurait commencé, ça avait *dû* commencer, comme ça : D et Carl suivant la Mercedes du motel jusqu'au restaurant. Là, D avait dû sortir, sans quitter des yeux les types, et attendre qu'ils agissent, qu'ils se jettent sur Chance par-derrière et que tout se passe à peu près quand, où, et même comme, il l'avait prévu. Mais Chance ayant tout fait foirer avec son téléphone éteint et sa course folle, chacun avait dû se demander quoi faire. Puis Blackstone comprend le topo, et tout le monde doit improviser… Les Roumains arrivent en voiture, mais assez lentement pour que D puisse les suivre dans la pénombre. Il voit ce que Chance a vu, et appelle l'équivalent d'un renfort aérien en la personne de Carl Allan et sa Starlight – la grande diversion grâce à laquelle Chance peut agir… C'était simplement tout ce qui s'était passé ensuite qui continuait de lui échapper. Blackstone poignardé près de la plage, mais retrouvé dans la chambre du motel ? Et pourquoi aucune arme du crime ? La meilleure explication qu'il trouva fut quelque chose comme… D arrive sur les lieux, trouve Blackstone déjà mort, le poignard encore planté dans le thorax, et non seulement retire l'arme, mais se dit que c'est Chance qui est tombé du parapet et il prévient la police, au cas où, anonymement bien sûr, en se faisant passer pour un promeneur et son chien… Il va même plus loin : il pousse Blackstone dans la Crown Vic (les clés devaient être sur lui) et le ramène au Blue Dolphin, histoire de faire croire que tout s'est passé là-bas. Il tue le Roumain qui devait garder Jaclyn et ils repartent tous deux à pied… dans la ville froide et grise de l'amour… Était-ce tiré par les cheveux ou était-ce comme le pensait le vieux Carl, Big D étant une sorte de tour de magie ambulant ? Peut-être y avait-il un rapport avec le livre qu'il avait lu chez sa grand-mère – *Découvrez vos pouvoirs cachés*. Mais lorsque, enfin, une occasion se présenta, qu'il put rejoindre en boitant, avec l'aide d'un déambulateur, une cabine téléphonique dans le hall, qu'il eut D sur son portable jetable et lui demanda comment il s'en était sorti, pour de vrai, et si *elle* avait parlé de lui, le colosse se contenta de répondre : « M'en sortir de quoi ? » Il ajouta simplement qu'il était heureux que Chance soit heureux… puisque tout s'était si bien passé avec ses meubles, et que dans le fond… ces choses-là n'étaient pas une science exacte et les *happy ends* loin d'être gravées dans le marbre. Chance n'eut guère d'autre choix que de reconnaître, en effet, que tout était une question de timing, et d'accepter de rentrer dans sa chambre où, pour la première fois depuis bien longtemps, il envisagea la possibilité d'être heureux et se demanda à quoi cela pouvait ressembler, nonobstant la guerre qui ravageait sa prostate.

CHANCE ET LE CŒUR QUI SAIGNE

Moins d'une semaine plus tard, ses médecins acceptèrent de le renvoyer dans ses foyers. Un infirmier l'emmena vers la sortie sur un fauteuil roulant. Il portait le survêtement *baggy* gris que Lucy avait récupéré et lui avait apporté, ainsi qu'une paire de pantoufles en feutre rouge qu'elle avait juré être *hype*, une vraie trouvaille. Des Roméo, appelait-elle ça. Tous les vestiges des vêtements qu'il portait le jour de son arrivée moisissaient, apparemment, au fond d'un laboratoire de la police, quelque part en ville, et de ce qu'on avait pu trouver dans ses poches, rien n'avait encore transpiré. En revanche, on lui avait mystérieusement rendu ses chaussures ; elles étaient posées sur ses genoux, avec son baise-en-ville et une revue masculine promettant des abdos en tablettes de chocolat en trente jours.

Si son chibre et ses doigts étaient en assez bonne forme, ses côtes et ses vertèbres lui faisaient encore un mal de chien dès que les antidouleurs s'émoussaient, et il était toujours sujet à quelques vertiges. Lucy avait fait sortir la Cutlass et demandé qu'un lit d'hôpital fût installé chez Chance. Elle se révélait être d'une aide précieuse. Chance attendait justement qu'elle passe le prendre lorsqu'il aperçut une femme, une inconnue, entrer dans la salle d'attente principale et marcher vers lui. Elle avait des cheveux blond vénitien très courts, couverts d'un foulard turquoise, et d'énormes lunettes noires qu'aurait pu porter Jackie Onassis. Il pensait qu'elle changerait de direction, à un moment où un autre, et fut donc surpris de constater qu'elle s'approchait de lui. « Mon pauvre », dit-elle d'une voix à la fois inconnue et familière. Il vit que c'était Jaclyn Blackstone.

Il est bon, parfois, d'être assis, même sur un fauteuil roulant. Ce fut le cas. Jaclyn expliqua à l'infirmier qu'elle « s'occupait de lui ». Elle l'emmena vers la lumière crue de ce qu'il pensait être la mi-journée. « J'aime bien tes pantoufles, dit-elle.

— C'est Lucy qui me les a trouvées. »

Mais c'était comme parler en altitude quand l'oxygène se fait rare.

Elle le poussa jusqu'à la rue où attendait l'Oldsmobile et demanda s'il avait besoin d'aide pour monter. Il lui répondit qu'il pouvait se débrouiller seul. Elle voulut savoir ensuite s'il avait besoin du fauteuil pour rentrer chez lui. Il lui rappela l'existence de l'escalier, puis attendit, sur le siège passager, qu'elle ait déposé le fauteuil et regagné la voiture.

« Comment est-ce possible ? » finit-il par dire. Ils avaient parcouru huit cents mètres sans échanger le moindre mot. Entre-temps, le pouls de Chance avait retrouvé un rythme à peu près normal.

« Je ne suis pas sûre de te comprendre.

— Eh bien, déjà, ça, pour commencer. »

Il voulait parler d'elle et de sa voiture à lui.

« Ton assistante et moi avons trouvé un accord, dit-elle.

— Je peux me permettre de te demander à quel sujet ?

— Non.

— Et le reste ? On en parle ? »

Elle attendit le carrefour suivant pour répondre. « Je me rappelle deux ou trois choses. Il est revenu après être parti à ta recherche… Et il avait un couteau planté dans le torse… Je voyais le couteau bouger en rythme avec son cœur… J'étais encore menottée au lit, mais le type qu'il avait laissé pour me surveiller est allé vers lui, l'a regardé, et, quand il s'est baissé, Raymond a sorti son pistolet spécial qu'il a toujours sur lui et lui a tiré une balle sous le menton. Ça n'a pas fait un gros bruit, vraiment, mais j'ai vu un bout de la tête se détacher. Et là… avant qu'il puisse dire ou faire quoi que ce soit d'autre… le couteau s'est immobilisé, et Raymond est mort.

— Mon Dieu.

— Comment est-ce que c'est possible ?

— Le cœur est un muscle, répondit Chance après un long silence. Il a très bien pu… se crisper autour de la lame. Mais il est entouré par une poche membraneuse qu'on appelle le péricarde. Cette poche s'est alors remplie de sang et a comprimé le cœur. Imagine un petit oiseau serré dans une main et essayant de déployer ses ailes. »

Elle et lui, sans doute, imaginèrent la chose pendant un instant.

« C'est ce qu'on appelle un tamponnage cardiaque – de toute évidence fatal s'il n'est pas traité. La gravité de l'hémorragie et la vitesse à laquelle le péricarde se remplit, c'est ça qui va déterminer le temps dont on dispose », dit-il. « C'était moi… » pensa-t-il. Il avait raté son clou du spectacle, par lequel la mort serait survenue tout de suite, et avait touché le cœur. Restait à savoir pourquoi Blackstone était retourné au motel et n'avait pas cherché à aller à l'hôpital ou à appeler les secours.

« Je ne sais pas, répondit Jaclyn. Le type qu'il avait laissé là-bas était censé me tuer si personne ne revenait. »

Chance regarda, entre les immeubles qui les entouraient, une étroite bande de ciel du même bleu clair que la chemise de Blackstone.

« Il a toujours *dit* qu'il me protégerait.

— Et tu étais encore menottée au lit.

— C'est là qu'un colosse avec une araignée sur le crâne a débarqué. Il a retiré le couteau et m'a délivrée. Je lui ai demandé si c'était toi, mais il m'a regardée sans rien dire et je l'ai bouclée. Il fait un peu peur. Où est-ce que tu l'as trouvé ?

— Il a réparé mes meubles, dit Chance.

— Bien sûr. Mais c'est une excellente réponse. Comment va ta fille ?

— Un peu plus grande, un peu plus sage, mais à part ça saine et sauve. Et la tienne ? »

Sa main rajusta un peu ses lunettes et se posa de nouveau sur le volant. « Elle va bien. Il ne l'a jamais enlevée, tu sais ?

— Qui donc ?

— Ta fille.

— Tu en es sûre et certaine ? »

Elle sembla réfléchir. « Je sais que ça paraît bizarre... vu tout le reste... mais ça n'a jamais été un gros menteur. »

Chance médita et se demanda s'il y avait quelque chose à ajouter. Le sujet semblait épuisé. Aussi préféra-t-il regarder Jaclyn. Elle avait une drôle de manière de se tenir pendant qu'elle conduisait ; elle relevait la tête, comme si elle était trop petite pour voir au-delà du capot, ce qui évidemment n'était pas le cas. Elle mesurait tout de même un mètre soixante-sept, avec un corps bien fait... Et elle était un peu hésitante au volant, ce qui ne laissait pas de surprendre étant donné tout ce que Chance savait d'elle. Notamment, elle était lente aux feux rouges, si bien qu'elle se fit klaxonner trois fois entre l'hôpital et l'appartement de Chance. Mais ce dernier avait cessé de compter, perdu qu'il était dans la contemplation de son profil, des os de ses poignets chaque fois que ses mains s'ouvraient et se refermaient sur le volant, du soleil sur sa peau. Il était encore en train de se demander de quelle personnalité il s'agissait – pas tout à fait la timide aguicheuse de la librairie de Berkeley, mais pas non plus la femme brisée qu'il avait rencontrée dans son bureau, et certainement pas Jackie Black. « Tu montes ? » demanda-t-il.

Elle éclata presque de rire, mais d'un rire bon enfant, voire un peu enjôleur. « Vraiment ? Tu n'as pas eu assez d'émotions comme ça aujourd'hui ? »

Deux heures plus tôt, alors qu'une infirmière emportait son bassin hygiénique, il n'aurait pu imaginer qu'il se retrouverait à ce point étourdi de désir... malgré... à cause de... Ça devait se voir comme le nez au milieu de la figure, pensa-t-il.

Elle sourit de nouveau, mais se rembrunit un peu lorsque, regardant l'entrée de son immeuble, elle vit Lucy assise sur les marches, devant la porte métallique où Jackie Black avait un jour désespérément cherché son membre viril. « Tu es le meilleur ami que j'aie jamais eu », lui dit-elle avant de descendre.

Il ouvrit la portière et, s'en servant comme d'un levier, réussit à se hisser, d'abord jusqu'au caniveau, puis sur le trottoir. Un vent agréable arrivait des déferlantes d'Ocean Beach, où au même moment, peut-être, son avocat surfait en liberté dans les champs du Seigneur. Chance sentit un souffle agiter les cheveux sur son crâne de plus en plus dégarni et se dit qu'il devait ressembler en tout point à ce qu'il avait l'impression d'être, c'est-à-dire un épouvantail affublé de Roméo et d'un survêtement *baggy*. Lorsqu'elle fit le tour de la voiture jusqu'à lui, il vit qu'elle tenait une enveloppe kraft qu'elle voulait lui donner. « J'ai décidé que tu devrais y jeter un œil, dit-elle. C'est le minimum que je puisse faire. »

Il voulut lui demander s'il la reverrait, mais elle avait ôté ses lunettes noires, et la réponse à sa question était écrite dans ses yeux quand brusquement elle l'attira à elle, se serra contre lui avant de disparaître. Elle remit ses lunettes et marcha d'un pas décidé vers la côte avant de tourner au premier carrefour. Elle avait disparu pour de bon. À sa place il n'y avait plus qu'une tache de soleil, et même celle-ci se laissait ronger par les premières traces de ce qui très vite, il le savait, se muerait en un brouillard épais et impénétrable. Il aurait encore pu lui courir après s'il avait trouvé le moyen de rester debout. Là-dessus, Lucy l'aida à entrer. « Ne me demandez même pas », dit-elle.

Chance attendit qu'elle soit repartie pour ouvrir l'enveloppe kraft, seul dans cette chambre où ils avaient été ensemble une fois. Il reconnut tout de suite le travail de Raymond Blackstone...

> Le 5 mai, Gayland Parks a été retrouvé assassiné dans son appartement d'Oakland. Avec la brigade criminelle 1, j'ai accepté d'enquêter sur cet incident...
> Les enregistrements téléphoniques obtenus à l'époque laissaient penser que le téléphone portable de Parks était encore utilisé et que des appels étaient passés à des personnes à San Diego, Californie. L'inspecteur Lopez et moi-

même avons reçu l'autorisation de nous rendre à San Diego pour interroger les personnes impliquées.

Au cours de la première phase de l'enquête, nous avons également appris que la victime, Gayland Parks, collectionnait des répliques de l'Empire State Building. Elles étaient fabriquées à partir de divers matériaux, dont du papier. Un grand nombre d'entre elles étaient assez sophistiquées et valaient très cher. Beaucoup de ces objets de collection étaient encore dans leurs boîtes originelles ou dans des vitrines en plastique.

Après deux jours passés à San Diego, l'inspecteur Lopez a dû retourner en urgence à Oakland pour raisons familiales. Je suis donc allé seul à Tijuana, au Mexique, afin de rencontrer l'inspecteur Raul Moreno, de la police mexicaine. Il connaissait bien l'affaire et m'a indiqué que Jane, de son vrai nom Jo Ann Patterson, avait été arrêtée la veille dans la partie de la ville nommée Zona Norte, puis emmenée au siège de la police, où elle avait avoué le meurtre de Gayland Parks, en précisant toutefois qu'il s'agissait de légitime défense. Elle avait déclaré avoir volé plusieurs répliques de l'Empire State Building dans l'appartement de Parks pour les entreposer chez sa mère, à Ensenada, Basse-Californie, laquelle mère s'appelait Gladys Patterson. D'après Jo Ann Patterson, celle-ci vivait au 1416, Calle Nuevo, à Ensenada, Mexique. (Voir rapport d'arrestation Jo Ann Patterson et Interrogatoire Jo Ann Patterson.)

Peu après, l'inspecteur Moreno et moi-même avons parlé à Gladys Patterson et obtenu l'autorisation de fouiller sa résidence à Ensenada. D'après Mme Patterson, les répliques se trouvaient sur place, dans la chambre de Sky, la fille de Jo Ann Patterson.

Le même jour, aux alentours de 15 h 30, l'inspecteur Moreno et moi-même avons retrouvé Mme Patterson chez elle, à Ensenada. Mme Patterson nous a indiqué une chambre dans laquelle nous avons découvert des objets appartenant à Gayland Parks.

Il est important de préciser que ces objets n'étaient plus dans leur état originel, mais avaient été découpés, réassemblés et collés à d'autres objets pour constituer ce qui s'apparentait à une maison de poupée extrêmement bien proportionnée. Si l'ouvrage présentait un intérêt en soi, il n'en détruisait pas moins la valeur de la collection Parks.

Mme Patterson nous a appris que Jo Ann déposait souvent des cadeaux dans la chambre ; en effet, la pièce était remplie de toutes sortes d'objets, qui allaient des poupées et des maisons de poupée aux bijoux en passant par des vêtements d'enfant. Quand je l'ai interrogée sur sa petite-fille, Sky, elle m'a répondu que cette dernière était morte à sa naissance, onze ans avant notre visite à Ensenada. À ce moment précis, Mme Patterson s'est effondrée et s'est mise à pleurer. Elle m'a raconté que sa fille aurait pu être une bonne mère mais que la drogue l'avait anéantie, puis elle nous a livré d'autres détails.

Le père de Jo Ann, aujourd'hui décédé, avait travaillé pour les Affaires étrangères américaines et passé beaucoup de temps en Amérique centrale et du Sud. D'après Mme Patterson, elle et sa fille accompagnaient souvent M. Patterson. Alors qu'elle habitait Lima, au Pérou, Jo Ann, âgée de treize ans, avait été kidnappée par des guérilléros du Sentier lumineux et retenue pendant près d'un mois, subissant tortures et viols. Par la suite, son père s'était suicidé. Adolescente, Jo Ann était devenue une fille facile, se faisant avorter au moins deux fois, ce dont plus tard elle se sentirait coupable. Son premier mari était un musicien. Jo Ann et lui sont devenus toxicomanes. Il est mort d'une overdose. Elle a eu une fille nommée Sky, née dépendante aux drogues et morte à l'hôpital… La mère pense que sa fille ne s'est jamais remise de son enlèvement et raconte qu'elle a connu des épisodes de scarifications et d'autres comportements « étranges ».

Pendant la conversation, j'ai demandé à Mme Patterson de m'expliquer quand et comment les divers objets avaient été déposés dans la chambre à coucher de sa petite-fille. Mme Patterson m'a peu ou prou raconté ceci : « Depuis quelques années, ma fille, Jo Ann, vient vivre ici de temps en temps. Je lui ai fait construire son propre appartement accolé à la maison. Elle travaille parfois à Tijuana, et va et vient. D'après ce que je sais, Jo avait intégré une entreprise de revêtements et travaillait debout la plupart du temps.

J'ai remarqué que ma fille portait des gants dès qu'elle venait à la maison. Elle m'a dit qu'elle faisait cela parce qu'elle avait toujours froid. J'ai remarqué que depuis quelque temps elle était toujours très agitée et nerveuse. J'ai pensé qu'elle était peut-être retombée dans la drogue. Je ne voulais pas savoir. Avant ça, Jo Ann a passé presque un an dans un centre de désintoxication, au Nouveau-Mexique.

Je ne sais pas exactement quand Jo Ann a déposé tous ces objets dans la chambre de Sky. Je pense que cela doit remonter à un mois ou un mois et demi. Elle a déboulé un jour avec deux sacs de sport. Elle m'a dit que quelqu'un lui devait un peu d'argent et lui avait donné le contenu des sacs à la place. Elle a rangé les objets dans la chambre de Sky et a passé un temps fou à construire la maison de poupée ; j'ai trouvé ça un peu bizarre, mais d'un autre côté je me suis habituée à la voir faire des choses bizarres. Je pense que je ne voulais tout simplement pas en savoir davantage. »

Quand j'ai demandé à Mme Patterson si, à la suite des traumatismes d'enfance de Jo Ann, elle avait cherché à obtenir une aide ou une évaluation psychologique, Mme Patterson m'a répondu qu'elle préférait ne pas aborder la question.

Cela a mis fin aux déclarations de Gladys Patterson.

Le lendemain matin, à 8 heures précises, je me suis rendu au siège de la police mexicaine afin de récupérer Jo Ann Patterson. À mon arrivée, j'ai trouvé une agitation et un désordre indescriptibles. Des soldats fédéraux avaient été appelés et étaient sur place. Une fusillade s'était produite quelques heures avant mon arrivée, dans l'enceinte même du siège de la police, vraisemblablement le fait d'une faction dissidente du cartel de Tijuana. Trois policiers avaient été abattus. Le chaos régnait. On m'a alors informé que l'inspecteur Moreno faisait partie des policiers tués et que Jo Ann Patterson avait disparu. Personne ne savait ce qu'il était advenu d'elle. Personne ne savait si elle était blessée. Personne ne savait si elle avait été enlevée ou si elle avait simplement trouvé le moyen de s'enfuir en profitant de la confusion. J'ai séjourné un jour de plus à Tijuana. Mais la police mexicaine étant occupée par les conséquences de la fusillade, et Jo Ann Patterson étant désormais consciente de sa situation et sans doute loin de la ville, rester là n'avait pas grand intérêt. Je suis donc reparti pour San Diego.

Difficile, pensa Chance, de démêler le vrai du faux dans le rapport final de Blackstone, de savoir pourquoi il l'avait conservé, s'il l'avait remis, et même, quand on y réfléchissait, s'il en était vraiment l'auteur. Après tout, Jaclyn était habile avec les mots autant qu'avec les chiffres. Mais même si on prenait ce rapport pour argent comptant, restaient la question des dernières heures passées à Tijuana et les déclarations de l'inspecteur d'après lesquelles celles-ci avaient été *sans intérêt* – très certainement le début du grand mensonge qui finirait par le mener à sa perte. Car s'il était vrai que Jo Ann Patterson avait disparu au Mexique, il était tout aussi vrai que Jackie Black était rentrée au pays avec Raymond Blackstone. Chance essaya pendant au moins trente secondes d'imaginer ce à quoi cela avait pu ressembler avant de se laisser gagner par le sommeil. Quelle importance, désormais ? Ce qui avait pu se passer entre eux, le flic et la putain… Déjà, il sentait que ça s'évaporait – une énième petite goutte de fourberie, dont la planète était remplie à ras bord.

RARES LES HOMMES DE VALEUR,
ET DIFFICILES À TROUVER

Son rétablissement fut un long périple vers une destination douteuse. Certaines journées étaient meilleures que d'autres. Chance les passa toutes chez lui, tantôt sous la couette, tantôt à confectionner de petits étuis en papier cartonné, avec des agrafes en guise de fils de fer, et à s'entraîner avec un couteau de cuisine… à voir combien de fois l'étui restait dans la poche, combien de fois il s'en détachait, entièrement ou à moitié, de sorte que l'autre moitié ressortirait plus tard… pendant une chute de douze mètres, par exemple, sur les sables d'Ocean Beach. Il passa des heures à gamberger sur les hommes de la Mercedes et ce qu'ils pourraient raconter s'ils étaient un jour arrêtés. Il passa d'autres heures encore à gamberger à cause des traces de sang. Mais D, une fois, lui avait dit ceci : même au moment où on le frappe, un homme peut se détourner du coup, une lame peut tomber sur l'os ou rater sa cible. Et très vite Chance commença à se dire que ça s'était passé comme ça… Il avait frappé, était tombé, et Blackstone avait pivoté, si bien que son sang avait giclé loin de Chance, et non sur lui. Restait l'autre partie, bien sûr, la partie Blackstone – les dix mètres de dénivelé que l'inspecteur avait dû parcourir jusqu'à son véhicule, le très long pâté d'immeubles qu'il avait dû longer en voiture avant de regagner la chambre du motel, mû par une volonté que Chance ne pouvait qu'imaginer, de trouver une chaise et enfin de tuer l'homme qui aurait tué Jaclyn. Il estimait qu'au moins un de ses souvenirs hallucinés était en partie fidèle à la vérité et que, vu sous un certain angle, Blackstone, en fin de compte, avait vraiment pris le dessus sur lui – si seulement quelqu'un avait pu le poignarder au cœur chaque jour de son existence.

Quant à quelque chose de plus concret, c'est-à-dire quelque chose qui aurait pu passer pour un souvenir retrouvé à propos de ce qui s'était réellement passé sur la falaise d'Ocean Beach… de ce côté-là, c'était le calme plat et ça continuait de l'être… à mesure que passaient les jours, que l'inspecteur Newsome ne revenait pas, ce qui ne signifiait pas, bien sûr, qu'il ne reviendrait jamais. Mais au bout du compte on ne peut s'inquiéter de ces choses-là qu'un temps. Blackstone était mort et Chance était vivant. En attendant, dans la ville qui s'étalait derrière ses fenêtres, le long été chaud touchait à sa fin et le procès de l'affaire Doc Billy s'annonçait.

Ce fut Lucy qui l'aida à descendre l'escalier de son immeuble jusqu'à la rue. Il était équipé d'une canne et d'un corset provisoire. « Vous savez, dit-elle, vous n'êtes vraiment pas obligé de faire ça.

— *Au contraire*[1] », lui répondit Chance, ajoutant qu'il était sommé d'agir, ne fût-ce qu'en tant que soldat du cœur.

« Vous êtes *sûr* que ça va ?

1. En français dans le texte. (*N.d.T.*)

— C'est la moindre des choses.

— Je vous ai demandé si ça allait. »

Chance fit signe que oui. Il aurait pu donner une réponse plus longue à la question, mais ça attendrait – le temps était compté.

Elle l'emmena au tribunal, près de la mairie, dans le centre de San Francisco. Tout l'enjeu était la santé mentale du Dr William Fry, d'un point de vue neurologique et psychiatrique, plus précisément sa vulnérabilité à un abus d'influence et la manière dont tous ces facteurs, pris ensemble, affectaient ou non sa capacité testamentaire, ce qui à son tour affectait la possibilité pour sa maîtresse mexicaine de conserver les sommes gigantesques qu'il lui avait données. D'ailleurs, la question était de savoir si ces deux-là pouvaient continuer de se fréquenter, une injonction imposée par les avocats de la famille de l'Oregon l'ayant interdit dès les premiers rapports rédigés par Chance. Si la cour devait trancher en faveur des plaignants, au service desquels Chance intervenait, Doc Billy ne serait plus le maître de sa fortune, pécuniaire ou autre. Sa maîtresse mexicaine, selon toute probabilité, se retrouverait soit en prison, soit expulsée, puisqu'elle ne disposait que d'un visa de travail temporaire.

Ils étaient tous là : M. Berg, M. Green, et le neveu de l'Oregon avec lequel Chance avait discuté une ou deux fois au téléphone et qu'il apprécia encore moins en chair et en os. Les questions qu'on lui posa, assis à la barre, ressemblaient beaucoup à celles qu'on lui avait posées le jour de son audition. On lui demanda de lire ses notes antérieures à cette dernière, et si ces notes, de manière générale, exprimaient des opinions qu'il était prêt à réaffirmer sous serment. Il fut trop heureux de mentir allégrement au profit des amants malheureux, allant parfois même jusqu'à contredire ses précédentes conclusions, disant simplement qu'après mûre réflexion ceci et après mûre réflexion cela. Il objecta, dévia, esquiva, enfuma. Il fut tantôt vague, tantôt volontairement opaque, au point que M. Berg, avocat des plaignants, semblait à deux doigts d'avoir un AVC.

Tout cela, Chance le fit sans crainte des conséquences ni des représailles. Si un jour, au cours de quelque procédure ultérieure, on le pressait de questions… il s'estimait plutôt bien placé pour mettre sur le compte des événements de *son* propre passé récent la moindre défaillance de sa mémoire, voire de son acuité mentale. Certes, une fois la nouvelle connue, il s'écoulerait peut-être un long moment avant que quelqu'un en quête d'un expert vienne le solliciter, mais Chance était convaincu d'en avoir terminé avec tout cela.

De temps à autre, il voyait Doc Billy, dans un coin de la salle, lui sourire comme un singe ; il craignit même, à un moment donné, que le vieillard n'eût déjà sombré dans la démence. Pour finir, il préféra considérer ce sourire comme malicieux plutôt que simiesque, complice plutôt que simplement sénile, allant même jusqu'à imaginer pour la première fois ce à quoi pourrait ressembler le baroud d'honneur du vieux médecin. Il pensait Mexique, fuite éperdue des deux amants… Après tout, à cet instant précis, il leur obtenait un petit répit, et ils ne manquaient pas d'argent. Il pensait même à une musique. Chet Baker chantant « Let's Get Lost » pendant que le couple filait vers la frontière. L'exercice lui remonta le moral, comme jamais depuis longtemps, à tel point que, lorsque les avocats en eurent enfin terminé avec lui et qu'on lui demanda, un peu sèchement, de quitter la barre, voire le pays, il proposa à Lucy, qui l'attendait au fond de la salle avec un drôle d'air, de remonter avec lui la rue jusqu'à leurs anciens bureaux : la journée s'annonçait splendide, et il était curieux de voir si les photos de Jean-Baptiste avaient été livrées.

CAPTAIN AMERICA

En effet, plus de deux cents petits chefs-d'œuvre étaient arrivés. Certains clichés avaient été encadrés : ceux-là étaient dans des paquets individuels. De nombreux autres avaient été placés dans ces grandes enveloppes marron dont se servent les étudiants des Beaux-Arts pour transporter leurs dessins. Chacune contenait des dizaines de photos séparées par du papier journal. « Je sais que vous l'aimiez bien, dit Lucy. Mais… si on veut repartir d'un bon pied… je vous conseillerais d'en accrocher le moins possible.

— J'ai appris à les regarder, lui répondit-il. C'est la lumière dans leur regard qui fait tout. »

Il lui montra le vieil homme qui portait une couche, Captain America. « Regardez-moi ce salopard. Il ne lâche rien.

— Hmm. Quand même, je vous conseille de limiter leur nombre.

— Oui, bon… De la modération en toutes choses, j'imagine. »

Cela valait aussi pour la dose de vérité qu'on pouvait décemment demander aux gens de digérer dans une salle d'attente. Il passa ensuite à un autre sujet qui lui trottait dans la tête ces derniers temps – ses meubles français, la collection Printz.

« Les vieux trucs que vous aviez vendus ?

— J'y repense beaucoup, ces temps-ci. Pour être honnête, ça me ronge, au point que je me dis maintenant qu'ils feraient joli dans le cabinet.

— Je croyais que vous vouliez absolument vous en débarrasser.

— J'avais besoin d'argent. J'ai un peu entubé l'acheteur. »

Lucy pinça les lèvres.

« C'est un peu compliqué, mais ce que j'aimerais, c'est contacter le propriétaire actuel et lui faire une offre de rachat.

— En lui expliquant qu'il s'est fait entuber ?

— J'ai l'intention de lui faire une offre tellement généreuse qu'elle en devient ridicule. Ça vous va comme ça ? »

Lucy haussa les épaules. Il voulut y voir une réponse positive.

« L'autre chose que je voudrais… Le jour où je suis tombé de la falaise, il y a une fille en skate-board qui s'est fait renverser. J'aimerais retrouver sa trace et savoir comment elle va. » Il était sur le point de lui demander de faire des recherches lorsqu'il s'aperçut qu'une femme d'une quarantaine d'années, élégamment habillée, occupait l'encadrement de la porte qui séparait la salle d'attente du couloir. Elle avait des cheveux très noirs, une peau très blanche, et son corps semblait pencher légèrement d'un côté.

Son nom, dit-elle, était Veronica Woods. Elle venait de quitter l'unité des « victimes de crimes violents » à l'hôpital général de San Francisco, où elle avait passé le plus clair de l'été. Chance vit qu'elle avait subi une chirurgie réparatrice sur un côté du visage, ce qui la rendait à la fois émaciée et impressionnante, une sorte de chef-d'œuvre abîmé. Comme lui, elle tenait une canne et marchait en boitillant. Contrairement à lui, elle serait comme ça, dit-elle, jusqu'à la fin de ses jours. Il y avait une histoire derrière tout ça, bien entendu, une histoire où il était question d'injonctions sans suites et de menaces de violence, d'une secte religieuse avec laquelle elle avait réussi à se brouiller, d'une tentative d'enlèvement d'un membre de sa famille, d'un attentat à la voiture piégée – une histoire qui exigeait beaucoup plus d'attention que Chance n'était disposé à en accorder pour l'instant.

Quelqu'un, à l'hôpital, lui avait parlé de Chance – une aide-soignante volontaire, croyait-elle se souvenir. Elle avait appris qu'il avait été victime d'un accident et elle était désolée de débarquer sans prévenir, mais elle ne savait ni où aller ni quoi faire. « Ces gens sont toujours dans la nature », dit-elle. Chance en déduisit qu'elle voulait parler des auteurs des crimes violents qui l'avaient envoyée à l'hôpital. Depuis sa sortie, elle n'avait pratiquement pas quitté son appartement. Sa vie était en miettes – sans parler de sa carrière. Elle n'avait plus de couverture médicale. « Ma vie appartient au passé », lui dit-elle avant de fondre en larmes. Chance ne put s'empêcher de remarquer que la partie de son visage qui avait été opérée restait rigide. « J'étais chef dans un restaurant, finit-elle par dire. Mais aujourd'hui, après tout ça... » Elle porta la main à son visage. « J'ai perdu l'odorat... On m'a expliqué que c'était un domaine dans lequel vous aviez une certaine expertise... »

Il répondit qu'il était navré pour elle – et il l'était – mais il avait commencé à réfléchir à cet hôpital qu'elle avait mentionné, à y réfléchir sous un angle particulier. L'expression *mutilés de guerre*[1] lui vint à l'esprit. Les Français l'avaient inventée pour les blessés de guerre, mais *la vie et l'amour* aurait très bien pu convenir, et il fut un peu décontenancé par le fait qu'il n'avait encore jamais entendu parler de ce lieu de séjour pour les « victimes de crimes violents ». Tout en se disant qu'il lui fallait sortir plus souvent, il eut du mal à maîtriser un accès de vertige, attribuable à n'en pas douter à l'irruption soudaine et simultanée de tant de grandes idées.

Ils étaient maintenant dans son cabinet. Chance se tenait à moitié assis, appuyé sur le bord du bureau, près d'une fenêtre entrouverte, capable, donc, de prendre la pleine mesure du jour, contrairement à la pauvre créature devant lui. L'air était enfin chargé de ce moment particulier dont il voulait lui parler, l'arrivée de l'hiver – quand tout n'est que lumière blanche et la mer couleur de perle. Sur ce, la femme lui rappela sa présence. « Vous préférez que je parte ? » demanda-t-elle.

Chance fut pétrifié. C'était ce que J... Il s'était mis à l'appeler uniquement J... C'était ce que J. lui avait dit, mot pour mot, au même endroit. Et n'avait-il pas remarqué une certaine cadence de la voix, une trace familière, comme un parfum laissé dans une pièce ? N'y avait-il pas cette inclinaison de la mâchoire, la hauteur de sa pommette... impossible à dissimuler même par l'opération qu'elle avait subie ou les lunettes noires derrière lesquelles elle préférait se cacher ? C'était tout à fait impossible, pour mille raisons, mais ce qu'il comprit, comme par un éclair stroboscopique, c'était que *toutes* les

1. En français dans le texte. (*N.d.T.*)

femmes en détresse, à partir de maintenant, non seulement ressembleraient à J. mais, d'une manière très particulière, *seraient* J. Et il se trouvait que… ça ne lui posait *pas trop* de problèmes. Sans compter qu'il savait autre chose : qu'un jour cela pourrait tout à fait se produire. Après tout, elle avait indiqué une adresse dans ce qu'elle lui avait laissé, un endroit où elle allait de temps à autre, en Basse-Californie. Il pourrait même y aller avec des cadeaux. Le trajet, bien que nettement plus long que celui jusqu'à l'appartement de Mariella Franko à Palo Alto, ne semblait plus autant compliqué par les mécanismes du monde. Après tout, qu'est-ce que tout cela pouvait bien lui faire ? Et le cœur emprisonné, n'était-ce pas le sien ? Pour le moment, il y avait cette nouvelle créature devant lui, cette victime d'un crime violent. On aurait tout aussi bien pu dire la manne tombée du ciel, mais Chance sentait qu'il la rendait nerveuse ; elle se rongeait les ongles jusqu'au sang, tordait ses mains écorchées l'une dans l'autre, si bien qu'il posa la sienne sur son épaule. « D'accord, dit-il. Vraiment. Je suis un peu préoccupé, et je suis désolé, mais je pense que j'aimerais vous aider. » Il prit les larmes qu'elle versait pour des larmes de joie, ou du moins de soulagement, et dès qu'elle fut repartie il téléphona à Big D, chez Allan's Antiques. C'était la première fois qu'ils se reparlaient depuis le jour où Chance l'avait appelé du hall de l'hôpital.

« Quoi de neuf, mon pote ? » demanda D, comme s'ils s'étaient vus la veille et avaient parlé de la pluie et du beau temps.

« J'ai peut-être quelque chose », répondit Chance.

REMERCIEMENTS

J'aimerais remercier Tom Kier, Ronald Newquist et le Dr Jonathan Mueller pour avoir été si incroyablement généreux de leur temps et de leurs encouragements. Et aussi... Un clin d'œil tout particulier à Steven Pressfield et Hugh MacLeod, excellents écrivains qui ne me connaissent ni d'Ève ni d'Adam, et qui ne doivent être en aucun cas tenus responsables.

10/18, une marque d'Univers Poche,
est un éditeur qui s'engage pour
la préservation de son environnement
et qui utilise du papier fabriqué à partir
de bois provenant de forêts gérées
de manière responsable.

Imprimé en France par CPI

N° d'impression : 3025074
Dépôt légal : décembre 2017
X07114/01